D0999249

A la sombra del arcoíris

A la sombra del arcoíris

Elena Castillo

TITANIA
Argentina • Chile • Colombia • España
Estados Unidos • México • Perú • Uruguay

1.ª edición Septiembre 2020

Plaza de los Reyes Magos, 8, piso 1.º C y D – 28007 Madrid
www.titania.org
atencion@titania.org

ISBN: 978-84-16327-98-0
E-ISBN: 978-84-17981-63-1
Depósito legal: B-13.314-2020

Fotocomposición: Ediciones Urano, S.A.U.
Impreso por Romanyà Valls, S.A. – Verdaguer, 1 – 08786 Capellades (Barcelona)

Impreso en España – *Printed in Spain*

Dedico este libro a mis hijas, Celia y Elena,
por llenar mi vida de colores brillantes.

1

Si se considera muerta a una persona cuando su corazón deja de bombear, se podría llegar a la conclusión de que, con el primer latido, comienza la vida. Yo creo que, tras la primera respiración, perteneces al mundo. Sin embargo, no hay nadie que recuerde ninguno de esos dos instantes trascendentales: el primer latido, la primera respiración. Los recuerdos comienzan a grabarse en la memoria, por lo general, a los tres años de vida, así que se podría decir que, si la vida es el conjunto de momentos vividos y recordados, uno empieza a vivir tras el primer momento, sensación o experiencia que se graba en nuestro hipocampo.

El día que volví a abrir los ojos en el hospital, tras el accidente, fue el instante en el que yo, mi actual yo, comenzó a existir. Mi disco duro estaba vacío, no tenía pasado, mis recuerdos se habían borrado como huellas en la arena barridas por una ola. Mi pasado, la vida de «Bay pre-accidente», se había convertido en la historia de otros, en los recuerdos existentes de los que habían estado presentes en algún momento durante los primeros diecinueve años de mi vida.

«Vuelve a mí.»

Cada vez que esas palabras pasaban el filtro de mi inconsciencia, hacía esfuerzos por concentrarme en un punto, aunque es difícil cuando en tu mente solo hay destellos de colores sin forma. El sonido flotaba esquivo a mi alrededor y me resultaba imposible atraparlo. Era sumamente agotador intentarlo, no era capaz de nadar contracorriente y volvía a dejarme llevar una y otra vez.

«Vuelve a mí.»

Soy incapaz de decir cómo ocurrió, pero, un día, dentro de mi cabeza encontré algo entre los colores, un sonido al que conseguí aferrarme: la risa de alguien. En realidad, era mi risa mezclada con la suya. Junto con aquel sonido llegó también una sensación, la de sentir los pies mojados al andar en un agua de color rosa. En aquel instante aquello tenía sentido, era mi realidad.

Ese se convirtió en mi primer recuerdo oficial, aunque todo indicaba que ni siquiera era real, que tan solo se trataba de un sueño. Todo era producto de mi mente defectuosa y alterada por algún tipo de sustancia. Estaba totalmente a ciegas, vacía.

Salir del coma fue como despertar después de una noche de borrachera de órdago. Un zumbido repetitivo taladraba mi mente, era molesto, y mi cuerpo reaccionaba a él de un modo casi involuntario. ¿He sido yo? ¿Me he movido? ¿He emitido ese sonido? Recuerdo aquella sensación de desconcierto, de angustia.

—¡La tenemos! —Oí.

—Bay, si me oyes, asiente. Bay, si me oyes, mueve la mano.

Conseguí mover los dedos, pero no pude hablar, sentía algo dentro de mi boca y todo pesaba tanto que volver a la oscuridad resultaba tentador.

Aunque me extrajeron el molesto tubo del respirador que había llevado en mi garganta, no conseguí ser dueña de mis labios. Unos minutos después, abrí los ojos y, tras varios parpadeos, una luz cegadora me obligó a cerrarlos de nuevo. Lo intenté varias veces hasta que logré disipar el brillo y comencé a distinguir formas y colores. Hasta que le vi a él.

Me miraba con los ojos desorbitados, como si estuviera presenciando un milagro. Yo aún no sabía quién era Jude, tan solo veía a un muchacho de cabello oscuro y corto, y barba descuidada de varias semanas, que aguantaba la respiración expectante. Movió los labios para susurrar unas palabras mientras me acariciaba la mejilla con la yema de sus dedos. No fui capaz de entenderle, todo era muy confuso, demasiado agotador y, aun así, recuerdo aquel caos tan bien... Quizá porque esos fotogramas se convirtieron en mis primeros recuerdos de verdad, los que sí sabía que eran reales. Después de aquello, volví a caer por el agujero negro, ese al que parecía pertenecer.

—Bay. ¿Puedes oírme? No cierres los ojos, concéntrate en mi voz. Vamos, tú puedes. Bay, sigue mi voz y mírame... ¡Llamad a la doctora Mont!

No sé cuánto tiempo pasó entre la primera y la segunda vez, pero en aquella ocasión logré elevar los párpados y mantenerlos arriba, aunque había una pequeña luz oscilante que me molestaba. Noté que esa vez había más gente a mi alrededor.

—Aquí está, con nosotros —dijo quien desconectó la luz de una pequeña linterna tan fina como un bolígrafo.

Tomé el control de los dedos de mis manos. Podía estirarlos y me concentré en ellos mientras me tocaban y tiraban de mí como si fueran a sacarme el alma por la boca. Mi boca, mis labios. Intenté moverlos, pero era todo tan agotador que dejé escapar el aire entre ellos.

Una mujer hablaba muy fuerte, pero no se dirigía a mí, por lo que moví los ojos a mi alrededor por aquella habitación blanca. Así descubrí a otro muchacho de silueta cuadrada y pelo rubio tostado que estaba pegado a la pared con los brazos en tensión y cruzados bajo el pecho, justo detrás de la mujer con la bata blanca. Era una doctora, no había duda, por eso ignoré al muchacho para centrarme en ella. ¡¿Por qué había una médica observándome?! Mi corazón empezó a latir, apresurado.

—Hola, Bay, ¿puedes oírme? —La mujer se dirigió a mí.

¿Bay? ¿Yo soy Bay? Intenté recordar mi nombre, pero no lo conseguí. Intenté recordar algo, quién era, qué hacía allí. ¿¡Dónde estaba!?

—Tranquila, Bay. Respira despacio. —Me cogió la mano e hizo que la mirase a los ojos para respirar al ritmo que me marcaba y repitió—: ¿Puedes oírme?

Intenté hablar, pero la voz se bloqueaba a mitad de camino, por lo que asentí sutilmente con la cabeza.

—Bay, soy Lauryn Mont, neuróloga del hospital Royal Perth. Tuviste un accidente de coche, ¿lo recuerdas?

—No.

Oí mi voz, pero tampoco la reconocí. Sonaba rasposa, hueca, dolorida. Me dolía la cabeza y con dificultad se lo hice saber a esa mujer al conseguir llevar mi mano hasta la frente. Afirmó que era normal y aseguró que me darían algo para calmarme la jaqueca.

¿Jaqueca? Aquello no era una jaqueca, era un ruidoso agujero negro por el que había caído.

—Bay, nena. Estoy aquí, no te preocupes. Todo va a salir bien.

El muchacho rubio rodeó la cama, se sentó a mi lado y me agarró la mano con dulzura. Comenzó a besármela y se aproximó a mis labios con intención de rozarlos con los suyos, como si fuera lo más lógico, lo que me calmaría, lo que necesitaba. Yo no tenía ni idea de quién era, por lo que ladeé la cara e hice fuerza para escurrir mis dedos de entre los suyos.

—¿Bay? —Él alzó las cejas con desconcierto.

En ese momento no sabía quién puñetas era yo; no sabía dónde estaba ni qué había pasado. No recordaba absolutamente nada, tan solo el agua rosa y su calidez en la planta de mis pies. ¿¡Cómo iba a saber que aquel era mi novio y que, antes de perder mis recuerdos, mi mundo giraba en torno a él!?

—Espera un momento, Scott. Déjame a mí.

La que había dicho que era neuróloga reclamó mi atención con gesto circunspecto y se dispuso a lanzarme una batería de preguntas.

—Bay, ¿recuerdas a Scott?

—No.

—¿Sabes dónde vives?

La miré sin pestañear, sin respirar, y agité la cabeza como si fuera una coctelera, como si así las ideas y los recuerdos pudieran recolocarse y salir afuera. Pero no había nada.

«No hay nada. No hay nada en mi cabeza. No sé quién soy.» Eso es lo que quise contestar, pero parecía que las palabras que se formaban en mi mente no conseguían encontrar el camino de salida hacia mi garganta. Por eso, solo volví a negar.

—Tenemos que hacerle una resonancia magnética cerebral y un electroencefalograma para valorar la extensión de las secuelas.

Lauryn Mont se dirigió a un segundo médico que apareció tras ella, o quizá en el que no me había fijado antes, porque fue en ese momento también en el que vi a una mujer llorosa sentada en una butaca, mirándome mientras mantenía los labios apretados, y a Jude, que había debido de estar apoyado en el marco de la puerta todo el tiempo. Justo cuando mis ojos se cruzaron con los suyos salió de la habitación, cabizbajo.

—Bay, vamos a hacerte unas pruebas, pero parece que sufres amnesia postraumática. Tuviste un grave accidente, junto a tu padre, hace unas tres semanas. Sufriste un fuerte traumatismo craneal, has estado en coma y es normal que ahora te cueste incluso hablar.

—¿Pa...? ¿Pa...?

—¿Tu padre? ¿Preguntas por él?

Asentí. No es que recordara a ningún padre, pero pensé que, si tenía uno, quizá al verlo todo cobrara sentido.

—Lo siento mucho, él falleció en el accidente.

No recordaba a un padre ni reconocía a ese que se llamaba Scott y que había vuelto a cruzar los brazos mientras se alejaba de la cama un par de pasos atrás, casi más asustado de lo que lo estaba yo. Por eso, toda la información que me dio la neuróloga no consiguió despertar en mí la sensación que se supone que debería sentir alguien cuando le dan la noticia de la muerte de su padre. Todo lo que sentí fue asfixia, porque ¡¡no recordaba nada!!

En ese momento, miré hacia la butaca, hacia la mujer que lloraba. Solo me faltaba saber quién era ella. ¿Era mi madre? La doctora se dio cuenta y se apresuró a reclamarla.

—Adele, venga. Acérquese a ella.

La mujer avanzó hacia mí haciendo verdaderos esfuerzos por tragarse unas lágrimas que se le escapaban de los ojos a borbotones.

—¿Ma...? —le pregunté con dificultad porque me dolía la garganta, porque no conseguía juntar todas las letras.

—No cielo, no soy tu madre. Soy quien ha cuidado de ti desde pequeñita, quien ayudaba a tu padre en casa.

—¿Ma...? —volví a preguntar.

—No tienes madre, cielo.

«No tengo madre. Y ahora tampoco tengo padre. ¿Estoy sola?» La miré desconcertada.

—Nos tienes a mí y a Jude —contestó rauda y con intensidad, como si pudiese leer mi pensamiento.

¿Jude? En ese momento me pregunté si ese era el chico que acababa de marcharse. Miré a la mujer con detenimiento, rebuscando en las profundidades de mi mente. Parecía joven, como mucho debía de tener unos cuarenta años, aunque sus ojos parecían tristes y estaban rodeados de profundas arrugas.

—¡Y a mí! Me tienes a mí, Bay. Yo soy tu novio, Scott. ¿No me recuerdas? Soy Scott... —lo repitió elevando la voz, como si en lugar de sufrir amnesia me hubiese quedado sorda.

Le arrebató mi mano a Adele y se aseguró de captar mi atención. Le miré esa vez con detalle, realicé el mismo estudio en él, en sus rasgos. Me fijé en su mandíbula cuadrada, apretada con fuerza, en su cutis bien afeitado, en sus ojos color ceniza y en su pelo despuntado a la altura del cuello y quemado por el sol. Era bien parecido y me reclamaba con intensidad en la mirada, con el brillo de quien está a punto de llorar. Supuse que debía de querer mucho a quien quiera que yo fuese. Pero volví a negar con la cabeza y capté su enorme decepción.

—Démosle un poco de tiempo y espacio a Bay. No sabemos si la amnesia será transitoria o si habrá sufrido daños permanentes, por lo que es mejor que nos lo tomemos todo con calma, ¿entendido?

La neuróloga sonreía, aunque pude captar preocupación detrás de su gesto. Miré hacia la puerta y vi que el otro chico seguía ahí, o quizá había regresado para apoyarse de nuevo en la pared del pasillo de ese hospital. No parecía querer estar ni tampoco irse del todo. No supe por qué estaba ahí fuera, pero, como para mí era un extraño más, y ya tenía demasiada información disparatada en mi cerebro, desvié la mirada hacia la ventana para fijarme en el cielo, de un azul despejado, y en las ramas de unas altas palmeras verdes que se mecían con suavidad por la brisa.

—¿Dón...? ¿Dón...? Yo...

—Estás en el hospital Royal Perth. ¿Recuerdas dónde vives, Bay?

Habría mirado a la doctora con furia si hubiese tenido energía suficiente para hacerlo. ¿Acaso no había dejado claro que no recordaba nada?

—Rosa... —De mi boca salió esa palabra completa, aunque yo había querido decir «mar rosa».

Adele y Scott se miraron y arrugaron la frente.

—¿Recuerdas Exmouth? —Me encogí de hombros y ella siguió hablando—: Vives en Exmouth, una ciudad de la costa, pero tuviste el accidente aquí, en Perth, la capital de Australia occidental. Ahora estás ingresada en la unidad de neurología ya que sufriste una grave conmoción cerebral.

¿¡Australia!? No me sonaba nada de lo que me contaba, pero empecé a estar agotada de ese juego de adivinar. Me toqué la cabeza porque sentía que me iba a estallar como una granada que arrasaría con todos ellos y, al hacerlo, me di cuenta de que la tenía vendada por encima de la frente.

—Tuvimos que hacerte un drenaje para extraer la sangre que se te había acumulado alrededor del cerebro por el impacto del accidente —me explicó Lauryn Mont—. ¿Comprendes lo que te digo?

Afirmé con la cabeza. Surqué las líneas de mi cara con los dedos, buscando heridas, con la intención de descubrirme centímetro a centímetro; con suerte, de reconocerme. Volví a agitarme porque no recordaba ni siquiera mi cara y de pronto me sentí atrapada allí dentro.

Adele cogió con rapidez su bolso y sacó de dentro un pequeño espejo doble, de esos que tienen uno de aumento en la tapadera. Lo abrió frente a mí y yo alcé la cara para poder ver mi rostro reflejado en él. Aunque no me reconocí, verme me sosegó, porque me hizo real. Me encontré con alguien de ojos felinos muy grandes y verdes, de un color tan intenso como el de las hojas que se agitaban fuera. El pelo lo tenía a un lado, revuelto, rizado y brillante, con un tono dorado en las puntas que se oscurecía hasta desaparecer debajo de la venda. Descubrí un mechón rosa y lo toqué como si tuviese una textura diferente al resto. Mis labios estaban agrietados, pero eran carnosos. Tenía la piel pálida, ojerosa, y descubrí una cicatriz aún fresca sobre la ceja derecha.

Ignoré el espejo para hacer un repaso general al resto de mi cuerpo. Descubrí las piernas tirando de la sábana que me cubría y, con alivio, vi que tenía las dos, aunque prácticamente no era capaz de moverlas, sobre todo la derecha.

La neuróloga sacó una pequeña rueda puntiaguda del bolsillo de su bata y la pasó por la planta de mis pies, tras lo que asintió con la cabeza.

—No te preocupes, es normal que ahora mismo no seas del todo dueña del control de tus piernas, pero hay sensibilidad. Recuperarás el movimiento poco a poco; solo necesitarás algo de rehabilitación. —Tomó aire antes de continuar. Dio un paso adelante para acercarse más a mí y puso cara de malas noticias—. Sé que toda esta información te estará desbordando; sin embargo, hay otra cosa que tengo que comentarte... Y creo que sería mejor hacerlo a solas.

Aquello me hizo elevar una ceja porque, aunque no recordaba nada, acababan de decirme que no tenía madre, que mi padre acababa de morir y no era capaz ni de reconocer mi rostro en el espejo. ¿Qué podía ser peor que aquello?

—Voy a bajar a la cafetería con Jude para dejaros solos un rato —anunció Adele respondiendo a la petición de la médica.

Justo antes de marcharse, Jude giró los ojos hacia mí y me mantuvo la mirada un par de segundos, como esperando a que yo dijera algo, pero permanecí callada. Él soltó el aire contenido, se puso la capucha de la sudadera gris en la cabeza, como si así se aislara de todos aún más, y agarró a Adele por el brazo para desaparecer de mi vista.

Scott no se movió de su sitio y yo no me opuse a que se quedara.

—Bay, estás embarazada de casi diez semanas.

Creo que no pestañeé. Me miré la tripa; ahí no había evidencia de tal cosa y pensé que me estaba gastando una broma, aunque su tono no había sido nada cómico. Entonces imaginé que quizá diez semanas no eran muchas para notar algo y miré al que había dicho que era mi novio con desconcierto, y él volvió a acercarse a mí para tomar mi mano, en silencio, para que la doctora pudiera seguir hablando.

—Es un milagro que no lo hayas perdido, pero por ahora no veo problemas para que puedas seguir adelante con el embarazo, a no ser que quieras ponerle fin. Sí es así, a pesar de que jugamos con un buen margen de tiempo para poder practicarte un aborto, deberías pensar qué quieres hacer al respecto. Entiendo que todo esto es demasiado y los dos tenéis diecinueve años, sois muy jóvenes.

Miré a aquel muchacho de forma impasible. Quizá todo eso era mentira, un sueño, una alucinación. Volví a cerrar los ojos con la esperanza de que, al volver a abrirlos, todo cobrase sentido y regresara al lugar correcto. Quería despertar de esa pesadilla y recuperar mi vida... fuera cual fuese. Pero no, al abrirlos, esos desconocidos aún estaban a mi alrededor, con los ojos muy abiertos y reclamándome la mirada a la vez.

—Creo que necesitáis tener un poco de espacio. Os voy a dejar y, mientras, voy cursando las solicitudes para unas cuantas pruebas. Ante cualquier duda que tengas, Bay, aquí estamos para ayudarte. Confía en que todo va a salir bien.

Vi marcharse a la neuróloga de la habitación. Me habría gustado irme con ella en lugar de quedarme allí tumbada con un desconocido que, de pronto, se había convertido, no solo en mi novio, sino en el culpable de que estuviese embarazada.

—Mira, Bay, mira estas fotos. Somos tú y yo, llevamos saliendo juntos dos años. —Se había sacado el teléfono móvil del bolsillo trasero de su pantalón ancho y había comenzado a deslizar imágenes frente a mi cara tan rápido que fui incapaz de ver ninguna con claridad.

Estaba nervioso, le temblaban las manos y la voz, y me miraba con los ojos muy abiertos, como si esperara algún tipo de reacción en mí.

—¿Puedo? —le pregunté intentando que se apartara un poco para poder pasar yo misma las fotos.

Sin embargo, tuvo que ayudarme a sujetar el teléfono porque no fui capaz de sostener su peso con una mano, pero utilicé mi dedo índice para pasar las imágenes. Era yo, la cara que había visto en el espejo hacía unos minutos era la misma que veía en esas fotos. Una cara sonriente, un cuerpo en bikini, comiendo helado, tumbada en la arena, abrazada a Scott... No recordaba ninguno de aquellos momentos, y sin embargo, mi mente recordaba sin problemas el funcionamiento de aquella aplicación de fotos del teléfono.

De pronto, el muchacho se derrumbó. Hundió la cara sobre mi vientre y comenzó a sollozar rogando que le recordara. Seguramente, él entendía esa situación tan poco como yo; pero, aun medio drogada, era capaz de saber que aquello no funcionaba así, que los recuerdos no acudirían simplemente porque alguien que llorase me lo pidiera. El chico que me abrazaba estaba sufriendo porque no le recordaba, porque me quería, y por eso posé mi mano sobre su pelo e intenté consolarle.

—Son unas fotos muy bonitas —balbuceé calmada. Me sorprendí a mí misma al escucharme, algo ronca y grave, y pensé que quizá así era mi voz.

—Lo siento. —Scott se enjugaba las lágrimas.

Noté que era una disculpa profunda, pero unas lágrimas tampoco eran algo tan grave, así que me entró la duda de si se estaría disculpando por algo más, por algo que tenía en la punta de la lengua y no terminaba de decir.

—La doctora ha dicho que estoy embarazada —dije, todavía con cierta dificultad, para reconducir la situación.

—Fue un accidente Bay, pero lo superaremos juntos. Ahora lo principal es que te repongas y luego programas el aborto con la doctora. Yo he comenzado las clases ya en la universidad, aunque intentaré venir a verte todos los días. Y cuando regreses a Exmouth... Bueno, ya veremos cómo lo hacemos entonces.

Lo miré casi sin pestañear, y no le contesté. Al parecer, él llevaba tiempo planeando cómo serían las cosas cuando saliera del coma, pero yo acababa de despertar; para mí era como si acabara de nacer, y todavía estaba intentando asumir que todo aquello era real.

—¿En qué mes estamos? —le pregunté entonces evitando el otro tema.

—Hoy es diez de febrero. Tuvisteis el accidente a mediados de enero.

—Mi padre murió... ¿Qué ocurrió?

—Sí, él murió allí mismo. Estabais aquí, en Perth, ibais en un taxi que se saltó un *stop*. Su lado del taxi se estampó contra una cementera aparcada frente a una obra. El taxista está grave. Y tú saliste despedida. Es un milagro que estés viva.

«Sí», pensé intentando ver a través de mi vientre.

—Pero, si vivo en Exmouth, ¿qué hacíamos él y yo aquí en Perth?

—No lo sé. Quizá viniste a acompañar a tu padre a la universidad, a veces colaboraba con ellos, pero a mí no me dijiste nada del viaje.

Scott volvió a llorar sobre mi regazo y de forma autómata volví a consolarle con caricias llenas de un cariño que no sentía.

El taxista se saltó un *stop*. ¿Era un loco al volante? ¿Estaríamos discutiendo y le distrajimos, quizá? ¿Fue solo un despiste fatal? ¿Fue en realidad culpa mía? Como no lo recordaba, no tenía quien respondiera esas preguntas.

Yo también tenía miedo y por eso me abracé a Scott, porque había visto esas fotos y entendí que yo debía de quererle, porque se notaba que él me quería, y porque en ese instante sentía que estaba en caída libre y él era la única persona a la que me podía agarrar.

2

Scott se quedó conmigo hasta que me llevaron a hacer unas pruebas y prometió volver al día siguiente. Yo quería pedirle que no me dejara sola, pero no lo hice, de algún modo sentí que él necesitaba irse.

Después de la resonancia, volví a la habitación y allí estaba Adele, esperándome. Aunque era una mujer bastante callada, tenerla conmigo llenando aquella habitación fue suficiente para mí. Yo no quise preguntarle nada porque tenía la cabeza colapsada de información y ella tampoco me avasalló esperando que mis recuerdos brotaran como burbujas efervescentes. Adele respetó mi espacio y mi silencio.

Me dieron de cenar una sopa que atravesó mi garganta llenando mi cerebro de sensaciones: caliente, soso, reconfortante. Cuando vi que la pobre mujer se dormía en el sillón, la desperté y le pedí que se marchase a descansar.

—No quiero dejarte sola, y este sillón es más cómodo de lo que aparenta —me dijo esbozando una sonrisa dulce que me conectó de inmediato con ella.

—Pero ese chico... ¿Jude? Te estará esperando.

—Jude es mi hijo y, en realidad, sigue ahí fuera, en la sala de espera.

Arrugué la frente extrañada, aquel muchacho no aparentaba menos de veinticinco años, demasiado mayor para ser su hijo.

—Lo tuve muy joven —aclaró ella.

Volvió a demostrar que era capaz de leerme el pensamiento al decir aquello tras una sonrisa tímida, como si aún fuera algo que le costara confesar.

—Háblame de ti, Adele. Quiero conocerte, con suerte puede que así recuerde algo —le pedí, viendo que no tenía intención de moverse de aquella silla incómoda.

—Hay poco que contar. Suelo ir a limpiar y a llenaros la nevera un par de veces a la semana. Conocí a tu padre hace años en la playa que hay frente a tu casa. —Adele se recolocó en la silla y alzó la cabeza para que pudiera ver mejor su rostro, uno donde sus pequeños ojos oscuros brillaban de pronto por el recuerdo de aquel día—. Yo solía ir allí con Jude. Es un lugar apartado y tranquilo. Él tendría unos cinco años y estuvo a punto de pisar un nido de huevos de tortuga, pero tu padre, que parecía que lo fuera también de aquellos huevos, lo detuvo a tiempo. Aquel día también te conocí a ti, pues te llevaba colgada al pecho con un pañuelo, dormida.

Yo escuchaba atentamente a Adele contar su historia, una que no me sonaba de nada porque, aunque yo hubiera sido una persona de memoria prodigiosa y no una amnésica, es imposible guardar un recuerdo de vida tan temprano. Quise imaginarme a ese padre angustiado, pero era incapaz de ponerle cara.

—Aquel día conocí a un buen hombre, y me quedé un rato charlando con él. Me quedé durante años... —Inspiró como si necesitase una pausa antes de seguir hablando sobre él.

—¿Cómo se llamaba mi padre?

—Johan.

—Me gustaría recordarle —lamenté.

—Cielo, entonces ahora estarías rota de dolor. —Sus ojos se humedecieron y tuvo que recurrir de nuevo a su pequeño pañuelo de tela que mantenía hecho un gurruño dentro del puño.

Hablamos sin parar durante un buen rato. Me enteré de que ella regentaba un hostal llamado Jalalai Inn al pie de Muray Road, que Jude tenía en realidad veinticuatro años y que hacía poco que había regresado de Brisbane tras terminar la universidad y que, sobre mi madre, o no sabía nada, o no me lo quería contar porque regateó el tema con maestría. Noté que había alguna historia turbia con respecto a ese tema, y la intriga se agarró en mi pecho. Estaba claro que yo no había salido del culo de una canguro; biológicamente hablando, tenía que tener una madre.

Yo quería preguntarle muchas cosas; sin embargo, cuando dio la media noche, apareció Jude por la puerta, con el gesto autoritario para dirigirse a su madre:

—Tienes un taxi esperándote abajo. Ve a dormir al hotel.

—Jude, te dije que yo podía quedarme esta noche. Tú también tienes que descansar.

—Mamá, el taxímetro está contando...

—Eres terco como una mula. —Adele se levantó, recogió su bolso de tela con rapidez y se dirigió a mí con intención de besarme, pero se detuvo a medio camino y retrocedió—. Mañana volveré a verte. ¿Quieres, Bay?

Ninguno de los dos me había mirado mientras discutían, aunque yo sí que lo había hecho, fijamente, sin entender por qué él parecía el adulto de los dos. Adele se marchaba, quería volver a verme al día siguiente y yo a ella, por lo que asentí, y entonces miré a Jude y alcé las cejas. Él tropezó con mis ojos y los esquivó con rapidez. En lugar de dirigirse a mí, acompañó a su madre hasta la puerta. Se quedó de pie en el umbral para observar cómo ella se perdía por el pasillo y, antes de girarse, tomó aire.

—¿Prefieres la puerta abierta o cerrada para dormir?

Teniendo en cuenta que no recordaba haberme enfrentado al sueño jamás y que me aterraba hacerlo aquella noche, y sumando que para mí Jude era el chico con cara de pocos amigos e hijo de Adele, del que no sabía nada más, le contesté que la prefería abierta.

Se fue directo hacia el sillón del que acababa de levantarse su madre. Antes de sentarse se sacó de los bolsillos de sus bermudas color tierra, las llaves, una pequeña cartera y el teléfono móvil, y lo depositó todo en el primer cajón de una mesita sanitaria con ruedas que había junto a mi cama. Lo hizo de forma tan mecánica que me hizo pensar que aquello ya era una costumbre para él, como si hubiera pasado muchas noches recostado en aquella butaca reclinable de hospital junto a mí.

—Si necesitas algo, solo tienes que pedírmelo —me dijo con los brazos cruzados sobre el estómago tras acoplarse al asiento.

¿Necesitar algo? Necesitaba millones de respuestas. Sobre mí, sobre él, sobre Adele y Scott, sobre todo el maldito universo que había olvidado. Pero él no parecía dispuesto a pasar la noche en vela para charlar conmigo como lo habría hecho su madre. Si era su hijo, debíamos conocernos muy bien, seguramente él podía contarme muchísimas cosas, pero, en menos de un segundo, había cerrado los ojos dispuesto a dormir.

—No tienes por qué quedarte a dormir aquí —le espeté algo molesta. Aunque, en realidad, si decidía levantarse para marcharse por donde había venido, estaba segura de que moriría de miedo al verme sola.

Mi mundo se reducía aquella noche a cuatro caras «conocidas»: Scott, Adele, la doctora Mont y aquel ser ceñudo.

—Sí que tengo que quedarme.

Fue tan rotundo al contestar que me dejó sin respiración. No dio más explicaciones, no habló más. Volvió a cerrar los ojos y yo me quedé petrificada en la cama. Me fijé en su rostro cansado, en unas ojeras oscuras que resaltaban a pesar del tono tostado de su piel. Llevaba una sudadera de color gris algo desgastada por el cuello, quizá a causa de aquella barba mal rasurada.

—Quiero el mando de la televisión —dije de pronto. Si él no quería hablar, al menos pondría algún canal de actualidad que quizá me diera algún tipo de información que funcionara como interruptor de encendido en mi mente.

Jude abrió un ojo y me miró durante un par de segundos, como si sopesara mi petición, pero al final se incorporó, abrió el segundo cajón de la mesita, encendió el monitor y me tendió el mando.

—¿Recuerdas cómo usarlo?

Le eché un vistazo y reconocí los botones de volumen y cambio de canal.

—Al parecer esa parte de mi cerebro no se ha desintegrado —le contesté sin mirarle, desviando los ojos hacia el televisor y ejecutando un rápido *zapping* hasta llegar a un canal de informativos de veinticuatro horas.

Jude regresó a su posición y, cuando al mirarle de reojo vi que volvía a recogerse sobre sí mismo con intención de dormir, subí el volumen del televisor. Él no quería hablar conmigo, y quizá era injusto pedirle que lo hiciera porque estaba visiblemente agotado, pero yo no podía ser condescendiente en aquella situación. ¡Acababa de despertar de un coma y no recordaba nada! Necesitaba calmarme y aceptar que aquella noche no obtendría más información, aunque las preguntas golpearan fuerte en las paredes de mi cerebro. Aquel informativo no conseguía captar mi atención, intentaba una y otra vez recordar, encontrar alguna señal en aquel vacío, y solo había una oscuridad infinita que me aterraba. Como parecía que a él no le molestaba el ruido del televisor volví a cambiar de canal hasta llegar a uno donde emitían una serie policíaca. Necesitaba que mi mente se centrara por completo en lo que estaba viendo. Me daba miedo dormir. ¿Y si no volvía a despertar? Subí un poco más el volumen en una escena de tiros, y aquello sí consiguió que Jude abriera los ojos y se girara hacia mí.

—¿No deberías intentar dormir un poco? —me preguntó afilado.

Le aguanté la mirada un par de segundos, entonces apagué el televisor y alcé la barbilla. Quise decirle que tenía de todo menos sueño porque había estado durmiendo durante más de un mes, pero lo que dije fue mucho más sincero:

—¿Y si no vuelvo a despertarme?

Él abrió los ojos un poco más y apretó los puños. Se incorporó y se pasó las manos por las suaves ondas cortas y oscuras de su pelo.

—Te despertaré cada media hora, ¿de acuerdo?

—Cada diez minutos.

—Como quieras —accedió elevando una ceja.

Entonces, le entregué el mando, él lo devolvió a su cajón y me tumbé hacia su lado una vez apoyada la cabeza sobre la almohada.

—Tienes que cerrar los ojos para poder dormir —me indicó con algo más de suavidad.

—Cada diez minutos —recalqué.

—Tranquila, Bay.

Su voz al pronunciar mi nombre sonó diferente. Era la voz de alguien que tenía un pasado asociado a ese nombre, de alguien firme que quería que me sintiera segura estando él a mi lado, como si aquello fuera suficiente, como si fuera lo único que necesitaba. Le obedecí y bajé los párpados. Intenté convencerme de que quizá, si me dormía, cuando volviera a abrir los ojos, lo haría recordándolo todo.

Eso ocurrió durante las siguientes tres noches: el miedo a no volver a despertar, el miedo a hacerlo con la mente en blanco. Aunque cada día añadíamos cinco minutos más a los intervalos de sueño, Jude tenía cada vez más ojeras, más barba y menos ganas de hablar. Se despedía cuando comenzaba a salir el sol por el horizonte y esa era la última vez que me despertaba, por lo que yo hacía esfuerzos por no volver a dormirme hasta que entraba alguna auxiliar con el desayuno o alguna enfermera para llevarme a hacer alguna prueba. La primera en venir cada día era Adele y por las tardes Scott aparecía y se quedaba un rato.

Mi novio resultó ser un chico muy divertido, que al parecer creía con firmeza que la risa era terapéutica y que conseguiría sacarme antes de allí; por ello, había cogido el hábito de contarme chistes, a cada cual más malo. Pero él se reía, y su risa era tremendamente pegadiza y conseguía atraparme, llevándome justo al estado alegre hacia el que él quería llevarme. Me contagiaba su despreocupación, su hilarante sentido del humor, incluso con temas que podrían ser incómodos:

—¿Qué le dice un paciente que acaba de despertar del coma durante diez años a su médico? —Apretaba la sonrisa, aguardaba un par de segundos a que mi cerebro soltara una respuesta y, justo antes de que yo abriera la boca, contestaba él—: Doctor, ¡esta noche me va a costar muchísimo dormirme!

Y explotaba en carcajadas, y yo me reía porque era imposible no hacerlo al ver que él casi se ahogaba por falta de aire. Scott era un tipo alegre, sonriente y muy nervioso, parecía imposible mantenerlo quieto más de diez minutos seguidos. Era como un imán para cualquier chica, podía verlo cada vez que entraba una enfermera y esta le hablaba más a él que a mí; algunas nerviosas, otras descaradas. Era tremendamente guapo, no podía culparlas, y probablemente, si yo no hubiese tenido la cabeza vacía, a excepción de un montón de miedos y dudas, habría dejado gustosa que me besara cada vez que lo intentaba por el simple hecho de experimentar la sensación.

Recibí flores, peluches y postales de personas que, según Scott, eran amigas mías o compañeros del instituto de ambos, con lo que me enviaban sus deseos para mi pronta recuperación lamentando no poder estar junto a mí en aquellos momentos tan duros. Para mí no tenían más valor que el decorativo al no poder recordar ni uno solo de aquellos nombres.

Tras completar el estudio neurológico, concluyeron que yo sufría una amnesia retrógrada, de carácter disociativo generalizado, que me había hecho olvidar los acontecimientos de mi vida previos al momento del accidente; pero, al parecer, no el resto de información que contenía mi cerebro.

Si intentaba buscar una imagen, ese primer recuerdo de la infancia que todo el mundo con memoria tiene en su mente, lo único que yo encontraba era una escena sin sentido, que ni tan solo podía asegurar que hubiese sido real: aquella agua rosa.

La doctora Mont me habló de casos de otras personas que habían estado en coma y habían despertado con recuerdos confusos. Una chica llamada Claire, a la que habían inducido un coma medicamentoso durante semanas, aseguraba que jamás había tenido interés alguno por Alaska. Sin embargo, durante una buena parte de ese sueño inducido, iba una y otra vez a ese país. Veía sus pinos, sus montañas nevadas y sus calas, incluso sentía el frío intenso. Cuando la despertaron descubrió que, estando en coma, había tenido fiebre alta provocada por una grave infección y, como medida para intentar bajarle la temperatura, le habían aplicado bolsas de hielo alrededor del cuerpo. Quizá esa exposición al frío había hecho que su mente la llevara al lugar más gélido que podía asociar. Mi único recuerdo también podía deberse a una asociación de ideas que hubiese construido en mi cerebro durante el periodo de inconsciencia.

La cuarta tarde desde mi despertar, mientras Scott me contaba cómo había sido su mudanza a la residencia de estudiantes en Perth, entró en la habitación un médico nuevo.

—Hola, chicos. Soy el doctor Messer, el que ha estado cuidando de tu embarazo mientras estabas en coma, Bay. Tendríamos que hablar de ello, pues hay que tratar un tema que no puede demorarse mucho más.

Al escucharle, me tensé. No había querido pensar en ello, no parecía algo tan importante como lo era intentar recuperar mis recuerdos; en todo caso, parecía aún menos real que el que tuviera amnesia, por eso lo había ignorado. Y Scott tampoco había vuelto a mencionarlo; sus conversaciones giraban en torno a su nueva vida de preuniversitario, que yo escuchaba con fingido entusiasmo.

—Estás de diez semanas ya. Si deseas continuar con el embarazo, seguiré cuidándote para que todo prosiga sin problemas. Pero, si deseas interrumpir la gestación, la ley solo permite que abortes durante las primeras veinte semanas. Tenemos aún un pequeño margen; de todos modos, cuanto más esperes, más complicado será.

Le miré fijamente, como si estuviera contando una historia que no tenía nada que ver conmigo. ¿Qué se suponía que debía contestar?

—Está bien —dije únicamente.

Scott volvió a agarrar mi mano sin permiso y yo le reclamé para que me mirase.

—¿Quería abortar, Scott? —le pregunté.

—No lo sé, yo no sabía nada. Ni siquiera sé si tú lo sabías...

Miré al médico como si la respuesta la tuviera él.

—Estabas de unas seis semanas cuando ocurrió el accidente, es probable que tú ya lo supieras.

—Bay, esto fue un error. Estoy seguro de que querías abortar. Somos muy jóvenes, yo voy a empezar la universidad. ¡Y tú mira cómo estás! —Su ímpetu me arrasó.

Elevé una ceja ante aquel comentario tan poco delicado:

—Amnésica... Estoy amnésica, Scott. Pero que no recuerde nada no quiere decir que ahora no pueda decidir sobre mi vida. No sé qué pensaba al respecto antes del accidente, pero quizá solo necesito tiempo para reflexionar sobre esto, como si fuera la primera vez que lo hago. ¡Porque, para mí, esta es ahora la primera vez!

—Como te conozco, solo quería que supieras lo que pensabas antes sobre este tema. —Me soltó la mano y se irguió algo ofendido—. Además, creo que yo también tengo algo que opinar al respecto. Es algo que provocamos los dos.

—Chicos, solo he venido para informaros sobre cualquier duda que tengáis. No vengo a fijar día y hora, pero sí a decir que es algo que no podéis dejar de lado.

—¿Y qué se supone que pasaría si decidiera interrumpirlo, ahora? ¿Qué habría que hacer? —pregunté en el intento de tomar las riendas de la situación.

—Hay dos métodos para abortar: uno es por aspiración, en el que se succiona el feto por vía vaginal, y el otro es por dilatación y evacuación. El primero solo se puede hacer hasta la semana quince, y el segundo requiere anestesia general, que no es muy aconsejable dado tu coma reciente, así que no tenemos mucho tiempo.

—Entonces, tenemos como máximo cinco semanas para decidirlo, ¿no? —Hablé con firmeza, como si estuviera controlando aquella situación y fuera capaz de gestionar esa información.

—En realidad deberías decidirlo antes. Pero la intervención, como muy tarde, se podría llevar a cabo dentro de cinco semanas, sí —apuntó el médico con una mirada condescendiente.

—Está bien, pues quiero verlo. Quiero ver que estoy embarazada, porque desde aquí fuera no lo parece.

—¡Joder, Bay! El médico te lo está diciendo ahora. ¡No necesitas verlo!

Scott agitaba los brazos como si hubiera saltado sobre él un ejército de pulgas, sacudía la cabeza con desconcierto y los ojos se le llenaron de terror.

—No tienes por qué quedarte si no quieres. —Me erguí en la cama, desafiándolo con la mirada.

No me contestó, alzó los brazos clamando al cielo y miró al ginecólogo.

—Traeré un ecógrafo, Bay.

El doctor Messer salió por la puerta y Scott lo siguió enfadado tras decir que todo aquello era demasiado para él. El corazón comenzó a latirme de forma acelerada, estaba alterada, asustada y perdida. Sentirme de pronto sola en aquella habitación me superó, por lo que comencé a llorar.

A su regreso, el médico se encontró con una estampa más adecuada para que la gestionara un psicólogo, pero mantuvo el tipo.

—Tranquila, Bay, todo saldrá bien. ¿Estás segura de que quieres verlo?

—¡Sí! —exclamé decidida, con los ojos bañados en lágrimas y los hombros sufriendo pequeños espasmos.

Me informó de que debía realizar una ecografía transvaginal, y tuve que soportar aquella invasión incómoda que olvidé en cuanto en la pantalla del ecógrafo vi lo que me pareció una vaina de guisantes con aspecto de renacuajo. Seguía sin sentir nada dentro de mí, pero de pronto, al verlo, los latidos de mi corazón se calmaron. El médico apretó un poco mi barriga y aquella cosa se movió, lo que hizo que me aferrase a las sábanas. Era de verdad; eso era algo que crecía dentro de mí, que estaba conmigo.

—¿Quieres oírlo también?

Me encogí de hombros, asustada, temblorosa.

—Si lo haces, quizá tu decisión ya no tenga vuelta atrás. Escucharlo lo hace aún más real.

—¿No escucharlo hará que desaparezca? —le pregunté alzando una ceja.

El sonido galopante salió de los altavoces del aparato y llegó a mí como un zumbido. Entonces, apabullada, le pedí que lo apagara y volví a mirar la pantalla. Respiré profundo.

—Aún tengo cinco semanas.

—Como máximo. Ahora es como un kumquat, aunque parezca más grande en la pantalla.

Anotó medidas en mi historial clínico, volvió a recordarme los plazos y, cuando salió por la puerta para dejarme en aquella habitación vacía, ocurrió algo desconcertante: aunque estaba aterrada, ya no me sentía tan sola.

3

SCOTT

No es fácil ser adolescente y pasar desapercibido en Exmouth, un pequeño pueblo costero de Australia occidental de poco más de dos mil habitantes y en el que hay un solo instituto. Los turistas vienen y van, sobre todo en la temporada de migración del tiburón ballena, y aunque entonces se triplica la población, es fácil distinguir a los visitantes de los oriundos porque estos son todos los que están al otro lado de la barra o del mostrador. De todas formas, aunque hubiésemos vivido en Melbourne, Bay habría destacado igualmente por encima de cualquiera, porque así era ella.

Bay era el tipo de chica que brilla e ilumina una habitación al entrar, la que sin pretenderlo atrae la mirada de todos. Ella lo lograba con aquella espectacular melena rubia rizada y salvaje que daba volumen a un cuerpo esbelto y redondeado justo donde debía serlo. Bay te atraía con un magnetismo del que no podías escapar porque pisaba fuerte, y ella lo sabía, jugaba con esa ventaja para obtener justo lo que deseaba sin tener que pedir permiso. A los dieciséis años, era imposible no caer rendido a sus pies, con esa rebeldía hacia las normas, con esa fuerza interior que la lanzaba a defender sus causas sin temor a las consecuencias, con aquel fuego interno que te quemaba a metros de distancia. Yo quise arder desde el primer minuto que la vi en aquella clase de biología, con unos botines negros de cordones sobre unas medias llenas de agujeros intencionados y un vestido abotonado por delante que dejaba entrever la parte superior de un bikini amarillo y que me dificultó momentáneamente la respiración. Recuerdo que me miró de reojo y sonrió, como si hubiera notado mi nerviosismo.

—Súbete la cremallera de la bragueta, Longley —me dijo desde su pupitre mientras daba vueltas a un lápiz entre sus dedos.

Yo me miré la entrepierna olvidando que aquella mañana llevaba un pantalón de algodón con cordones atados por debajo de la cintura. Elevé una ceja y negué con la cabeza.

—Muy graciosa, Bay —le contesté antes de tomar la decisión de sentarme a su lado.

Ella me sacó la lengua y rio encogiéndose de hombros. Era irresistible. Nos conocíamos desde secundaria, pero aquel curso... ¡Oh!, aquel año fue cuando nos miramos con otros ojos.

Me costó meses que quisiera salir a tomar algo conmigo, siempre me decía que no se fiaba de los chicos como yo: «no me fío de los que cogen las olas por la izquierda», «no me fío de los que no saben comer con palillos chinos», «no me fío de los que sacan sobresaliente en todo», «no me fío de los que usan zapatos fuera del colegio»...

Siempre había una excusa, pero yo lo intentaba una y otra vez. Era la primera vez en mi vida que me ocurría algo así, pues las chicas solían echarse encima de mí; no había nada como ser uno de los mejores surfistas juveniles de Australia para sentir que el mundo estaba a tus pies, que todas las chicas estaban a mis pies. Pero yo estaba empecinado en meterme en el mundo mágico e inaccesible de Bay, por sentirme iluminado con su potente aura, por tocar aquel cuerpo irreal que siempre estaba a escasos metros de mis manos y se me resistía.

Había otras chicas muy guapas en Exmouth, como Gaby, Miranda, Olivia... pero todas estaban tan descaradamente desesperadas por gustarme que resultaban predecibles, insulsas e incluso pesadas. Bay no tenía la necesidad de ir detrás de ningún chico porque tenía a todo el que quería, a mí incluido; y, como no quería resultar igual de predecible, insulso y pesado que el resto, me dediqué en cuerpo y alma a demostrarle que yo merecía una oportunidad. Me obsesioné con ella, lo reconozco.

Un buen día, sin previo aviso, se acercó a mí en el comedor y me dijo que aceptaba la invitación a un helado aquella misma tarde. No sé muy bien qué fue lo que consiguió que cambiara de opinión, pero nunca antes me había cambiado tantas veces de ropa ni me había fijado tanto en mi pelo para una cita.

Mis padres me han apoyado siempre. Han viajado conmigo para las competiciones y han gastado dinero de sus bolsillos esperando que encontrase un buen patrocinador. Sin embargo, nunca han querido que diese por hecho que yo voy a tener esto siempre, así que se han encargado de recordarme una y otra vez que nadie está eternamente en la cresta de la ola y que tengo que estudiar para ganarme la vida por mí mismo llegado el momento. Esa fue su única condición cuando empecé a competir sobre las olas; esa y ser los administradores del dinero que yo fuera ganando. Desde entonces, me han dado lo suficiente como para no tener que molestarlos demasiado ocupándose de mí. «Aquí tienes, tú te administras», esa es la frase de mi madre. Yo estudio, ellos administran, luchamos juntos por llegar a la cima y así mantenemos el equilibrio.

El caso es que, gracias a ello, podía permitirme invitar a Bay a cenar en un restaurante de los caros, pero ella había accedido solo a un helado, así que decidí llevarla al Adrift Café. En ese momento comprendí que para ella no era importante el cómo ni el dónde, sino el con quién. Fui a recogerla a su casa, porque Bay vivía en una casa aislada de todo, junto al centro de tortugas que su padre vigilaba a cambio de aquella vivienda de tamaño ridículo.

Johan Shein era un hombre muy peculiar, poco hablador, siempre que no sacaras a las ballenas jorobadas o al arrecife en la conversación, ya que entonces estabas sentenciado a escucharle hasta que se le secase la garganta. La mirada perdida le hacía parecer alguien bohemio, con aquellas gafas de empollón y su pañuelo enrollado alrededor del cuello. Aunque ya conocía al señor Shein porque le gustaba venir a vernos a los chicos surfear a la playa de las dunas, y siempre había sido un tipo afable, recuerdo que aquel día las manos me sudaban.

—¡Hola, Scott! ¿Qué te trae por aquí? —me preguntó extrañado al verme en la puerta de su casa; seguramente barajó con rapidez en su cabeza varias opciones al ver que mi vestuario no era ni un bañador de flores ni un traje de neopreno, sino unos pantalones cortos y una camisa blanca sin cuello que solo me ponía cuando mis padres me obligaban a asistir a alguna de sus cenas con amigos.

—Vengo a recoger a Bay. —Aquella explicación no fue suficiente para él, se subió las gafas por el tabique de su nariz y arrugó la frente esperando una aclaración más detallada—. Voy a invitarla a tomar un helado, en el centro.

Sus cejas se alzaron, lo que me dejó claro que su hija no le había mencionado nada de nuestra cita, y eso me puso aún más nervioso. Aunque, en realidad, yo tampoco había dicho nada a mis padres, ni siquiera se me había pasado por la cabeza hacerlo. Estaba seguro de que, en cuanto les dijera con quién había quedado, encontrarían mil excusas para quitarme la idea de la cabeza. Bay era admirada por muchos en el instituto, levantaba pasiones y movía espíritus, pero para mis padres no era más que una alborotadora que no se preocupaba por los estudios, la hija del ermitaño de las ballenas. Una chica sin futuro.

Está claro que yo no la veía así. A Bay no le interesaba el instituto, ni los libros de historia, ni los teoremas matemáticos y mucho menos los movimientos socioeconómicos del mundo. A ella solo le interesaba el mar, los libros que hablaban de él, los seres que vivían dentro e ir a los lugares que le proporcionaban los conocimientos que necesitaba para comprenderlos. Era una amazona del océano.

—Papá, respira. Solo es un helado. —Bay le dio un beso en la mejilla y le empujó un poco para que la dejara salir de la casa.

La vi salir con un vestido celeste con colibrís, de finos tirantes y un escote de pico que me quitó el aliento porque dejaba entrever su sujetador naranja; su cabello recién lavado desprendía olor a canela y la piel le brillaba por la loción hidratante. Crucé la mirada con su padre e intenté sonreír, pero ambos sabíamos que aquello no era solo salir a tomar un helado. Yo lo quería todo de su hija.

Experimenté una primera vez desconcertante. Normalmente, yo era quien conducía las conversaciones con las chicas porque se quedaban embobadas mirándome, en silencio, temiendo decir alguna tontería. Bay, sin embargo, hablaba como una locomotora y tenía la suficiente confianza en sí misma como para no preocuparse por decir algo estúpido que pudiera hacer que yo perdiera el interés en ella. En todo caso, era yo el que debía estar asustado por meter la pata en algún momento.

—¿Cuál es tu sabor? —me preguntó de sopetón al sentarnos en la mesa de la cafetería.

—¿Mi sabor? No sé, voy a mirar la carta —le contesté y alargué la mano para agarrar la cartulina con el logo de un alga, pero ella me lo arrebató de las manos antes.

—No puedes hacer trampa. A veces a los helados les ponen nombres ridículos como «pasión de maracuyá» o «bomba de chocolate», y eso puede condicionarte a la hora de elegir sin que te des cuenta. Yo quiero saber cuál es tu helado, el sabor que ha llegado a tu mente cuando te he preguntado, porque yo tengo un algoritmo básico para saber qué tipo de chico eres utilizando tres datos: el tipo de zapatos que usas, la música que escuchas y el sabor de helado que tomas.

—Soy todo oídos... —la animé a continuar.

—Tus zapatillas son siempre de marca, por lo que te importa la apariencia y el nivel económico de las personas, lo cual hace que me sienta confusa con respecto a ti. No sé por qué tanto empeño en salir conmigo cuando las marcas son algo que, a mí, evidentemente, me importa un rábano.

—Quizá las lleve porque marca es sinónimo de calidad. Quizá las lleve solo porque me las regalan los patrocinadores de las competiciones. Quizá soy un chico vanidoso... No te lo voy a poner fácil, así que continúa con tu algoritmo, Bay. —Me recosté en la silla y crucé los brazos sobre el pecho con actitud divertida.

—Escuchas música comercial, te sabes la letra de todos los éxitos de la radio. He visto cómo tarareas las canciones de Justin Bieber...

—¿Me observas cuando no me doy cuenta? —la interrumpí para desarmarla, pero no lo conseguí porque me contestó afirmativamente sin pestañear—. ¿Y eso qué quiere decir? Los clásicos fueron los éxitos comerciales de su momento.

—Quiere decir que te dejas llevar por la corriente. Aunque reconozco que *Sorry* me hace bailar. —Chasqueó la lengua.

—¿Si te digo que escucho a Queen en la soledad de mi dormitorio empezaré a parecer menos aburrido en tu mente?

Conseguí que Bay se riera y que en un lateral de su boca se creara una curva ascendente.

—Si es verdad que escuchas a Queen, me queda claro que estás conectado con tu lado femenino.

—No fastidies, Bay... ¿qué tendrá que ver? No entiendo tu algoritmo —resoplé.

—Ni falta que hace. Además, me queda por saber qué helado vas a elegir.

—Ahora me tienes asustado. ¿Y si me pido un refresco?

—Cobarde —me lanzó con una ceja elevada.

—¡De chocolate! Soy un tipo clásico.

—Vas a por las apuestas seguras.

Negué lentamente con la cabeza y coloqué una enorme sonrisa en los labios.

—Acabo de desbaratar tu algoritmo, Bay, porque estar aquí contigo es el mayor desafío de toda mi vida.

Antes de salir juntos, no había nada como surfear para mí; había subido a centenares de olas y me parecía algo divertido, rápido, que ponía mis músculos y mi equilibrio a prueba, una competición entre colegas, pero Bay lo trastornó todo. Con ella hubo muchas primeras veces, muchos universos en los que no me había detenido a pensar, en sentir, en considerar... Y es que, con ella, un montón de cosas que ya había hecho antes, como el surf, fue como hacerlas por primera vez, porque hacía que las experimentase desde un punto de vista totalmente diferente. Hablar con ella de surf era como leer una novela de Steven Kotler[1]. Para ella era una especie de danza de la muerte con el mar; decía que lo que yo hacía era surcar una ola en la cúspide de su vida, en el momento en el que empieza a cumplir su destino final, y que terminaba mi baile justo cuando la ola alcanzaba su destino. ¡Jamás antes había pensado en la fugaz vida de cada una de las olas a las que me subía!

A ella no le impresionaban mis viajes, mis posiciones en las listas, ni mi estilo arriesgado; ella se fijaba en el agua y no se cansaba de repetirme que lo interesante estaba debajo. Tenía una relación íntima con el mar, una diferente a la que tenía yo, y no siempre me gustaba: a veces yo solo quería que lo divertido fuera solo eso, divertido. Sin embargo, Bay era intensa, demasiado a veces; casi siempre. Había quien la veía como una defensora radical y tremendista del océano, para mí era una heroína capaz de arrastrarnos a todos detrás suyo, aunque no fuésemos ni la mitad de valientes. Pero, algunos días, eso era algo agotador.

Por otro lado, a pesar de sus *looks* insinuadores y de su forma de ser descarada, contestona y atrevida, tardé más de un año en conseguir que quisiera acostarse conmigo. Quizá ese fue el problema. No que tardara tanto tiempo, sino que al final lo consiguiera...

En la inmobiliaria, mis padres no solo tenían casas que vender, también tenían un montón de embarcaciones. Aquel día les dejaron las llaves de un velero neozelandés; sus dueños se habían hecho mayores, habían navegado prácticamente por todo el planeta y querían el dinero para terminar sus días con desahogo económico. Todo eso me lo contaron a mí, pues ese día estaba yo en la oficina porque mis padres habían salido a hacer dos visitas distintas. Tomé nota de todos los datos del velero, me quedé con las llaves y les aseguré que mis padres los llamarían al día siguiente. Entonces vi la oportunidad a mi alcance. Había visto las suficientes películas de chicas con mi vecina para saber que

---

1. Autor estadounidense cuyas obras tratan sobre cómo mejorar el rendimiento humano a través de los estados de conciencia.

aquello era algo romántico con lo que sorprender a mi novia. Nadie nos buscaría allí y era un lugar increíble para que Bay quisiera por fin entregarse a mí.

—¿Qué te parece? Me encantaría soltar amarras, izar velas y navegar con él.

—¿Sabrías hacerlo? —me preguntó con una ceja elevada.

—No, solo digo que me encantaría hacerlo.

—Pues dile a tus padres que liberen tu cuenta bancaria y que te apunten a uno de los cursos de vela del club náutico. Los niños ricos hacéis ese tipo de cosas... —me dijo con retintín.

La atrapé por la cintura y la miré desde arriba, imponiéndome a ella con mi altura.

—Ser la novia de un niño rico y famoso tiene sus ventajas.

—Aún no eres lo suficientemente rico. No tienes un velero como este —me respondió apoyando la palma de sus manos sobre mi pecho.

—Te equivocas. Esta tarde, sí que lo tengo.

Entonces saqué de mi bolsillo las llaves y la invité a subir a la cubierta. Sabía que ella no se opondría, no era el tipo de chicas con miedo a las consecuencias. Saltarse las normas era su credo, por eso me arrebató las llaves de las manos y fui yo quien tuvo que seguirla hasta la puerta de madera que se abría hacia los camarotes inferiores.

—¡Esto es la leche! Diría que es más grande que mi casa.

—Una tienda de campaña es más grande que tu casa —me reí de ella. Bay adoraba aquella caseta de playa y se enfadaba cuando yo me metía con ella, pero era un gatillo fácil de pulsar siempre que quería llegar a una reconciliación de las rápidas y efectivas.

—Ohhh... Olvidaba que estaba hablando con el dueño de esta maravilla. Ah, no... si no lo eres...

—Mi casa de verdad también está muy bien.

—Si te gustan los cubos prefabricados sin personalidad...

—Me gustan los cubos prefabricados con vistas a este club y con muelle privado. —Estiré el cuello hacia arriba y me pasé los dedos por la melena.

—Eres un niño rico insoportable.

—¿Entonces por qué sales conmigo?

—Porque eres guapo. —Al decirlo arrugó la nariz, como si fuera algo terrible.

—¿Seguro que no es por mi arrollador sentido del humor?

—No, definitivamente es por tu trasero. El día que se te ponga fofo, te abandonaré.

—Lamento decirte que haré surf hasta los ochenta y que este culito permanecerá siempre duro como un diamante.

—Pues no creo que eso me suceda a mí. Mi culo sufrirá los efectos de la gravedad y también lo hará mi delantera. Me saldrán arruguitas y manchas en la cara por el sol y seguramente mis horas de buceo interminables harán que termine andando como un astronauta recién llegado del espacio.

—Y a mí me dará igual, porque yo no estoy contigo por tu estupendo culo, ni por tus estupendas... —Aguanté el aire para mirar cómo su pecho ascendía y descendía cada vez con más rapidez, lo que me volvió loco. Avancé hacia ella paso a paso, palabra a palabra—. Yo estoy contigo por... tu... forma... de... reír.

Supe que ese era el momento, que todo había sucedido tal y como había rogado que ocurriera. Por fin, la tenía entre mis brazos, temblando, aferrada a mis hombros y entregada a unos besos que me parecieron diferentes porque tenían toda la intención de ser el comienzo de algo, de ser el aire que iba a alimentar un fuego explosivo.

—¿Quieres?

Se lo pregunté para confirmar que aquella sensación no era solo mía y, cuando ella afirmó mordiéndose el labio inferior, con los ojos llenos de emoción y los dedos agarrotados en mi espalda como si fuera a desvanecerse, recogí su cuerpo con rapidez y salvé los escasos metros que nos separaban del estrecho camarote principal. Era su primera vez, pero yo llevaba tiempo preparándome para ello; durante los campeonatos, había estado con muchas chicas, y por eso no dejé que los nervios se apoderasen de mí. Tenía que lograr que fuera inolvidable para ella.

Y lo fue. Fue increíble y adictivo durante meses para ambos. Sin embargo, poco antes del final de curso, se convirtió en algo demasiado conocido y sentí que de pronto Bay estaba más colgada de mí que yo de ella, y que, aunque su fuego seguía quemándome por dentro, mi mirada comenzaba a desviarse hacia el resto de chicas. Pensaba cómo sería estar con ellas, me preguntaba qué me estaría perdiendo... Empecé a cuestionarme si no llevaba demasiado tiempo atado a una sola persona para lo joven que era y me agobié, pues tenía la sensación de haberme cerrado puertas y posibilidades por estar junto a Bay. Entonces comencé mi temporada de competiciones, de viajes, de situaciones en las que tanta gente giraba a mi alrededor, en la que tenía tantas oportunidades de estar con otras chicas... Y noté que me ahogaba dentro de una relación tan estable.

Todo empeoró ahí, con la distancia. El mundo era grande y las posibilidades infinitas. Yo me quería dedicar a aquello en cuerpo y alma, era lo que llevaba haciendo desde que tenía ocho años: viajar, competir, experimentar; y yo sabía que Bay era una chica que en Exmouth lo tenía todo.

Cuando regresé de la Billabong Pipe en Oahu, habiendo quedado cuarto, con la oferta de un patrocinador en el bolsillo, corté con ella. Fue unos días antes de la Schoolies Week[2] y me fui a Bali con los compañeros de clase, sin Bay. Allí hicimos todo lo que se supone que puedes hacer para despedir tu etapa de instituto por todo lo alto: beber hasta perder el conocimiento y ligar con una chica diferente según la hora del día. Fue un desfase total que disfruté, pero que me hizo sentir vacío y ruin en cuanto volví a poner un pie en Exmouth y vi a Bay a través de la cristalera de las oficinas de Wildlife Dive. Ella estaba riendo frente a alguien, sostenía unas carpetas apoyadas a la cintura y de pronto comenzó a contonear las caderas como si le estuviese dedicando un baile samoano. En aquel momento, una punzada de dolor me atravesó el pecho; quizá por-

---

2. Tradición australiana en que los estudiantes de secundaria hacen una semana de vacaciones juntos después de sus exámenes a finales de noviembre, antes de que se separen sus caminos.

que esperaba encontrarla aún con los ojos rojizos, tal y como la había dejado. Sé que sentirme así fue egoísta; yo la había dejado y ella no tenía por qué llorarme eternamente. Sencillamente, no esperaba volver a experimentar aquello, el deseo loco de volver a tenerla, y por eso crucé la calle dispuesto a recuperarla.

Luego, todo se precipitó: aquella noche, en la fiesta de Gaby, conseguí que regresara a mí, bebimos mucho los dos y perdimos el control. Recibí un perdón que no esperaba, pero tan solo lo hicimos aquella vez porque Bay creía que tenía que volver a ponérmelo difícil. Pasamos algo más de un mes de subidas y bajadas, un tiempo en el que ella ya no parecía ser ella misma y, quizá, yo tampoco lo era...

La he estado mirando durante semanas en esa cama de hospital, inerte, con un movimiento acompasado en el pecho envuelto por el sonido de esas máquinas a las que ha estado enganchada por todas partes. Y me he sentido culpable porque sé que, de alguna forma, la culpa la tuve yo. No sé qué demonios hacía Bay con su padre en Perth, pero quizá había decidido matricularse por fin en alguna universidad; y yo la había presionado para hacerlo, aunque ella insistía en tomarse un año sabático en el que podría acompañarme de competición en competición. También me he sentido culpable porque, aun viéndola así, me he preguntado una y otra vez por qué al menos no perdió el bebé en el accidente, y he llorado hasta sentirme como un niño pequeño, perdido y asustado, al enterarme de que algo dentro de ella crece y que yo soy el responsable. Pero siempre he querido que despertara, quería que volviera a mí. Sabía que, si moría, yo querría morir también; por eso, cuando abrió los ojos, me juré a mí mismo que la compensaría.

Tras probar a otras, sé que no hay nadie en el mundo como Bay, que no me la merezco, pero voy a conseguir que vuelva a confiar en mí. Yo no quiero ser padre a los diecinueve años, pero ¿qué clase de persona se supone que soy si la abandono ahora?

Quizá solo sea cuestión de hacerse a la idea, de acoplar nuestras vidas, de reajustarlo todo.

Bay no me recuerda, y puede que eso sea una ventaja porque ha olvidado el daño que le hice; sin embargo, yo sí sé quién es, qué mueve su espíritu y su corazón. Y por esto estoy dispuesto a volver a enamorarla, porque con ella mi vida es un montón de primeras veces.

4

No había querido compartir con Adele lo de la ecografía porque lo sentía como algo solo mío, pero esa misma tarde le hice muchas preguntas, pues necesitaba saber más de mí y de mi vida.

—¿Dónde vivo?

—En una casa a los pies de las dunas de Jurabi Point. Es una playa donde anidan las tortugas marinas de noviembre a marzo, por lo que a veces hay grupos de turistas que visitan la zona; pero, más allá de eso, es un lugar muy tranquilo y bonito.

—¿Vivimos cerca?

—No demasiado. Yo vivo en el hostal, que está en el centro. Pero no te preocupes, de momento te vendrás con nosotros. No te vamos a dejar sola en esa casa alejada de todo.

Me mordí el labio inferior, sentía que era una carga para esa gente que no era mi familia; pero, por otro lado, al parecer mi familia era inexistente y me aterraba la idea de encontrarme sola en un lugar desconocido... Mi mundo se reducía a las cuatro paredes de aquel hospital, a los árboles que se veían desde la ventana de mi habitación y a la tienda de productos veterinarios que hacía esquina en el edificio al otro lado del parque y cuyo escaparate podía ver entre los troncos de dos palmeras.

—Gracias, Adele. Estoy asustada —le dije solicitando su mano.

—El miedo pasará.

—¿Y si los recuerdos no vuelven?

—Pues fabricarás nuevos.

Adele sonreía a medias siempre, como si le costara sacar alegría de su cuerpo, como si estuviera cansada de la vida. Había dulzura en el tono de su voz, pero su cuerpo menudo y extremadamente delgado le confería una fragilidad que me hacía preguntarme cómo alguien así podría cuidar de mí.

Durante los últimos días había descubierto algunas cosas sobre mí misma: odiaba la sopa del hospital, me entretenían más los documentales sobre especies en extinción que los múltiples concursos que emitían en la tele, me gustaba la risa pegadiza de Scott cuando contaba chistes malos y detestaba que se pasara la mano una y otra vez por el pelo para recolocárselo. Me ponía de mal humor cada vez que la fisioterapeuta esperaba de mí un poco más y yo no podía dárselo, me frustraba con facilidad y odiaba la frase «tienes que darte tiempo». ¡No podía perder más tiempo! ¿Acaso no era suficiente todo el tiempo que había perdido ya? ¡Quería salir fuera y empezar a vivir de verdad!

Pronto me dijeron que me quedaba poco de estar en el hospital ingresada, porque las pruebas habían salido bien y yo respondía a todos los estímulos, y que tan solo debería seguir con rehabilitación para recuperar del todo la movilidad de la pierna derecha. Aquello me puso de buen humor y, aunque Jude seguía con su impasible gesto en la cara y parecía dispuesto a sentarse en la butaca para acomodarse y dormir tras un «si necesitas algo me lo dices», decidí que lo que necesitaba aquella noche era hablar.

—Tú y yo, ¿nos conocemos desde siempre? —le pregunté a bocajarro.

—Más o menos. Tú eras la niña a la que mi madre cuidaba.

Pasé por alto lo de *niña* porque quise entender que con ello hacía referencia a la cantidad de años que su madre llevaba junto a mí y mi padre.

—Entonces, ¿éramos amigos?

—Tú y yo jamás hemos sido amigos —contestó indiferente, como si por sus venas corriera anticongelante en lugar de sangre.

Le habría preguntado por qué se quedaba conmigo cada noche si yo no significaba nada para él, pero supuse que lo hacía por su madre, para que ella descansara.

—Tu madre me ha contado que has regresado de Brisbane hace poco.

—Sí, hace unos meses. —Se cruzó de brazos y alzó las cejas esperando a escuchar la siguiente batería de preguntas que había adivinado que tenía preparada para él.

—¿Y qué haces ahora?

—Trabajo con tu padre. Tu padre tiene... —se aclaró la voz y continuó hablando con menos desgana, con gesto compasivo al darse cuenta de su error al usar el presente como tiempo verbal— un negocio de turismo marítimo. La empresa se llama Wildlife Dive y se dedica a llevar a turistas para avistar cetáceos, bucear por el arrecife y bañarse junto a las ballenas jorobadas y los tiburones. Parte de lo que se gana se invierte en el estudio y conservación del arrecife. —Tragó saliva y continuó—: Él amaba el mar.

—¿Bañarse con ballenas? —le pregunté sorprendida, no solo porque esa idea me parecía alucinante, sino porque era la primera vez que Jude decía tantas palabras juntas de un tirón.

—Sí, y supongo que lo que era suyo es ahora tuyo. —Lanzó la mirada al infinito como si sopesara lo que aquello significaba para él—. Tenemos un gran equipo. Están Roger y Stu, que son los patrones de barco; Lori es la piloto del avión observador que busca la mejor vaina de ballenas para mandar sus coordenadas al barco y, por último, estamos Terra y yo, que somos los biólogos marinos e instructores de buceo. Tu padre era el gerente y el hombre con el mayor conocimiento sobre ballenas jorobadas que ha existido nunca, podía hablar sobre ellas durante todo el día sin acordarse siquiera de comer... —Pareció darse cuenta de que se había relajado más de lo habitual y recolocó los hombros hacia atrás para cortar el tema—. Bueno, y mi madre prepara el almuerzo bufé que se sirve en las salidas a los clientes.

—Suena divertido —dije para intentar relajarle de nuevo.

—Y tú...

—¿Yo también participaba? —pregunté con emoción de descubrir algo nuevo sobre mí.

—Tú llevabas un tiempo haciendo las fotos a los turistas mientras nadaban con los tiburones y eso; luego se las mandábamos como recuerdo. Capturabas imágenes muy buenas...

Alcé las cejas desconcertada, porque acababa de decir algo agradable sobre mí y porque mi novio no me había mencionado que me gustara hacer fotografías.

—Me gustaría verlas. Scott me ha enseñado fotos de nosotros en su teléfono, pero el mío se destrozó en el accidente. ¿Tienes tú alguna foto mía en el tuyo?

Jude desvió la mirada hacia el cajón donde guardaba cada noche sus pertenencias antes de contestarme:

—No, lo siento.

Escurrí la espalda sobre la almohada y miré al techo. «Ballenas», repetí en voz alta. Por algún motivo, aquello había hecho que se me erizara el vello del cuerpo. Cuando volví a mirar a Jude, él había cerrado los ojos, zanjando la conversación, como si aquella fuera toda la información que podría sacar de él.

—El ginecólogo me ha dicho que tengo dentro un kumquat. Mide cuatro centímetros y pesa cinco gramos. Y no sé qué hacer...

Jude respiró profundo, se giró hacia la ventana, dándome la espalda, y con la voz malhumorada me dijo: «Buenas noches, Bay». En aquel momento, le habría ahogado con mi almohada si hubiera sido capaz de bajarme sola de la cama. Acababa de hablar por fin de aquello, ¡en voz alta!, y me mandaba a callar. Me giré yo también para darle la espalda e intenté calmarme pensando que tan solo quedaban unas pocas noches que pasar allí con él.

5

Pasados treinta días después del coma, decae la esperanza de recuperación de la memoria, y la mía no se había recuperado... De todos modos, lejos de que aquello me provocara una profunda depresión, la llegada del mes de marzo supuso todo un renacer, pues por fin me dieron el alta; un poco a regañadientes por parte de los médicos, es verdad, pero yo deseaba marcharme y mi vida no corría peligro. Tampoco lo hacía la del bebé, sobre el que ya había tomado una decisión y a quien yo continuaba llamando Kumquat, aunque en la última ecografía ya tenía el tamaño de una lima. No iba a deshacerme de lo único que seguía dentro de mí tras el accidente, no podía; sentía que era como llevar un USB interno con la memoria guardada de un pasado, de mi pasado. Y bueno, Scott había tenido razón cuando había dicho que no debía escuchar sus latidos ni verlo crecer porque, después de eso, se me hacía imposible continuar una vida con un recuerdo como ese, sabiendo que le había dado al botón de triturar. No había pensado en los detalles sobre cómo podría gestionar aquella situación más adelante, pero me habían dicho que tenía una casa y un negocio, por lo que daba por sentado que podría salir adelante. Podríamos.

Scott tragó saliva y aguantó la respiración cuando le comuniqué mi decisión, desapareció durante un par de horas y, al regresar, fue directo a darme un beso en la frente, uno que por fin acepté.

Sus padres vinieron desde Exmouth a visitarme un par de días antes de que me dieran el alta. El padre apenas habló, la mirada se le desviaba una y otra vez hacia mi barriga, como si esperase que de un momento a otro pudiera salir de ahí un alienígena. Su madre, más elocuente y directa, se disculpó por no haber podido ir antes a verme, asegurando que había tenido muchísimo trabajo en la inmobiliaria que dirigía. Yo no quise contestar, aunque era más que obvio que aquello era una excusa terrible. Me ofreció la posibilidad de quedarme con ellos en su casa cuando me dieran el alta, pero me negué. Parecía una mujer presa del estrés, poco familiar y con la que no debía de haber tenido demasiado contacto antes del accidente. Ya había aceptado quedarme con Adele, a quien al menos había cogido cariño durante esos días y que hablaba con menos ímpetu.

—Yo no le caía muy bien a tu madre, ¿no es así? —le pregunté a Scott después de aquella visita.

—En realidad, nunca hubo mucha relación. Supongo que, por eso, el tema del embarazo es aún más difícil de aceptar para ella.

—Oh... No sabía que fuera algo que ella tuviera que aceptar —contesté afilada, aunque sabía que él no tenía la culpa.

—Bay, no seas así. No es lo que quería que le sucediera a su hijo justo cuando acaba de firmar con Oakley.

—Pues a ti no te mira mal, pero a mí me mira como si fuera una prostituta.

—A mí ha estado sin mirarme durante mucho tiempo, pero supongo que, aunque le pese, sigo siendo su hijo. Su hijo idiota.

Torcí la boca y callé, debía meditar aquello un poco antes de seguir hablando. ¿Eso es lo que pensaría de mí la gente en Exmouth, que era una fresca? ¿Una idiota? ¿O era así como ya me veían antes de quedarme en estado?

—¿Cómo era yo, Scott?

—¿Qué quieres decir?

—¿Cuál era mi reputación?

—Pues no sé... —Volvió a pasarse la mano por el pelo y miró al techo como si le estuviera preguntando la mismísima tabla periódica—. Eras... la activista.

—¿La activista?

—Sí, siempre estabas organizando «el día sin plástico en el comedor», «el día de recogida de basura en la playa», «el movimiento por la conservación de las estrellas de mar»... Siempre estabas pegando carteles por los pasillos sobre las especies en extinción de la Antártida o de los bosques arrasados por el fuego en Nueva Gales del Sur. —Sonreí erguida al escuchar aquello. No podía ser muy mala persona si hacía todo eso—. Aunque no medías el tiempo ni los lugares.

—Pero a ti te gustaba que fuera así, supongo. —Le sonreí con una complicidad que comenzaba a sentir hacia él.

—Eras divertida. Y muy *sexy*.

Nuestras miradas se sostuvieron suspendidas en el tiempo. Fue el primer momento en el que sintonizaba con mi novio; sin embargo, poco a poco, su mirada fue decayendo, como si se precipitara a un recuerdo del pasado con melancolía, como si, de pronto, no encontrara a esa persona en la chica que tenía delante. Se aclaró la voz y la magia del momento se esfumó por completo.

—Pues dudo que alguien vuelva a verme *sexy* en bastante tiempo... —dije mirándome una tripa tan sutilmente abombada que podría parecer que acababa de comerme tres enchiladas.

Él se limitó a sonreír; ni afirmó ni desmintió, lo cual fue, al fin y al cabo, sincero. No me preocupaba que no me encontrara *sexy*, lo que me atormentaba es que él tampoco encontrase, al mirarme, a la Bay de la que hablaba con pasión.

Aquella noche, Jude no durmió conmigo porque se quedó Scott, ya que se había ofrecido a acompañarme en el vuelo de vuelta a casa. Sabía que, después de aquello, tendría que regresar a Perth y que estaríamos sin vernos durante bastante tiempo. La universidad no le iba a esperar ni podía posponer más sus entrenamientos por mí, porque la WSL[3] Championship Tour comenzaría en abril. Y, en verdad, yo no quería sentirme culpable por retener su vida mientras yo recuperaba la mía.

---

3. World Surf League: asociación de surfistas profesionales que congrega los eventos o competiciones de surf más valorados por los mejores surfistas del mundo.

Al día siguiente, me llevó un vestido que me había comprado para salir del hospital; supuestamente era uno muy similar a otro que yo tenía, uno que significaba algo para nosotros dos. Se trataba de un vestido de tirantes y escote en pico, de color celeste y con un estampado de piñas; Scott me dijo que el original tenía colibrís. Ese era bonito, aunque, al ponérmelo, quedó algo ajustado en el pecho porque, con el embarazo, mi delantera había decidido convertirme en una chica de portada *Playboy*. Su gesto había sido tierno; sin embargo, la decepción que brotaba de sus ojos cada vez que me enseñaba algo que en teoría debía despertar mi memoria, me hacía sentir mal. Ciertamente, él cambiaba el gesto con rapidez y lo resolvía recurriendo a una broma fácil; sin embargo, eran un par de segundos que duraban mucho más tiempo dentro de mi corazón.

Me despedí del personal del hospital con una mezcla de entusiasmo y temor, pues dejaría de ver aquellas caras familiares para enfrentarme a todo un mundo lleno de extraños; pero Scott estaba tan sonriente que logró contagiarme su alegría. Yo llevaba muletas porque aún no había recuperado la movilidad total de la pierna; sin embargo, por lo demás, hasta las heridas de la cara se habían convertido en sutiles cicatrices y mi abultada melena rizada tapaba el testigo de mi operación. Lo primero que hice al salir a la calle fue llenar los pulmones con aquel aire templado lleno de vida, de aroma fresco y de matices nuevos.

—¿Lista?

—Como si fuera a comenzar una nueva vida —contesté.

Yo estaba cansada porque no había dormido prácticamente nada durante la noche, así que Scott me prometió que me despertaría cada dos horas, como había hecho Jude en los últimos días. Sin embargo, tras la segunda vez, no volvió a hacerlo y yo me desperté sobresaltada con sus ronquidos. Ya no quise volver a cerrar los ojos y, sentada en aquel avión de Qantas, mecida por su sutil traqueteo y envuelta por el monótono ruido de las hélices, pasé la primera hora de vuelo mirando por la ventanilla hacia aquel cielo azul sin nubes que nos rodeaba. Estaba ansiosa por que comenzara a descender, por ver la tierra roja característica de mi hogar, o al menos eso decía la guía turística sobre Australia que me había regalado Scott con la intención de hacerme sentir en casa cuando saliera del hospital, para que supiera que afuera me esperaba un verdadero paraíso al cual yo pertenecía. Me entretuve el resto del vuelo leyéndola, hasta que mi novio comenzó a bostezar entreabriendo los ojos, entonces cerré el libro y lo dejé sobre mi regazo.

—Según esto, si vives en Australia occidental, debes saber muy bien que todo lo que te mira, te quiere matar: las hormigas pican, y hay moscas que también lo hacen; pasear por una playa y encontrarte un cartel en el que advierten de avistamiento de tiburones es frecuente, y dice que no solo hay lindos canguros y tiernos koalas, sino que también hay una gran variedad de especies de serpientes, arañas viuda negra y cocodrilos que nadan incluso en el mar —relaté en voz alta.

Scott sonrió con la cara ladeada hacia mí, parecía satisfecho consigo mismo porque había conseguido que yo me interesara de verdad por todo aquello.

—Bueno, yo nunca he visto una araña viuda, pero el resto es algo a lo que terminas acostumbrándote.

Algo incrédula alcé las cejas y él se rio.

—Si en lugar de haber tenido un accidente de coche hubiera sido víctima de cualquiera de esas amenazas, al menos tendría una historia buenísima que contar. Imagínatelo. —Puse voz trágica para relatar el suceso—: «Aquella tarde fui con mi padre a ver a los *Crocodylus porosus* en Kakadu cuando un enorme ejemplar de más de cinco metros de largo nos sorprendió. A él se lo comió en dos mordidas y a mí me propinó tal golpe con la cola que me dejó amnésica». Esta historia es mucho mejor, ¿no crees?

Mi novio arrugó la frente y sonrió a medias. Se hizo el silencio durante medio minuto, lo que me hizo desviar la mirada de nuevo hacia la pequeña ventanilla de aquel avión que cubría el trayecto de Perth a Exmouth un par de veces al día, y entonces él comenzó a reír.

—¿De qué te ríes?

—Pues de que despertarte de un coma, amnésica y embarazada, te aseguro que ya es una buena historia.

Los dos reímos tan alto que nos llamaron la atención, lo que hizo que nuestra risa se prolongara aún más en el tiempo, solo que con la boca oculta detrás de nuestras manos. Pronto vislumbré la extensión árida moteada por pequeños árboles y arbustos secos del golfo y sentí cómo mi estómago se encogía. Una vez que pusiera un pie allí, comenzaría todo, una vida real a la que debía enfrentarme.

Al bajar del avión, nos esperaba el padre de Scott para llevarnos en su coche hasta la ciudad. Ese hombre evitaba mirarme a los ojos, pero se preocupó de que me encontrara cómoda en la parte trasera ofreciéndome agua fresca embotellada y una pequeña almohada por si me molestaba la espalda durante el viaje. Lo que yo realmente quería era bajar la ventanilla del coche y sacar la cabeza para despejarme, pero el hombre me miró como si el interior de aquel coche tuviese que permanecer inmaculado, a salvo del polvo rojo australiano.

Durante el trayecto, hablaron entre ellos y yo me excluí de la conversación sobre personas que probablemente conocía antes, pero cuyos nombres no recordaba, y me empapé de la visión: había extensas zonas de tierra arcillosa, en las que llegué a ver a varias parejas de emús moverse con libertad, y la carretera se abría paso dejando a un lado la arena blanca de playas infinitas, donde un mar turquesa terminaba por unirse al cielo. Eran kilómetros solitarios de belleza virgen que parecían ajenos al ajetreo humano que se concentraba en la ciudad. Al otro lado de la carretera, se adivinaba el inmenso cañón salvaje que, según Scott, escondía espectaculares gargantas y desfiladeros muy reclamados por los turistas más aventureros. En general, era un paisaje desolado, kilómetros y kilómetros de vegetación árida con el mar al otro lado dándole vida a la fotografía que quise realizar con mi mente.

—He pensado que podríamos tomar un pequeño almuerzo en casa de mis padres. Después, si quieres, podemos dar un paseo por el centro. Quizá recuerdes algo de allí.

Scott seguía convencido de que mi memoria regresaría en cualquier momento, pero yo no estaba tan segura como él, y las manos comenzaban a sudarme ante la ansiedad que me producía ir a un lugar que me haría sentir perdida cuando en realidad era mi hogar.

—Si no le importa a tu padre, preferiría que me llevaseis directamente a mi casa. —Los dos se miraron y permanecieron en silencio, como si aquello los incomodara. Pensé algún motivo justificable por el que se vieran obligados a llevarme—: Me gustaría ir a buscar algo de ropa.

—Ah, sí. Por supuesto —respondió el señor Longley, con un tono en el que le adiviné el alivio por deshacerse de mí.

El padre de Scott decidió quedarse en la inmobiliaria y dejarle el coche a su hijo para que me acercara hasta mi casa, y yo me alegré de que nos dejara solos. No me apetecía estar junto a una persona que estaba visiblemente incómoda ante mi presencia, justo en el momento en el que yo sufría bastante ansiedad ante todo lo que me estaba enfrentando.

—Estás muy callada —observó Scott al hacerse con el volante.

—Es que no sé bien qué decir, hay tanto que ver...

En cuanto perdimos de vista a su padre, accioné el automático de mi ventanilla y la bajé hasta el final. Scott dejó que lo hiciera y solo por eso comprendí que había más que un abismo entre él y su progenitor. En cuanto el aire de fuera cambió el filtrado del climatizador, sentí que estaba en un lugar diferente. Aquel aire era más real, cargado de oxígeno en estado puro, con una humedad que te limpiaba por dentro y te confortaba por fuera.

—Pues prepárate, soy un guía excelente. —Sacó de la guantera una gorra y se la puso apartándose la melena tostada de la frente.

Atravesamos la ciudad dejando atrás su casa, que me señaló expectante con el dedo al pasar por delante de ella; vivían junto al club náutico, en un cubo con aspecto tecnológico que, supuse, debía costar una fortuna. Scott me informó de que la mía estaba al otro lado del golfo, junto a la playa de Jurabi Point, y que la única manera de llegar hasta allí era perfilando la costa de este a oeste porque ninguna carretera atravesaba el terreno escarpado y salvaje de en medio. Al menos eso hizo que me hiciera una idea clara de lo que era el cabo: un lugar bastante desolado, rodeado de una belleza sobrecogedora. Ascendimos hasta la playa de los surfistas, dejamos atrás el faro, a pesar de la insistencia de Scott por parar para ver la puesta de sol desde allí, y descendimos por la playa Mauritius hasta el asentamiento Yardi, un *parking* de caravanas turístico. Allí, algo alejada del campamento y casi al borde de Jurabi Point, distinguí una casa de madera. Más que una casa, me pareció una caseta de playa, pequeña, desnuda, sin más decoración que una capa de pintura blanca descascarillada, con arbustos salvajes y flores rojas y silvestres alrededor como jardín.

—¿Decepcionada? —me preguntó Scott al echar el freno de mano frente a la entrada analizando mi gesto.

—No sabía qué me iba a encontrar. Supongo que no esperaba una casa como la tuya, aunque tampoco esto. Parece abandonada.

—No pasabais mucho tiempo aquí, pero seguro que te sorprende por dentro. ¡Vamos!

Scott y su optimismo; a veces resultaba agotador. Me ayudó a salir del coche, cerró la puerta detrás de mí y se quedó mirando cómo me quedaba estática sin dar un solo paso adelante.

—¿Qué es eso? —pregunté señalando un par de zonas marcadas con cintas amarillas y carteles en la playa, frente a la casa.

—Eran nidos de tortuga. Ahí dentro había un montón de huevos y tu padre cuidaba de ellos. Los bebés eclosionaron poco después del accidente.

Afirmé sorprendida en silencio y volví a mirar hacia la casa.

—¿Estás segura de que quieres entrar ahí ahora? Hay muchos recuerdos de tu padre, ¿te sientes preparada?

Suspiré, porque me di cuenta de que su mente a veces se atascaba. No estaba segura de si eran despistes, si quizá toda aquella situación lo tenía sobrepasado y simplemente no sabía cómo gestionarla, o si más bien, para mi desgracia, su cociente intelectual era limitado.

—Scott, no le recuerdo. No voy a sufrir por ver cosas suyas. Con suerte, al verlas, recordaré. Es solo que... Déjalo, es una tontería.

—¡No! Dímelo. —Se puso frente a mí y se echó la gorra hacia atrás para poder mirarme bien a los ojos. Hacía verdaderos esfuerzos por entenderme, por saber qué sentía, por conocerme de nuevo.

—Es que siento que voy a invadir la casa de otra persona.

Scott terminó por quitarse la gorra para poder pasarse la mano por el pelo provocando que sus puntas desfiladas se recolocasen. Me miró a mí y a la casa repetidas veces mientras cambiaba el peso de su cuerpo de un pie al otro, hasta que por fin habló:

—Pues piensa que es como una herencia, de tu antiguo «yo».

—Humm.

Me pareció que por fin decía algo con sentido. Afirmé con la cabeza y afiancé las muletas en la tierra antes de comenzar a andar hacia aquella puerta pintada de un color verde muy parecido al color de aquel mar agitado por el viento. Scott sacó las llaves de su bolsillo y me las dio para que abriera yo, para que así me sintiera dueña del lugar; comenzaba a apreciar esos detalles, sus esfuerzos por ser la persona que quería ser para mí.

Subí los dos escalones que alzaban la casa a un par de metros sobre el suelo y dejé las muletas apoyadas en la pared. Abrí la puerta y me agarré a Scott para entrar. Estaba harta de moverme a zancadas con aquellos bastones.

Me encontré dentro de un pequeño salón donde destacaba un ventilador de aspas en el techo, bajo el que se situaba un sillón de rayas rojas y blancas, y una mesita hecha con tableros de monopatines viejos. Al fondo había una barra americana que separaba la estancia de una pequeña cocina en la que no había muchos armarios para menaje. Avancé hasta uno de los taburetes de la barra y me apoyé en él. No quería mirar a Scott, sabía que tenía ese brillo expectante y esperanzador en sus ojos, pero aquel lugar no despertaba absolutamente nada en mí. Vi una puerta a la que llegaba tan solo alargando el brazo, la abrí y descubrí un pequeño cuarto de baño.

—¿Quieres ver tu habitación?

—Quiero ver primero la de mi padre.

Miré a ambos lados, a las únicas dos puertas cerradas que quedaban por abrir, y dejé que él me guiara hacia la correcta.

Aquello era más un despacho de trabajo, salvo por un estrecho catre con las sábanas meticulosamente remetidas. Las paredes estaban forradas con estanterías llenas de manuales y carpetas, había montones de libros en el suelo amontonados por las esquinas, y la mesa de despacho era tan grande que me pregunté cómo habían podido meterla por la puerta. Pero lo que reclamó mi atención fueron las fotografías enmarcadas.

—¿Este era mi padre? —le pregunté a Scott señalando a un hombre con barba y gafas que sostenía a una pequeña Bay por el pie boca abajo mientras con la otra mano sujetaba una caña de pescar.

Scott afirmó:

—Era un tío guay. Raro, pero guay.

Era demasiado extraño ver fotos de un pasado que no recordaba porque, aunque nadie recuerda muchos momentos de su infancia, siempre logra reconocerse en ellos; quizá recuerden lo que les hizo sentir el lugar, el momento en el que fue tomada la fotografía, lo que ocurrió antes o después... Sin embargo, yo miraba a aquel hombre y no recordaba absolutamente nada; miraba mi sonrisa abierta seguramente en una carcajada, pero era incapaz de recordar lo que sentí fingiendo ser la captura del día de aquel pescador barbudo.

—Escribía libros —aprecié al ver su nombre en el lomo de algunas publicaciones.

—Era un tipo muy inteligente, daba conferencias por las universidades. Era un gran experto en las ballenas jorobadas.

Examiné el resto de la pequeña habitación y saqué la conclusión de que su vida debíamos ser sus investigaciones y yo. Ni tenía un ropero decente que le permitiera tener vida social, ni ningún otro objeto que diera pie a pensar que tuviera otros *hobbies* o algún tipo de vida amorosa. Tan solo estaba aquel escritorio lleno de papeles, cartas náuticas y recortes de prensa, un ordenador antediluviano y las fotos de mi infancia. No había fotos de nadie más, no había ni rastro de mi madre.

—¿De veras que no sabes nada de mi madre?

—Lo siento, Bay, pero es que, desde que te conozco, nunca hubo una madre. Supongo que no había por qué preguntarte sobre algo de lo que tú no te preocupabas.

—¡Pero alguien debe saber algo! Si vive, si también está muerta, si fui un vientre de alquiler, adoptada, raptada...

—Supongo que alguien debe de saber algo, pero ese alguien no soy yo. Quizá Adele...

—Adele no suelta prenda —dije con los hombros caídos. Aunque todo aquello ya era suficiente para mí, descubrir quién era yo era mi prioridad—. Supongo que la otra habitación es la mía. No hay más opciones. —Sonreí con el corazón encogido, lleno de emociones inexplicables, sabiéndome observada por Scott al milímetro, pero agradecida de no tener que hacer aquello sola.

En lo primero en lo que me fijé tras entrar en mi habitación fue en que ese dormitorio le doblaba en tamaño al otro. Tenía un enorme ventanal que daba a la playa y una cama muy grande y orientada de tal manera que parecía que las olas pudieran llegar hasta sus pies. No tenía cabecero, pero sí una multitud de cojines multicolores y, sobre ellos, varias guirnaldas luminosas enganchadas a la pared y llenas de Polaroids colgadas con pinzas de madera. Me senté en la cama para verlas, eran instantáneas de sombras, composiciones muy artísticas que admiré en silencio porque era doloroso no recordar que yo hacía cosas así de creativas.

—Estás ahí. Creo que eso de ahí eres tú —comenté.

Él sonrió.

—Mira, aquí están tus cámaras. No te separabas de ellas.

Me tendió una y yo la agarré. La saqué de su funda, pasé la cinta por detrás de mi cabeza, encuadré y le enfoqué. Disparé directa a su cara y aquel clic hizo que se me disparase el corazón. Recordaba a la perfección el funcionamiento de aquella máquina, sabía mover el punto de enfoque, cómo y dónde tenía que medir la luz o qué apertura debía utilizar. ¿Cómo era posible que recordara todo aquello, pero que no hubiera sido capaz de recordar ni mi nombre? Me quité la cámara del cuello y la dejé sobre la cama. Revisé el escritorio, la estantería con forma de tabla de surf llena de cajitas de todos los tamaños, libros y carpetas; abrí una de ellas y dentro encontré un muestrario de algas con anotaciones a mano, al parecer hechas por mí. Entonces abrí el armario y lo primero que vi fue el vestido gemelo al que llevaba, pero con colibrís. Pasé la mano por los diferentes tejidos y finalmente agarré una camiseta oscura y lisa que arranqué de la percha junto con unos *shorts* vaqueros desfilados.

—Quiero cambiarme de ropa, este vestido me aprieta.

Scott se quedó quieto, como si estuviera conforme con aquello, pero un par de segundos después alzó las cejas al comprender que necesitaba intimidad y afirmó antes de salir de la habitación. Me dejé caer hacia atrás sobre la cama, era acogedora, mullida, y el olor de su colcha hizo que hundiera la nariz en ella porque de alguna manera aquel aroma me hizo sentir en casa. El olor antiséptico de las sábanas y las toallas del hospital era tan impersonal... Justo al lado de una cómoda había un espejo de cuerpo entero con muchos collares colgados en su marco, pero pude verme bien en él tras quitarme el vestido. Estudié mi cuerpo y su delgadez, la suave redondez casi imperceptible que nacía por debajo del vientre, el pecho tirante y endurecido, las puntas de la melena rizada que tapaban mis omoplatos marcados, el mechón rosa. Vestida no se me notaba que estaba embarazada, pero la desnudez era insinuadora; eso o mi reflejo era el de una tetona con muchos gases. Aquella imagen se conectó con mi cerebro y sentí unas náuseas repentinas que hicieron que me vistiera con rapidez y saliera de la habitación hasta el baño sin apoyar prácticamente la pierna débil en el suelo.

Scott llegó a tiempo de sujetarme el pelo mientras vomitaba sin tregua durante minutos abrazada a la taza del retrete. Y cuando terminé, me puse a llorar.

Mi novio mojó una toalla y me la pasó por la cara mientras yo repetía una y otra vez que no recordaba nada.

—Lo sé, Bay. Tranquila, ya recordarás.

—Y si no lo hago, ¿qué, Scott? —Le lancé la pregunta con furia, pero él siguió pasándome la toalla húmeda por la cara, apartándome el pelo de la frente y repitiendo que «todo saldría bien».

Pero no conseguía consolarme, había entrado en pánico y mi lengua se desató:

—¡Esto es una puñetera pesadilla! Estoy embarazada de ti y ni siquiera te recuerdo. Voy a ser la comidilla del pueblo, la huérfana amnésica y preñada —gemí entre lágrimas antes de respirar para continuar—. Acabo de vomitar y de pronto siento un hambre atroz, ¡quiero helado! Y eso hace que me dé cuenta de que no sé cuál era mi sabor favorito o si soy intolerante a la lactosa y no puedo comerlos. Y no sé por qué sí recuerdo lo que es ser intolerante a la lactosa. No recuerdo esas fotos, ni este cuarto, ni esta ropa, ni al hombre de esa foto que hay en mi escritorio y que supongo que será mi padre porque me está besando. Y está muerto. No le recuerdo, pero era mi padre, y ahora estoy sola y puede que mi madre esté en prisión o que esté también muerta, o vete tú a saber... Y no sé cómo voy a gestionar todo esto. ¡Odio a todo el maldito universo por ponerme en esta situación! Esto es una puñetera mierda.

Scott no volvió a decir que «todo saldría bien», me tendió la mano para que me levantara y giró su visera.

—Yo te recuerdo, puedo decirte cómo eras y por qué me enamoré de ti. Lo que jamás podré explicarte es el motivo por el que tú me elegiste a mí. Pero te diré algo, antes también odiabas continuamente al universo y te enfadabas unas cuantas veces al día con todo y con todos igual que has hecho ahora, así que aprenderás a gestionarlo porque, aunque no lo recuerdes, ya lo has hecho antes infinidad de veces y será tan fácil como recordar el funcionamiento de esa cámara de fotos.

No volvimos a hablar, me ayudó en silencio a meter ropa en una maleta que encontramos en el altillo del armario. Me sentía como una niña pequeña después de haber sufrido una rabieta, pero una de las que te desahogan, de las que sirven para echar fuera todo lo malo que te intoxica por dentro. Miraba de reojo a Scott para comprobar qué cara tenía, si parecía asustado por mi arranque o cansado de tener que soportar algo así; sin embargo, como si él ya supiera que después de estos ataques de furia yo necesitaba un tiempo de recuperación, dejó ese espacio lleno de silencio para mí.

Antes de salir de la casa, regresé al despacho y busqué uno de los libros de Johan, el que me pareció más antiguo. Se titulaba *El ciclo migratorio de la ballena jorobada* y no era demasiado extenso. Había pensado que, si iba a heredar una empresa que se dedicaba a llevar a gente a nadar con ballenas, debía leer algo acerca del tema, ¿y de quién mejor podía aprender?

De nuevo en el coche, Scott puso la radio y esperó a que yo hablara, como si no hubiera sucedido nada dentro de aquella pequeña casa.

—Cuéntame nuestra historia, Scott. ¿Cómo empezamos a salir?

—Es una historia larga, no me lo pusiste nada fácil.

—¿A cuánto estamos de la casa de Adele?

—A poco más de media hora.

Reposé la cabeza en el asiento, me recoloqué girando el cuerpo un poco hacia él y le sonreí. La luz se extinguía ya por el horizonte y su pelo rubio parecía un par de tonos más oscuro. Era un chico muy guapo, el más guapo de todos los chicos que había visto hasta entonces; aunque, encerrada durante un mes en aquel hospital, no había tenido la oportunidad de ver a muchos muchachos más, y eso le hacía subir puestos en mi recién estrenado *ranking* de guapos.

—Pues tienes media hora para contármela —le dije dispuesta a escucharle.

Scott bajó el volumen de la música, me miró de reojo un instante y de sus pequeños ojos azul suave salió un brillo que incluso antes de comenzar a hablar ya anticipaba una buena historia de amor.

—Creo que te conquisté el día que demostré que era capaz de comer nachos dulces con palillos chinos.

Por algún motivo aquello me hizo reír y quise saber más, quise saberlo todo; por eso, hasta que llegamos al hostal de Adele, Scott estuvo hablando con pasión y sin parar. Aquel relato me gustó, no lo sentía mío, pero me hizo sentir especial, porque la sola idea de saberme protagonista de él le daba fondo a mi vida.

6

El Jalalai Inn estaba a pie de carretera y su estructura era bastante simple. Tenía un edificio principal color melocotón y coronado con un luminoso con el nombre del establecimiento que albergaba la recepción del hostal, la cafetería y el hogar de los Kelly en la planta superior; del edificio salían dos alas laterales de planta única en la que se sucedían seis apartamentos. Me fijé en el balcón pintado en blanco del piso superior y aposté a que desde allí arriba se podría ver el mar, que estaba a tan solo unos metros al otro lado de la carretera.

Scott cargó con mi par de bolsas y me guio hacia el interior. En recepción había un muchacho mascando chicle, con un gorro de vaquero australiano y que saludó a Scott con un choque de puños.

—¿Qué pasa Beef? —le preguntó mi novio con confianza.

—Hola, soy Bay. —A la milésima de segundo de haber levantado la mano hacia él, me arrepentí de haber hecho aquello; las cejas alzadas del tal Beef corroboraron mi estupidez.

—Eh... ¿Qué tal estás? —El muchacho titubeó antes de estrecharme la mano.

—Amnésica —contesté resolutiva. Al fin y al cabo, era el estado que mejor me definía.

—Menuda putada... —soltó tras un silbido.

—Supongo que ya nos conocíamos.

—Sí, bueno... Participé en algunas de tus batidas por la playa en busca de plásticos, pero estoy seguro de que tu cerebro me puso en el primer lote de recuerdos prescindibles.

—Mi cerebro no ha tenido piedad con nadie, pero ahora pasas a ser la séptima persona conocida de mi vida —le sonreí.

—Es un honor. —Le dio un pequeño golpecito al ala de su sombrero y me guiñó un ojo.

—¿Está Adele arriba? —nos interrumpió Scott.

—Sí, acaba de terminar en la cocina.

—Encantada, Beef.

—Encantado, Nueva Bay.

Me reí ante su ocurrencia y miré a Scott que iba ya por la mitad de las escaleras y se había parado en seco. Se giró y miró hacia mi par de muletas.

—Aquí no hay ascensor —anunció antes de hacer su ofrecimiento—. ¿Te subo en brazos?

Me incomodó la idea de tener que recurrir a él para subir un absurdo piso y la imagen de verme entre sus brazos se me hacía aún más rara, por lo que negué con la cabeza y le entregué una muleta a Beef.

—Creo que ya es hora de deshacerme de una de estas.

—Sería mejor que yo te subiera —recalcó Scott bajando un par de escalones hacia mí.

—Y yo creo que no —volví a decir rotunda.

—Se te habrá borrado la memoria, pero sigues siendo muy terca —murmuró entre dientes hasta que se puso a mi lado—. Al menos deja que me ponga detrás de ti, por si pierdes el equilibrio.

Me encogí de hombros y fui directa a la barandilla.

—No son tantos escalones. —Suavicé el tono y me afiancé sobre el primero—. Y, si voy a vivir aquí, más me vale hacerme con estas escaleras, no pienso quedarme ahí arriba encerrada todo el día.

—Por eso te dije que era mejor que te quedaras con mis padres. En mi casa la habitación de invitados está en la planta baja, no tendrías que subir escaleras, y hay vistas al club náutico además de una piscina donde podrías hacer tu rehabilitación.

—Pero tú no vas a estar, te vas a Perth mañana, y la idea de quedarme allí con tus padres, a los que quizá conociera antes, pero con los que tan solo he pasado un par de tensas horas desde mi accidente, es algo que me hace querer volver a entrar en coma profundo.

—No quiero discutir, Bay.

—Pues déjame hacer las cosas a mi manera.

—Como si alguna vez las hubieras hecho de otra…

Era absurdo contestarle a un comentario que iba dirigido a mi yo del pasado, por lo que le ignoré y seguí ascendiendo, con lentitud, pero firme; porque, aunque a veces notaba que la pierna me fallaba, la muleta me sostenía y conseguía subir.

A falta de dos escalones, apareció Adele apurada envuelta en un albornoz y abrió la puerta de acceso a la planta superior.

—Lo siento, estaba en la ducha. Si hubiera sabido que ya habíais llegado, habría bajado para ayudarte.

—No te preocupes, Adele. Bay puede solita con todo —dijo irónico Scott.

—No ha sido para tanto, ¿ves? —dije triunfal al llegar arriba. Sin embargo, al soltarme de la barandilla, perdí un poco el equilibrio y entre los dos me agarraron para que no cayera de espaldas escaleras abajo.

Rompí a reír al ver los ojos espantados de ambos. Acepté el brazo de Adele y miré a mi alrededor: aquel sitio era un lugar poco amueblado, espacioso, con unos grandes ventanales por los que de seguro entraba mucha luz durante el día y con un enorme ventilador de aspas en el techo de vigas de madera cruzadas. Al parecer, era vital tener un ventilador de aspas en los salones de Exmouth.

—Como puedes ver, esta es la habitación principal. Al fondo hay una pequeña cocina, aunque nosotros comemos casi siempre lo que cocinamos abajo, en la cafetería. Seguidme. —Adele, con pasos cortos y rápidos, se adelantó para cerrar la puerta de una habitación—. Este es mi cuarto. Lo siento, no me ha dado tiempo a recogerlo todo. Y este será el tuyo.

Abrió la puerta que había justo enfrente de su cuarto y Scott se adelantó para dejar mis bolsas dentro. Le seguí obedeciendo a la invitación de Adele y, cuando vi que aquella habitación era la que tenía el fabuloso balcón con vistas al mar, sonreí. Ahí dentro tampoco había muchos muebles, poco más que una cama, un armario y una mesa de estudio sobre la que había colocadas varias estanterías con fotografías y trofeos deportivos. Entonces, me di cuenta de dónde estaba exactamente y me giré hacia la mujer con apuro.

—¡Esta es la habitación de Jude! —exclamé reticente a permanecer dentro.

—Lo es, sí; pero hace mucho que él se mudó a uno de los apartamentos del hostal.

—Oh, ya veo... Entonces, él vive abajo —quise aclarar.

—Desde que regresó de la universidad, sí.

—Genial, así estarás aún más acompañada cuando me vaya —afirmó Scott resuelto antes de consultar su reloj de muñeca.

En aquel momento, quise contestarle que dudaba mucho que Jude fuera a ser alguien con quien poder contar, al menos yo; pero percibí la intranquilidad de mi supuesto novio, o exnovio, o novio preaccidente, o lo que fuera que fuese y aún estaba pendiente de renombrar.

—Deberías marcharte ya a casa, es tarde —le dije sin saber en realidad la hora que era.

En realidad, quería quedarme a solas con Adele, acomodarme allí y hacerme con mi nuevo hogar.

—Sí, mañana temprano vendré a despedirme antes de marcharme al aeropuerto.

Hizo el amago de acercarse a mí para besarme en los labios, pero mi rechazo reflejo volvió a colocarnos en el mismo lugar inespecífico que nos mantenía físicamente separados justo el espacio necesario.

—Ostras... ¡no tienes móvil! —dijo antes de salir por la puerta.

—No, me dijeron que se destrozó en el accidente.

—Necesitas uno —apuntó con seriedad.

—Mañana me haré con uno.

—De acuerdo. Descansa, Bay. —Sostuvo mi mirada una milésima de segundo, con tristeza, como si en verdad lamentara tener que dejarme.

Adele fue a vestirse y, a la vuelta, se ofreció a ayudarme a colgar la ropa en el armario. Se la notaba nerviosa, como si fuera la primera vez que acogía a un extraño en su casa, lo cual era curioso, ya que era la dueña de un lugar donde se hospedaban cientos de personas cada año.

—¿Siempre has vivido aquí, en el Jalalai? —quise saber.

Tenía la necesidad de satisfacer la curiosidad que me despertaban ella y Jude, dos personas tan dispares, calladas y que resultaban ser los más cercanos para mí, antes de y después de.

—Sí, el hotel lo abrió mi abuelo. Por aquel entonces, cuando la base naval funcionaba, venían muchos americanos al pueblo. Luego lo dirigió mi madre y, tras su fallecimiento, yo me hice cargo de él.

—Es una suerte heredar algo así.

—A veces no es cuestión de suerte y simplemente no tienes otra alternativa.

—Cuando sepa en qué condiciones heredo yo la empresa, decidiré si he tenido suerte o si tan solo es mi única opción. —Me puse la mano sobre el vientre, por primera vez, porque comenzaba a ser consciente del lastre que cargaba.

—Todo saldrá bien, Bay.

—No contemplo otra posibilidad —dije con determinación.

—Pues vayamos a la cocina, voy a calentar algo de la cena que he subido del Jalalai. Jude no tardará en regresar; aunque viva abajo, para la comida no ha querido ser independiente —bromeó con timidez.

Aquella fue la primera vez que vi sonreír a Adele, sus ojos tristones se habían alzado un poquito y, junto con el ritmo acelerado de sus pasos, pareció hasta que estaba alegre. Yo, en cambio, me tensé porque no me apetecía compartir la cena con la cara de estreñido de su hijo enfrente.

No me dejó que le echara una mano en la cocina, prácticamente me ordenó sentarme en el sofá con las piernas en alto, porque era bueno para la circulación. No me habían dicho que tuviera mal la circulación, pero no quise contradecirle. Había algunas fotos repartidas por los muebles en las que vi a una Adele más joven, pero con los mismos ojos cansados, junto a su hijo a diferentes edades. Tuve que reconocer que había sido un niño muy mono, de mofletes redondos, pelo oscuro y ojos desafiantes; aunque en esas instantáneas había algo diferente en él: en ellas, sonreía. Su sonrisa cerrada era de las que sacaban los labios algo hacia afuera, algo ladeada, en definitiva, una sonrisa chulesca desde bien pequeñito. Aposté a que aquella actitud le había hecho pisar por la vida con seguridad, que todo le debía haber sonreído siempre. Justo cuando estaba analizando una foto suya que había sobre la mesita junto al sofá, en la que debía tener unos diez años y en la que se estaba deslizando por las dunas de arena sobre una pequeña tabla, oí cómo introducían una llave en la puerta principal para abrirla. Cogí el mando de la televisión y la encendí con rapidez.

—Ábreme esta botella, Jude.

Adele lo reclamó antes incluso de que él hubiese cerrado la puerta tras de sí. Pasó por mi lado, me miró y me saludó con un movimiento de cabeza, pero fue directo hacia su madre para ayudarla a abrir aquella botella de tomate frito.

—Tienes cara de cansado, hijo.

—Hoy no hemos avistado tiburones y hemos tenido que gestionar dos reclamaciones, tengo la mente un poco agotada —le contestó él tras abrir el frigo para llenarse un vaso de agua que se bebió prácticamente en dos tragos—. ¿Qué tal el viaje, Bay?

Me sorprendió que se dirigiera a mí, y le contesté escuetamente que bien. Cuando me contestó que se alegraba, elevé una ceja. Deduje que intentaba ser cortés porque su madre estaba delante.

—Ponme la comida en un recipiente, me bajo a cenar al apartamento. Aún tengo que terminar un par de cosas antes de irme a la cama.

—Jude, tienes que descansar.

—Lo haré, mamá. —Entonces se acercó al sillón donde yo estaba acomodada y estiró el brazo hacia mí, como si poner espacio entre nosotros fuera necesario—. Te he comprado un teléfono con dinero de la empresa. He grabado el número del Jalalai, el de la oficina y el mío por si tienes alguna urgencia. Si ves que necesitas algo más, solo tienes que decírmelo.

—Necesito hacer algo. Quiero ir a la empresa.

Jude arrugó la nariz contrariado.

—No creo que sea una buena idea.

—No pienso quedarme aquí encerrada todo el día sin nada que hacer. Si ahora tengo una empresa, quiero conocerla e incluso trabajar en ella.

—¿No deberías cuidarte? —Sus ojos se desviaron fugazmente hacia mi vientre.

—Bueno, no estoy diciendo que vaya a ir en el barco a nadar con los tiburones. Algo habrá que pueda hacer en la oficina... —Alcé las cejas y le desafié con la mirada.

—Pero tienes que hacer tus ejercicios de rehabilitación.

—El día es largo. Los haré temprano por las mañanas o por las tardes antes de cenar.

—No puedes hacerlos sola.

—Buscaré ayuda.

El muchacho puso las manos en sus caderas y miró a su madre como si pidiera auxilio, pero no encontró en Adele ni siquiera una mirada, ella parecía ignorar nuestra conversación mientras removía la salsa en una olla.

—Regreso del *tour* sobre las tres, vendré a por ti entonces y te llevaré a la oficina.

—Me parece bien.

—A mí no.

Me encogí de hombros y le dejé claro lo poco que me importaba lo que a él le pareciera mi decisión.

—Gracias por el móvil —le dije sonriente, triunfal.

Se volvió para regresar junto a su madre en la cocina y, entonces, unos golpes en la puerta principal hicieron que los tres nos girásemos para mirar hacia la entrada. Jude cruzó el salón en dos zancadas y abrió.

—Hola, Scott —le saludó con cara de pocos amigos.

—Siento molestar, pero le traigo a Bay algo que necesita con urgencia.

Me incorporé para poder verle por detrás del respaldo del sillón y así descubrir qué era lo que me traía. Se acercó con ese andar saltarín de piernas arqueadas que le caracterizaba y una sonrisa radiante de dientes blancos que parecían hechos de marfil en contraste con su piel bronceada.

—Espero que no sea un teléfono porque Jude, con su infinita amabilidad, acaba de darme uno.

Aproveché para sonreír con pleitesía al simpático biólogo, que había dado un paso atrás. Scott miró a Jude algo confuso, pero le ignoró con rapidez para dar la vuelta al sofá y así poder entregarme una caja de cartón. Le miré con curiosidad antes de abrir las solapas y echar un vistazo al interior. Me eché a reír en cuanto vi un montón de tarrinas de helados de diferentes sabores.

—No quería que te acostaras sin recordar cuál es tu favorito.

Scott expandió su sonrisa inundando toda la estancia con su alegría. Esperaba una sonrisa igual por mi parte, no había duda, y la verdad es que me pareció un gesto precioso. No conseguía despertar en mí los sentimientos que probablemente él esperaba, pero se estaba esforzando tanto en hacerme las cosas fáciles que no podía más que sentirme unida a él.

—Solo he subido para dejarte esto, ahora me tengo que ir. Mañana nos vemos.

Comencé a destapar tarrinas para ver qué contenían y me despedí de Scott muy agradecida.

—Guarda eso en el frigo, antes tienes que cenar —me advirtió Adele como si fuera una niña pequeña.

Y en verdad me apetecía mucho más probar todos aquellos helados antes que comerme los espaguetis con albóndigas de garbanzo que había para cenar; por eso accedí a entregarle la caja a Jude a regañadientes. Él no parecía mucho más contento que yo, cogió la caja con desesperación y le preguntó a su madre cuánto quedaba para poder marcharse a su apartamento.

Adele le acercó rauda un recipiente humeante que él cogió con una sola mano, antes de darle un beso y girarse para marcharse como si estuviera enfadado con el universo. Sin embargo, justo cuando iba a abrir la puerta, retrocedió de nuevo hasta la nevera. La abrió, sacó la caja de Scott, y comenzó a destapar las tarrinas.

En el momento en que yo estaba a punto de protestar, porque me parecía un descaro que pretendiera llevarse una de mis tarrinas sin pedir permiso, él agarró una, cogió una cucharilla y la hundió dentro con rabia.

Entonces se giró hacia mí y señaló el helado que acababa de dejar en la encimera fuera de la caja:

—Ahí tienes tu favorito. Plátano con tofe.

Me quedé boquiabierta, le vi salir de la habitación pegando un portazo y miré a Adele en busca de una respuesta; pero vi cómo ella agachaba la cabeza, entristecía la mirada y se limitaba a servir nuestra cena.

Aquel muchacho tenía un serio problema, no sabía bien si era solo conmigo o si más bien su carácter era así, pero estaba claro que su madre sufría con él y yo no quería aumentar el sufrimiento a aquella mujer que me había abierto su casa y su corazón. Por eso, no dije absolutamente nada; me limité a sentarme a su lado y cenamos en silencio mientras veíamos un programa de baile en la televisión.

De postre probé absolutamente todos los helados, excepto el que me había indicado Jude. ¿Cómo iba él a saber cuál era mi sabor favorito si según él mismo nunca habíamos sido amigos? Si ya éramos casi desconocidos antes de que todos fueran desconocidos para mí, si parecía odiarme ya desde pequeño porque su madre le dejaba a él solo para venir a cuidar de mí, si nuestros mundos parecían separados por un abismo. Pero nada de eso tenía sentido, y entenderlo requería más esfuerzo y tiempo del que yo podía dedicarle en ese momento. Aún había tanto por descubrir, por decidir, por recordar (con suerte)...

Aquella noche me acosté en una cama que nunca había sido mía, que tampoco lo era en realidad en aquel momento, y, aunque estar allí era infinitamente más cómodo que en el hospital, me sentí como una intrusa en un lugar extraño. Además, esa noche nadie estaría pendiente de mí, de si me despertaba o no, y eso me creaba un poco de ansiedad que decidí no compartir con Adele, lo último que necesitaba esa mujer era tener que desvelarse por las noches para comprobar que no había vuelto a caer en un coma. Y, aunque Jude me parecía el tipo más bipolar del planeta, con tendencia mayoritaria al estado de antipatía, reconocí que lo extrañaba a mi lado.

Me levanté varias veces de la cama, le di varias vueltas a la habitación y terminé por salir al balcón desde el que se veía una inmensa oscuridad porque no había luna. Aun así, hasta mí llegó el rumor del suave oleaje de la playa, el aroma marino, el oxígeno limpio y fresco del otoño en Australia. Oí un ruido y miré abajo, un grupo de turistas acababa de llegar y estaba descargando su equipaje a las puertas del hostal. Miraron hacia arriba y me descubrieron, me saludaron sonrientes. Era una pareja feliz de estar de vacaciones, sin problemas aparentes, aunque eso no quería decir que no los tuvieran. Les devolví el saludo pensando que ellos no tenían ni idea de lo que me había sucedido, que para ellos era una chica sonriente asomada a un balcón con las mejores vistas del mundo, alguien también sin problemas aparentes.

Regresé al cuarto, me metí en la cama y mantuve los ojos abiertos durante un buen rato, hasta que las náuseas regresaron a mi cuerpo y terminé con la cabeza dentro del inodoro, echando hasta la última albóndiga y todo vestigio de helado de mi estómago.

Adele no se levantó, debía de tener un sueño pesado porque estaba segura de que, si me hubiera oído, habría acudido a socorrerme, pero agradecí el poder vomitar a solas. Tampoco era necesario compartir aquel estado lamentable con nadie. Para cuando regresé al dormitorio, oí un sonido que provenía del teléfono móvil, localicé su pantalla iluminada y, al agarrarlo, descubrí un mensaje de Jude.

«TE ENVIARÉ UN MENSAJE DE MADRUGADA PARA DESPERTARTE. SOLO TIENES QUE CONTESTAR CON UN OK.»

Se me escapó un suspiro de alivio, asumí que Jude seguiría cuidando de mí por algún motivo que desconocía y, aunque aquello también originó en mí un sentimiento de rabia por la evidencia de que le necesitaba, cerré los ojos sin miedo.

7

Me desperté con el ruido madrugador que ascendía sin amortiguador desde la cafetería del Jalala hasta el primer piso. Levanté un párpado con pereza y comprobé que el sol comenzaba a trepar del suelo a la pared; el olor a café consiguió la motivación que necesitaban mis ojos para abrirse del todo. Emití un bufido de queja, había dormido realmente bien aquella noche, tanto que ni siquiera recordaba haber contestado al mensaje de Jude a media noche. Me estiré como una gata perezosa mientras profería un enorme bostezo y me incorporé con lentitud. Sacudí mi cabeza de rizos alborotados y arrastré el trasero hasta el borde de la cama para levantarme con ayuda de una sola pierna. En mi cabeza resonó la voz malhumorada de Jude recordándome que debía hacer la rehabilitación. Arrugué la nariz y alcé mi dedo corazón al frente como si tuviera su silueta delante de mí. Entonces, di un paso adelante, la pierna afectada me falló y di de rodillas en el suelo.

—¡Mierda! —rugí.

Aquella pierna idiota me condenaba a ir despacio y dentro de mí había una gran urgencia; por ver, por saber y por descubrir. Me levanté, agarré la muleta y, con su ayuda, llegué hasta las puertas de rejilla que cerraban el acceso al balcón. Las abrí y dejé que la fresca brisa de la mañana rebajara mi mal humor.

El horizonte se pintaba en tonos anaranjados como si al salir el sol este quemara la superficie de aquel mar turquesa que comenzaba a lamer la tierra unos metros adelante. El graznido de un grupo de gaviotas plateadas que sobrevolaban el Jalalai en dirección al puerto atrajo mi mirada hacia el cielo. Entonces pensé en Scott, en que en un par de horas se presentaría allí para despedirse, para regresar a Perth y continuar con su vida lejos de mí. Aquella situación era tan surrealista, tan difícil de entender y de gestionar... No sentía mal de amor porque se fuera; de hecho, no sentía más que un apego fruto del roce de aquellos días y de las risas que me había provocado con sus chistes malos, pero que se fuera antes de conocerlo de verdad y mantener entre nosotros aquella indefinible relación en la distancia iba a ser más que complicado para ambos. Él seguiría enganchado al recuerdo de la persona que yo era antes, y yo no podía recurrir a eso, tan solo sentía la carga de llevar dentro de mí su desafortunada semillita.

Un grupo de turistas salió entonces de recepción, hablando como para que se les pudiera escuchar en Queensland, y una sonora carcajada se elevó hasta mis oídos provocando que me temblaran las rodillas.

Jude miró hacia arriba y me pilló mirándole atónita, porque su frente no estaba arrugada, porque era capaz de contar sus dientes y porque al descubrirme mantuvo aquella sonrisa durante un par de segundos antes de saludarme con un golpe seco de cabeza. Después se montó en un pequeño *jeep* junto a aquellos tres mochileros y tomaron calle arriba.

A sabiendas de que él ya no andaba por allí, bajé a la cafetería para desayunar. Era un local pequeño, alargado, con solo cinco mesas de madera en las que había dispuestos mantelitos de papel con el logo del hostal.

—Buenos días, Bay. Siéntate, ahora mismo te traigo una bandeja con el desayuno. —Adele apareció de pronto al otro lado de la barra con una tarta de miel que depositó dentro de una pequeña vitrina.

Obedecí porque sabía que no dejaría que fuera yo misma a por él, y me senté en una mesa que había pegada a la cristalera trasera del local. La vista al otro lado del cristal era la de un terreno desolado que parecía arder con aquel color rojizo tan intenso. Al lado, a unos metros, distinguí una tienda de aparejos de pesca que por su aspecto parecía estar destinada a un público turista y, algo más allá, un local de alquiler de coches.

Por esos parajes había vivido yo toda mi vida, por esas calles polvorientas que te llevaban a pequeños núcleos concentrados con urbanizaciones hoteleras, tiendas y algún que otro bar. Había casas salpicadas sobre el terreno alrededor del centro del pueblo, pero el ritmo del lugar lo marcaba sin duda la gente que venía a visitar el arrecife de coral.

—Aquí tienes, bonita. Un desayuno completo lleno de vitaminas y de colores.

Adele me puso por delante una bandeja con un batido de plátano, fresas y kiwi, un plato con huevos revueltos, aguacate laminado, tostadas con Vegemite[4] untado y una taza de té; además de mis pastillas de ácido fólico y hierro.

—La verdad es que estoy hambrienta. Anoche lo vomité todo.

—Oh, cuánto lo siento. Por las noches tomo unas pastillas para poder dormir y... Lamento no haber acudido.

—No, no fue necesario. Solo fue eso, un vómito —le contesté algo avergonzada. Sabía que aquellas náuseas se debían a mi estado y, aunque no me sentía responsable de los actos de mi anterior yo, era consciente de que quedarse preñada a mi edad no estaba bien visto.

—Yo jamás vomité, pero sentí las náuseas constantemente, lo que era peor, porque durante cuatro meses no conseguí aliviar aquella sensación ni un instante.

Adele apretó mi mano y se giró con intención de regresar a la cocina tras la barra.

—¿Tienes que irte? ¿No puedes acompañarme al menos durante un rato? —le rogué.

—Claro que puedo, como ves, no estamos en temporada alta —dijo señalando el resto de mesas vacías.

Se sentó frente a mí y le sonreí. Tenía los ojos tan celestes que parecían gotas de lluvia y el pelo tan rubio que sus canas se camuflaban en los mechones soleados. Lo llevaba recogido en un pequeño moño bajo que despejaba su cara con forma de corazón, un rostro limpio, sin rastro de maquillaje; quizá por eso sus arrugas resultaban más profundas y le hacían aparentar ser mucho mayor de lo que en realidad era.

---

4. Crema de untar marrón y espesa, de sabor salado y ligeramente amargo, originaria de Australia. Está hecha con extracto de levadura y se utiliza principalmente en sándwiches o tostadas.

Jude no se parecía a ella en nada. Le sacaba a su madre dos cabezas, por no hablar de que su pelo y ojos eran tan oscuros como el carbón. Y era más que obvio que tampoco eran similares en carácter, por lo que en aquel momento pensé que el muchacho debía parecerse a su padre.

—¿Puedo preguntarte por el padre de Jude? —Me mordí el labio inferior porque sabía que era una pregunta atrevida; de todos modos, para poder pintar el cuadro completo de aquellos pocos a los que ahora conocía, necesitaba información. Aunque, al ver cómo se desdibujaba la sonrisa de Adele, que se tensaban todos los músculos de su cuerpo y echaba el cuerpo hacia atrás, supe que no tendría que haber hecho esa pregunta.

—Jude no ha tenido jamás un padre. —Sonó tajante; con su barbilla alzada, aquella declaración parecía una advertencia.

Y yo entendí que no debía ahondar en el tema. Casi podía ver cómo los ojos de Adele comenzaban a brillar y que de pronto parecía aún más pequeñita frente a mí.

—¿Puedo preguntarte cómo era yo antes? ¿Cómo era nuestra relación? —solté aún con más intensidad, como si así pudiera borrar la anterior pregunta de mis labios.

Adele respiró con profundidad tres veces antes de dar un traguito de mi taza de té.

—Eras la niña más noble del planeta, tu corazón no conocía límites a la hora de dar amor, aunque eso no siempre era bueno para ti. Sufrías de una manera desbordante con las injusticias, cuando la gente no te hacía el caso que tú considerabas que merecías y cuando las cosas se torcían.

—Qué intensita... —Torcí la boca.

—Bueno, casi siempre tenías razón, pero remar contra corriente, dar luz a la oscuridad o convertir lo cómodo en tóxico es una lucha solo para valientes.

—¿Yo era valiente?

—Cabezota. —Sonrió con aquella dulzura que había regresado a su rostro.

—Entonces, ¿tú en mi vida eras como mi madre? ¿Tú y él...?

—¡Oh, no! Tu padre valía por dos, yo solo era «Adele».

—No sé, me preguntaba si tú eras esa persona con la que había elegido mi primer sujetador.

Adele negó con la cabeza y consultó la hora en su reloj de muñeca, aunque permaneció en el asiento, como si el tiempo fuera relativo y cualquier obligación que la estuviera aguardando pudiera esperar a que mis preguntas fueran contestadas, porque aquello era lo más urgente, porque yo era lo principal para ella en aquel momento. Ese gesto contestó mucho más que una batalla de preguntas. Yo, para ella, era importante.

—Nunca fuimos de compras juntas, pero, aunque yo no soy tu madre, tú te convertiste en mi niña. Te desenredaba el pelo cuando tus rizos formaban nudos imposibles, te hacía la tarta de cumpleaños cada año y me confiabas tus inquietudes.

—¿Eso quiere decir que yo te hablaba de Scott y de mí?

—A veces.

—¿Y qué te decía?

—Más bien, suspirabas mucho.

¿Qué significaba eso exactamente? Me mordí el labio inferior, porque Adele nunca terminaba de contarme las cosas con claridad. Yo solo quería que me dijera algo como que antes amaba con locura a Scott, que nuestra relación era idílica y que por eso ahora debía darle una oportunidad, porque nuestro futuro como padres iba a ser maravilloso además de algo con lo que siempre habíamos soñado. Pero no, si le preguntaba por él, simplemente me decía que lo llenaba todo de suspiros. Si le preguntaba por su madre, cambiaba de tema. Si le preguntaba por mi padre, se le cortaba la voz y ella misma parecía todo un misterio.

Me quedé en silencio un rato, mientras le daba vueltas a un bocado de la tostada amarga dentro de mi boca.

—¿Y de qué era la tarta? —le pregunté por fin.

—De crema con frutas.

Me terminé todo el desayuno mientras Adele me explicaba la receta. No es que me interesara saber los pasos a seguir para conseguir la mejor textura de la crema inglesa, pero no quería quedarme sola y sabía que, al menos durante ese rato, ella hablaría claro. Cuando terminé, ella recogió la bandeja y desapareció dentro la cocina. Yo me fui hasta el *hall* del hostal para esperar a que llegara Scott y hasta entonces estuve jugando a un videojuego llamado Candycrush que Beef tenía descargado en su teléfono móvil y que se me daba realmente bien.

Scott hizo una entrada escandalosa e innecesariamente llamativa: llevaba un enorme ramo de flores de hibisco que me entregó junto a su efusivo saludo de buenos días.

—No tenías por qué traerme flores.

—Eres mi chica —contestó como si aquello fuera razón más que suficiente; aunque, en realidad, aquello me suponía un enorme problema.

—Creo que tenemos que hablar sobre eso, Scott.

—Mientras no quieras cortar conmigo... —dijo con tono de guasa mientras salíamos del hostal para dirigirnos hacia su coche. Al ver mi expresión, perdió la sonrisa—. ¿¡Quieres cortar conmigo?!

—La verdad es que no tengo claro que tú y yo estemos saliendo aún en realidad. Apenas te recuerdo...

—Pero yo a ti sí. Yo te quiero, Bay. —Dio un paso hacia mí, su interminable altura hizo que todo el sol quedara oculto tras él y que por ello me fuera posible alzar la cabeza para mirarle a los ojos y así observar cómo le rompía el corazón.

—Creo que deberíamos hablar de esto en otro lugar —le dije señalando un grupo de portugueses que salían de uno de los apartamentos del hostal.

—¿Adónde quieres ir?

—No podría decirte... —Abrí los ojos para recordarle el hecho de que estaba amnésica.

—Vayamos a la playa. Allí estaremos tranquilos, supongo que te seguirá gustando el mar. Si no, sabré sin lugar a dudas que tú ya no eres tú —masculló entre dientes.

Una vez en el coche, me abrió la puerta, sujetó mi muleta y me ayudó a entrar. Hicimos el breve trayecto en un incómodo silencio. Scott respiraba algo acelerado y a mí me sudaban las manos. No sabía qué palabras usar para explicarle lo que sentía; y es que, si aceptaba ser su novia, continuaría con una vida olvidada, como si no hubiera pasado nada, y el futuro tuviera la suficiente fuerza para que las piezas encajaran y pudiéramos formar la familia perfecta junto con Kumquat. Decirle que sí era como sentenciar mi destino, sentenciarlo mucho más de lo que ya lo había hecho el embarazo, y eso era demasiado para mí en aquel momento. No tenía información suficiente, no había puntos de referencia, nada sobre lo que basarme para saber si aquella era una buena idea o una cagada en toda regla.

«Menudo asco de situación», pensé mientras atravesábamos la carretera polvorienta hacia un horizonte azul brillante que en lugar de relajarme se me antojaba un lugar ideal en el que meter la cabeza para aguantar la respiración hasta que me ardieran los pulmones.

Echó el freno de mano con los neumáticos ya metidos en la arena, a unos pocos metros de la orilla de aquel inmenso mar en calma ajeno al oleaje de sentimientos que reinaban dentro de mí.

—¿Quieres cortar conmigo? —repitió de pronto rompiendo el silencio. Se giró un poco hacia mí sentado en su asiento, tenía arrugada la frente y sus ojos se desviaban una y otra vez hacia mi vientre—. ¿Cómo vas a dejarme? Vamos a tener un hijo.

—O una hija —contesté de forma absurda.

—¡Bay! —exclamó él casi agónico.

—Scott, no estoy diciendo que quiera que desaparezcas de mi vida, es solo que todo esto es demasiado para mí ahora mismo. No siento nada por ti, ¡apenas te conozco! Por eso, me parece que fingir que nada ha pasado y seguir juntos es injusto. Para mí y para ti.

—No seas condescendiente conmigo. No veo qué tiene de bueno el que rompas conmigo.

—Pues tiene de bueno el que no quiera atarte a mí solo porque antes del accidente metiéramos la pata hasta el fondo.

—Pero yo quiero hacerme responsable de eso.

—Vas a seguir en mi vida, ¡es lo que te estoy diciendo! Solo necesito que le quites la etiqueta a nuestra relación y que barajes otras posibilidades.

Scott daba pequeños golpecitos al volante con nerviosismo, alternaba la mirada al frente y sobre mí, y abrió la boca varias veces antes de volver a hablar.

—¿Qué quieres exactamente de mí, Bay?

—Podemos comenzar a conocernos, como amigos.

—¿Amigos?

—Amigos especiales —le quise conceder.

—¿Volverás a hacerme pasar meses detrás de ti hasta que accedas a cenar conmigo?

—Creo que mi versión actual es la de alguien más facilón. De hecho, me encantaría que ahora mismo me llevaras a dar un paseo contigo por el centro y que me enseñaras un poco la ciudad.

Scott me dedicó una sonrisa resignada, encogió los hombros y sacudió su melena de puntas quemadas por el sol. Busqué su mano y se la apreté.

—No quiero que desaparezcas, solo quiero mantener las puertas abiertas. Todo lo que tengo ahora es mi futuro.

8

Acababa de descubrir que las ballenas eran descendientes de animales terrestres que habían vuelto al agua después de haber vivido millones de años en la tierra, y que la ballena azul era el animal más grande en el mundo, incluso más grande que el dinosaurio más grande conocido. Entre mis nuevos conocimientos estaba el que los hipopótamos y las ballenas habían evolucionado a partir de una especie similar hacía más de cincuenta millones de años, que se podía distinguir las especies de ballenas por el número de orificios nasales que tenían o que algunas tenían una vida media muy similar a la de los humanos.

Tras despedirme de Scott con un abrazo rápido e incómodo, me había dedicado a leer el libro de Johan sentada en la cafetería que había frente a la empresa. Había elegido una mesa junto a la cristalera porque pensé que así podría ver cuándo regresaba Jude de la salida con el barco; así él no tendría que ir a recogerme hasta el hostal, vería que podía ser puntual, le demostraría todo mi interés y le dejaría claro que quería ser parte activa de la empresa. No tenía ni idea de en qué podría ayudar, pero había regresado a la vida y deseaba llevar las riendas.

Pedí un sándwich y un zumo de melocotón a la camarera que no había dejado de mirarme por el rabillo del ojo desde que había entrado. Era consciente de que los cuchicheos con su compañera detrás de la barra se centraban en mí, pero me dije a mí misma que todo aquello pasaría en unos días. El pueblo era pequeño, solo tenía que darme unos cuantos paseos para que todo el mundo comprobara que seguía viva y que era cierto que no reconocía nada ni a nadie, aunque aún me libraría de otro tipo de comentarios ya que mi tripa no se había abultado lo suficiente como para contestar por sí sola la gran pregunta.

Le di las gracias de forma efusiva cuando me trajo la comanda porque pensé que la simpatía iba de la mano de la seguridad y me convencí de que, si fingía que todo iba bien, los cotilleos no tendrían carnaza con la que alimentarse; las desgracias siempre son jugosas para los que no tienen vida propia. La chica se puso nerviosa con mi exagerada sonrisa y, al retirar la bandeja, tiró mi libro al suelo.

—Ay, lo siento mucho. Es que... Yo, solo quería decirte que lamento mucho lo de tu padre. Aquí le teníamos mucho cariño. —Recogió el libro y me lo entregó.

—Gracias, Beatrix. —Leí su nombre bordado en el bolsillito de su camiseta blanca sobre el logo de la cafetería.

—Oh, esto se ha salido del libro. —La chica se volvió a agachar y recogió un papel doblado y algo amarillento. Me lo entregó y acudió rauda a otra mesa que le estaba pidiendo la cuenta.

Cogí el papel con curiosidad; yo no me había dado cuenta de que hubiera nada dentro del libro y hasta llegué a pensar que en realidad no era mío y que podría ser un papel extraviado de la persona que hubiese estado sentada allí antes de mí.

Johan,

Es absurdo preguntar a las olas del mar, sus respuestas nunca serán las mismas, porque mueren en la orilla y renacen de forma distinta. Nunca somos los mismos después de un viaje a lo desconocido, somos el resultado de la suma, y aventurarse es lo que mueve mi alma. Y mi alma condena a mi corazón.

E.

Era una nota escrita a mano, con una letra redondeada y suavizada en los finales de palabra. ¿Quién era E? ¿Qué significaba? ¿Por qué estaba esa nota dentro de aquel libro? De no haber comenzado con el nombre de mi padre, la habría roto, porque lo último que le pegaba a la imagen de quien me había construido en la mente era la de alguien que conservaba una nota de desamor dentro de un libro. Al menos, eso entendí yo al leerla. Aquello era una despedida, una forma elegante de cortar con alguien, demasiado poética y enrevesada, y dramática en exceso. Intensa.

El corazón se me disparó porque no pude dejar de pensar que E era mi madre. Aunque podía ser simplemente un viejo amor, o quizá tan solo era la transcripción de una escena de película, de una canción que alguien había escrito y que él había decidido conservar por su significado... Había tantas posibilidades.

Entonces, oí el alboroto de un minibús en la acera de enfrente. El grupo de turistas de aquel día se estaba apeando en la entrada del Wildlife Dive. Doblé el papel, lo usé para marcar la página por la que me había quedado leyendo y lo guardé en mi bolso antes de dejar el importe del almuerzo sobre la mesa y salí apresurada, al ritmo de mi muleta, del establecimiento.

Para cuando alcancé las oficinas de la empresa, Jude estaba rodeado por el grupo de aventureros que había disfrutado aquel día del arrecife y de sus habitantes. Uno a uno le chocaban la mano, alegres, agradecidos, respondiendo a lo que parecía un grito de guerra. Me dejé caer con la espalda en la pared para poder verlo con perspectiva. ¿Quién narices era ese chico y por qué de repente irradiaba alegría a metros de distancia? Era como si frente a mí tuviera a su gemelo simpático, extrovertido y arrollador. La sangre comenzó a arderme de los pies a la cabeza porque estaba claro que sabía y podía comportarse de una forma mucho más que cordial, de hecho, parecía el alma de la fiesta, un animador profesional de piscina, alguien capaz de levantar el ánimo hasta a un moribundo. ¿Por qué narices se había estado comportando como un imbécil antipático conmigo? Me costaba respirar porque la rabia me apretaba los pulmones. Me pregunté por qué nada era como parecía ser, por qué todo era medio secreto, por qué los pocos a los que ahora conocía parecían ocultar la mitad de su verdadero yo y tampoco me contaban la verdad de los que habían desaparecido de mi vida y de mi recuerdo.

Avancé decidida, pasé por su lado sin mirarle y abrí la puerta del local. Debí de hacerlo con demasiado ímpetu porque todos los que había dentro se giraron hacia mí y se quedaron congelados. Resoplaba como si estuviera a punto de embestir a alguien mientras mis ojos se movían con rapidez de uno a otro.

—¡No os recuerdo! —exclamé alzando las cejas.

La inmovilización duró un segundo eterno más, hasta que una de las chicas con el polo de la empresa, reaccionó:

—¡Bay! Yo soy Lori.

—La piloto —añadí.

La chica sonrió y estiró la frente, por lo que me apresuré a frenarle los pies.

—Jude me dijo los nombres y puestos de cada uno.

—Oh, ya veo... Pues ese es Roger. —Lori señaló a un hombre corpulento que llevaba una gorra hacia atrás y acababa de abrirse una lata de Red Bull—. Y el otro es Stu. —El otro patrón de barco, un chico espigado con gafas, levantó la mano con cautela para saludarme.

—Hola, chicos. Vengo a trabajar.

No podría decir cuál de las tres miradas fue menos delatadora, pero era evidente que ninguno comprendía aquella situación. Se miraron entre sí y me sonrieron con tensión, sin encontrar las palabras adecuadas con las que responder a aquello.

—Necesitamos una recepcionista que gestione las reservas, conteste los correos y atienda al teléfono. —La puerta se cerró detrás de mí y sentí el calor que desprendía el cuerpo de Jude, pues se había acercado tanto que nuestras sombras se solapaban frente a nosotros.

—Oh, claro. Estaría genial que estuvieras por aquí para ayudar —dijo Stu, quien se recolocó las gafitas redondas en el tabique nasal y consiguió devolverme la sonrisa.

Aunque aquella sonrisa mía fue fugaz porque de pronto sentí cómo Jude me cogía por los hombros y me forzaba a avanzar sostenida por su fuerza, hasta soltarme asegurando mi equilibrio un metro más adelante.

—Estás en medio, impides la entrada.

Tras rodearme, cruzó la estancia para colgar las llaves que llevaba en una pequeña caja con ganchos que había en la pared.

—Pues dime dónde quieres que me ponga para no estorbar —le contesté afilada.

Tardó un poco más de lo necesario en girarse para contestar y no era yo la única que le miraba a la espera de su contestación. Miró alrededor, como si buscara un inexistente lugar que fuera adecuado para mí.

—Aquí. —Finalmente cogió del respaldo una silla de oficina y la hizo rodar hasta separarla indicándome que esa sería mi mesa.

Tenía el único teléfono fijo de la oficina, un ordenador personal y varias bandejas superpuestas llenas de papeles.

—Terra, explícale cómo funciona la web de reservas y enséñale a llevar la agenda.

La bióloga que acababa de entrar por la puerta alzó las cejas, nos miró a ambos y me dedicó una sonrisa de esas tiernas y condescendientes que salen cuando miras a un tullido. No me lo tomé a mal, porque trataba de ser amable en nuestro primer encuentro post accidente, pero sí que me molestó que ella obedeciera sin rechistar los mandatos de Jude, como si ahora él fuera el jefe de aquel lugar. Porque, aunque yo no tuviera ni idea de todo aquello, aquel negocio era de mi difunto (y seguro que encantador) padre, por lo que por derecho, yo era la nueva jefa.

Me senté erguida en la silla, dispuesta a aprender absolutamente todo, porque, hasta que no fuera capaz de dirigir aquello, no podría mandar a tomar viento al prepotente chico de dos metros de altura que había salido de allí cargado con toda la energía negativa del universo.

—¿Siempre es tan simpático? —le pregunté a Terra cuando se sentó junto a mí dispuesta a aclararme el funcionamiento de la web.

—No te molestes con él. Lleva demasiados días invirtiendo toda su energía en ti y en la empresa.

—¿En mí?

Vale que había pasado unas cuantas noches a mi lado en el hospital, pero no creía que eso le hubiera supuesto demasiada energía puesto que ambos dormíamos básicamente durante todo el tiempo que se quedaba junto a mí.

—Bay, has estado más de un mes en el hospital de Perth, pero no hemos dejado de trabajar ni un solo día... Él ha hecho el trabajo de dos personas, y a distancia. Ahora tiene mucho que solucionar, está preocupado por ti y por nosotros. La empresa ya tenía problemas y ahora que tu padre ya no está...

Terra se calló al ver cómo mis ojos se abrían poco a poco, palabra tras palabra. Pensé que quizá por eso siempre parecía un sonámbulo ojeroso en el hospital, aunque no creí que eso justificara su comportamiento estúpido.

—¿Qué problemas?

—Ay cielo, lo siento mucho. Tú no te preocupes por nada. Todo va a salir bien, Jude lo arreglará.

—¡Pero quiero saber qué demonios pasa con la empresa! Nadie me cuenta nada con claridad y creo que tengo derecho a saber qué problemas hay en la empresa de mi padre.

—Jude te lo contará, seguro. No me pongas en un aprieto. Deja que te enseñe cómo funciona esto ahora, ¿vale? Nos vendrá genial tu ayuda.

Stu y Roger se habían levantado de la mesa circular, habían recogido sus tazas de café y, tras despedirse con un gesto de cabeza, salieron por la puerta de atrás como si estuvieran deseosos de perderse de allí antes de que la conversación pudiera calentarse más. Yo fijé la mirada en la pantalla del ordenador y afirmé con la cabeza:

—Empecemos por el principio —dije.

—Genial —me contestó agradecida—. Pero antes, solo quiero decirte que me alegro de que estés bien, de que estés aquí.

—Lamento no recordarte —le reconocí, calmando mi voz, relajando la respiración. Terra tenía la cara redondita acentuada por un corte de melena a la altura de la nuca. Su pelo era rubio y tan liso que parecían hilos de seda que recogía detrás de sus pequeñas orejas. Era más menuda que yo, pero estaba en forma y no dudaba de su capacidad para soportar el peso de las botellas de oxígeno para descender hasta el fondo del mar. Parecía una chica agradable, de las que hablaban más de lo debido sin darse cuenta hasta que es demasiado tarde para rectificar; pero ella no tenía culpa de nada y su mirada tierna era la de alguien que veía en mis pupilas a la persona que yo había sido antes. Alguien que sabía cosas, alguien que, con suerte, me las terminaría contando.

La web del Wildlife Dive era bastante básica e intuitiva. Las fotos coloridas y llenas de vida con las imágenes de tortugas marinas, tiburones ballena y mantarrayas enormes captaban la atención del visitante en cuanto se cargaba la página, como si al primer segundo pudieras bucear entre ellas. Reconocí que estaba muy bien hecha y pensé que no debía ser difícil conseguir clientes con aquel reclamo tan visual. Terra me explicó los diferentes apartados, la variedad de *tours* que ofrecían y sus servicios. Luego me llevó a la aplicación para gestionar las reservas y leer los correos con las preguntas que hacía la gente interesada, y me dio una libreta con toda la información básica para que me resultara fácil contestarlas. Ahí tenía horarios, precios y detalles de los hoteles con sus rutas de recogida. De golpe parecía mucha información, aunque navegar me resultó tan fácil como lo había sido usar cualquier aparato desde el primer momento en el que había abierto los ojos; lo que en realidad me imponía era el no tener ni el más remoto conocimiento sobre el arrecife, las ballenas o las tortugas. Aunque para eso estaban ella y Jude como biólogos, ya que explicar ese tipo de cosas no sería mi trabajo sino el suyo. Me pareció que mi labor iba a ser de secretaría, y no me importó. «Cualquier persona que quiera llegar lejos debe empezar desde abajo», me dije y asumí que en la empresa debía ir poco a poco. Por el momento, estaba decidida a seguir leyendo los libros del mayor de los expertos en aquellas especies marinas.

De pronto, comencé a sentir de nuevo las horripilantes náuseas, notaba cómo el regusto del sándwich ascendía por mi esófago y amenazaba con salir despedido encima del ordenador. Le pregunté con cara de urgencia por el baño a Terra y di gracias de que la puerta estuviera a un par de pasos de aquel escritorio.

Perdí la noción del tiempo allí dentro, mi cuerpo quería seguir expulsando algo, pero ya no quedaba absolutamente nada que sacar de mi estómago y terminé sentada al lado de la taza del inodoro medio mareada.

—¿Te encuentras bien, Bay? —Reconocí la voz de Jude al otro lado de la puerta, en un tono mucho más suave del que acostumbraba a usar cuando se dirigía a mí.

—¿Tú qué crees? —le espeté yo.

—Pues ábreme la puerta.

—No puedo. —Apenas me salía la voz del cuerpo y no veía la manera de ponerme en pie sin caer.

—¡Ábreme! —gritó él girando con brusquedad el pomo desde el otro lado.

—No... pue...

—Joder, Bay... —Jude abrió la puerta de una patada, haciendo saltar los tornillos del pestillo, y se encontró con aquella estampa—. Demonios, Bay, no vuelvas a encerrarte en el baño, aquí llamamos siempre antes de entrar. —Se agachó para ayudarme a ponerme en pie y me levantó prácticamente en volandas. Entonces me echó agua fresca del lavabo en la cara y por el pelo hasta que poco a poco comencé a sentirme mejor, mientras mascullaba enfadado—: Ahora tendremos que arreglar esta puerta. Genial.

—Gracias. —Se lo dije de corazón; probablemente, si no me hubiera sacado él, me habría quedado a dormir allí aquella noche.

—¿Estás mejor? —preguntó Terra.

—Sí, he vomitado tanto que me he mareado un poco, eso es todo. Lo siento.

Mis ojos debían de ser como los de un gato arrepentido, porque la roca que Jude tenía por corazón pareció ablandarse un poco.

—No te preocupes. Vamos, te llevo a casa. Por hoy ya hemos hecho todos suficiente.

Aunque llevaba la muleta dejé que Jude me sostuviera por el costado. Terra me deseó que me recuperara y cogió mi bolso para entregárselo a él, quien se lo colgó sin ningún remilgo.

—Gracias por cerrar tú —le dijo Jude antes de guiñarle un ojo.

—Al menos, prométeme que vas a descansar —le rogó ella.

A pesar de ir medio idiotizada por la bajada de tensión, percibí la complicidad entre ambos y me pregunté si habría algún tipo de rollo romántico. La verdad es que Terra tenía la cara bonita, no era una chica despampanante, pero sus ojos eran de un color miel muy dulce y unos hoyuelos en sus sonrojados carrillos le hacían parecer un osito de peluche.

—Ya puedo andar yo sola —le dije cuando alcanzamos la puerta para salir.

—Como quieras.

—Tu amabilidad tiene la rapidez y fugacidad de un estornudo —murmuré al ver que recobraba aquel tono afilado.

Avancé hacia la acera mirándole hacia atrás, por lo que no vi venir a la chica que caminaba hacia mí.

—¡Oh, lo siento! ¿Te he pisado? ¿Querías entrar? Perdona, últimamente siempre estoy en medio. Aunque estamos ya a punto de cerrar, si quieres pasa y te atendemos en un momento.

Quise demostrarle a Jude mis cualidades a la hora de captar nuevos y posibles clientes. Pensé que, si había que explicarle alguno de los *tours*, le demostraría lo bien que me había aprendido los folletos, pero aquella solo fue la tercera vez que metía la pata aquel día.

—Vaya, vaya... Entonces, es cierto. No te acuerdas de nada.

—Ups, eres de las que ya conocía, ¿no? —intenté sonar simpática y bromista.

—Algo así —dijo la chica de forma altiva—. Y parece que también es cierto que tengo que darte la enhorabuena.

No me había dado cuenta porque había sido un gesto inconsciente, pero, tras el empujón, mi mano derecha se había posado sobre mi vientre como escudo y ahí se había quedado, de forma que marcaba mi pequeña redondez. No me gustó la forma en que se dirigía a mí, con los ojos llenos de intensidad, con la profundidad de unas palabras que no sonaban sinceras sino afiladas y una postura de brazos en jarra que intentaban hacerme empequeñecer.

—¿Eres amiga de Scott? —Quise usar su mismo tono de voz, pero me salió terriblemente mal.

—Madre mía, entonces no recuerdas nada de nada. Menudo golpe del destino. Está claro que el tiempo pone las cosas en su lugar —soltó antes de girarse triunfal, aunque yo no había entendido nada.

—¡Dime cómo te llamas! Por si quiero llamar así a mi hija... —le grité a sus espaldas con ironía.

—Pregúntale a tu chico por Gaby, seguro que te cuenta una buena historia —respondió sin mirarme. Entonces se giró y me lanzó un beso.

—Pero será imbécil... —mascullé y busqué los ojos de Jude solicitando solidaridad.

—A mí no me preguntes, es alguien del pueblo, pero no tengo ni idea de qué líos podrías tener con ella.

Noté que él la observaba algo molesto mientras se alejaba y, cuando por fin volvió a mirarme, se dirigió a mí como si aquello le hubiera hecho estar aún más enfadado conmigo.

Aquello era el colmo, alguien a quien no recordaba por culpa de la maldita amnesia acababa de asestarme una cuchillada que no terminaba de comprender y, encima, Jude se comportaba como si yo fuera la culpable, como si le afectara, como si le hubieran insultado a él. ¿Por qué? Quizá porque el espectáculo había ocurrido a las puertas del local de nuestra empresa o simplemente porque era día impar y tocaba. Le seguí hasta el lateral del edificio donde estaba aparcado el *jeep* del Wildlife Dive y me subí al asiento del copiloto rechazando su ayuda. En cuanto puse el trasero en el asiento, un torrente imparable de lágrimas salió como si se hubiera roto un dique en mi interior. Yo no quería llorar, más bien no quería que él viera que me estaba rompiendo, pero no podía frenarlo, no tenía control sobre mi cuerpo. Comencé a gemir de una forma ruidosa, desenfrenada y brutal, tanto que me hizo comenzar a hipar, y que desesperó a Jude cuando se montó por su lado y me descubrió de aquella manera.

—¿Qué demonios te ocurre ahora?

—¡Déjame en paz! Eres un bruto insensible. Me importa tres cuernos si no has podido dormir por mi culpa en un mes, si hay problemas en la empresa y si estás tirando tú solo del carro. ¡Eso no es excusa para tratarme como a un animal desahuciado! No sé por qué estás enfadado conmigo, y no me digas que no estás enfadado conmigo porque te he visto ser simpático con los demás y es más que evidente la diferencia. Pero sea lo que fuera que hice, ¡no lo recuerdo! Y qué quieres que te diga... Si no lo recuerdo, para mí es como si no hubiera ocurrido. Así que o me lo cuentas, o lo superas, o... ¡tendré que despedirte!

Estaba gritando, llorando, hipando, sorbiéndome los mocos y agitando mi melena de rizos como una verdadera poseída por un espíritu del averno, pero lo único que conseguí fue desatar la risa en Jude... ¡Estaba soltando verdaderas carcajadas!

—¿Que me vas a despedir? —repitió él también con lágrimas en los ojos, intentando recuperar el aire.

—Pues sí —afirmé decidida, frenando mi ataque de lágrimas, encarándome con él.

—Sabes que estás durmiendo en mi cama, ¿verdad?

—Técnicamente, es de tu madre.

—Pues *técnicamente* tampoco me puedes despedir. En realidad, soy tu socio. Le compré la mitad del negocio a tu padre.

Aquello sí que no lo vi venir. Sentí tal golpe que me quedé sin respiración, como si acabaran de pegarme una patada en las costillas.

—¿Socios?

—Ajá —contestó, recuperando el gesto serio. Y como se hizo el silencio, arrancó el motor y puso dirección al Jalalai.

Entonces, las lágrimas regresaron a mis ojos, pero silenciosas, ardientes, desesperadas, mucho menos hormonales. Me pregunté si entonces se comportaba así conmigo porque quería hacerse con la otra mitad del negocio, si quería quitarme de en medio; aunque entonces no entendía por qué había estado cuidando de mí.

—Deja ya de llorar, Bay.

No le contesté hasta que estuve segura de que mi voz no sonaría temblorosa.

—Pues deja de tratarme mal.

Jude suspiró, miró al frente casi sin pestañear durante unos minutos y finalmente golpeó el volante con una mano, lo que hizo que me encogiera sobresaltada.

—Lo siento. Lo siento, Bay.

—Si fui una mala amiga, una hija de jefe idiota o lo que fuera que hice, te diría que lo siento, pero simplemente, es que no puedo sentir lo que no recuerdo. Te prometo que ahora voy a hacer todo lo que esté en mi mano para ser una buena inquilina, una excelente socia y que, en cuanto esté recuperada, me iré a mi casa para no molestar más de lo necesario.

—No tienes que preocuparte por eso. Mi madre está encantada de tenerte con ella, a la empresa le viene genial que puedas ayudar ahora y yo... Conmigo, todo irá bien.

Asentí con la cabeza, él hizo lo mismo, como si nos estuviéramos dando la mano para cerrar un pacto.

—¿Has empezado con los ejercicios de rehabilitación? —me preguntó de pronto.

—No. Scott se marchaba y he pasado la mañana con él.

—¿Quieres hacerlos ahora? Podemos ir a la playa y caminar un poco por la orilla, y puedo ayudarte a hacer algunos ejercicios en el agua.

—No llevo bañador debajo.

—Pasaremos por el Jalalai y te cojo uno.

Entendí aquello como una ofrenda de paz, por lo que acepté, aunque en realidad no me apetecía compartir más tiempo con él aquella tarde. Todo seguía siendo tan confuso...

Aún faltaban un par de horas para que se pusiera el sol y la temperatura era agradable, la de un marzo australiano otoñal, cálido y apacible, con regusto aún a verano. Jude me entregó una bolsa de tela en la que Adele había metido uno de mis bañadores junto con una toalla. La playa estaba muy cerca, solo había que dar un paseo, pero Jude se empeñó en ir en el *jeep* por si después de los ejercicios me sentía demasiado cansada. No estaba yo por llevarle la contra en nuestra recién estrenada cordial relación, así que permanecí sentada en mi asiento mientras atravesábamos el par de kilómetros desolados que había cruzado por la mañana con Scott para llegar a la misma playa. No pude evitar acordarme de él, y me di cuenta de que no me había enviado un mensaje en todo el día. No sabía si había llegado bien, aunque quise pensar que tendría mucho que organizar a su llegada; y, por otra parte, le había dicho por la mañana que no éramos nada, así que, en realidad, no me debía ninguna llamada.

En aquel momento, quise que Jude fuera Scott. Le habría contado lo de la nota que había encontrado en el libro, mi primer día en el trabajo y el encontronazo con aquella tipa desagradable que él conocía. Lamenté que se hubiera ido, el no poder compartir esas cosas, el no poder conocerlo mejor día a día, el estar allí con tantas preguntas y tan pocas respuestas.

Deslicé mis braguitas por las piernas y me subí el bañador por debajo del vestido. Allí no había ni un alma, era una playa extensa, virgen, y suficientemente alejada de los hoteles como para sentirse protegido de miradas, como para sentirse libre.

Jude me ofreció su brazo para poder avanzar por la arena hasta el agua, y lo acepté. No quería caerme de bruces en la arena si me fallaba la pierna y escuchar algo parecido a un «te lo dije». Me di cuenta de que él se había quitado los pantalones de bolsillos y que en su lugar llevaba un bañador de flores estilo hawaiano demasiado alegre para su carácter, lo que me hizo reprimir una sonrisa. El tono de su piel era mucho más bronceado que el de Scott, que tenía un bronceado del color de la miel tostada, trabajado por las horas de surf. El color de piel de Jude, en cambio, era algo más natural, uno que se mantendría aunque se fuera a vivir a Alaska; como si su padre hubiera sido italiano o español, pensé, porque su pelo era también negro como la noche y sus ojos color azabache.

—¿Quieres? —me ofreció un auricular inalámbrico que se sacó del bolsillo de su bañador—. Vamos a andar un poco por la orilla para calentar primero, ¿de acuerdo?

Acepté el auricular porque me pareció genial el evitar mantener una conversación con él en aquel momento, y estaba claro que él tampoco quería hablar. Cuando me lo puse, escuché los acordes suaves de una guitarra y la voz algo rota de un hombre. La canción hablaba de la libertad y de la redención. Miré a Jude y levanté mi dedo pulgar.

—Mola.

—Claro, es Bob Marley.

Me encogí de hombros. La gente tenía una pasmosa facilidad para olvidar que yo lo había olvidado todo.

—Caray... Creo que por primera vez me das pena de verdad.

—Muy gracioso.

—Es que es una verdadera desgracia que no recuerdes la música.

—¿Me gustaba ese Bob?

—No creo que haya alguien a quien no le guste la música de Bob Marley.

—Vaya, entonces es un tipo con suerte.

—*Era*, está muerto, y no sé si tuvo mucha suerte en la vida.

—Otro al que no voy a poder conocer...

—Lo importante es su música y está en *streaming*.

—Pues cállate y déjame escucharla. —Me atreví a decirle aquello en tono de broma, porque habíamos charlado durante unos minutos y el mundo no había explosionado.

La siguiente canción era más animada, hablaba de la posibilidad de ser amado y de amar, y su ritmo era contagiosamente alegre. Daba ganas de bailar, pero me contuve porque mi pierna ya tenía suficiente con vencer la resistencia del agua para avanzar, aunque apenas me llegaba a la rodilla. Pero canté el estribillo y aquello estuvo a punto de hacer que Jude sonriera, casi. Fue como un espasmo en su mejilla, pero lo vi.

Could you be loved...

9

GABY

Nunca he querido ser ese tipo de personas resentidas y envidiosas que se pasan la vida pendientes de los demás; de hecho, desde que tengo uso de razón, me he empeñado en marcar mi propio camino, uno que me condujera muy lejos de aquí. Sin embargo, la vida no ha parado de darme golpes, de ponerme enormes piedras con las que tropezar, y la peor de todas, sin duda alguna, ha sido Bay Shein.

Desde el primer día de primaria supe que aquella niña sería insufrible. Su tono de voz era tan agudo que se te metía en los tímpanos hasta saturarlos, y hablaba sin tregua; y, aunque yo suplicaba que se callara, ella conseguía que todos se giraran para escuchar lo que tenía que decir. Era la típica niña que todas las madres adoraban, incluida la mía, porque era educada, cariñosa y alegre. Tan perfecta que era el ejemplo que usaban para decirte cómo debías comportarte. Y con los profesores, la cosa era peor, porque, aunque sus notas no eran brillantes, era la alumna participativa, la que siempre se ofrecía como capitana de grupo o la que tenía las mejores ideas a la hora de organizar juegos, por lo que siempre conseguía los premios de actitud y al esfuerzo.

Yo la detestaba tanto que no conseguí esconder mis sentimientos y terminaron por organizar una reunión entre mis padres y el profesorado para corregir mi actitud desagradable y dañina hacia ella. Todo porque anhelaba que, por un día, ella sintiera lo que era ser una simple mortal como todos los demás; tan solo porque, por un día, quería ser la que los demás eligieran primero para sus equipos. Concluyeron que estaba celosa y oí cómo mi madre comentaba con mi padre que no podía comprenderlo porque, para empezar, según ella, yo era más guapa, tenía más dinero y encima una familia estable (no como Bay, que vivía en una cabaña playera al cuidado de un padre bohemio y descuidado). Pero ¡claro que la envidiaba!, porque todas esas desventajas la hacían aún más especial. Envidiaba su casa destartalada porque estaba en la misma playa y la envidiaba a ella porque su padre era alguien que trabajaba en bañador, porque su pelo era como la melena de Nala[5] y porque conseguía ser feliz y estar siempre alegre con todo aquello. No hay nada que te haga sentir más celos que la felicidad ajena cuando tú no eres capaz de alcanzarla. Y el motivo por el que yo no era capaz de sentir esa felicidad cuando se suponía que lo tenía todo, aún no he llegado a comprenderlo.

Yo sabía que estaba mal odiar a Bay, pero... ¡Dios!, cómo la odiaba. Y todo empeoró en el instituto, porque entonces comenzó a llamar la atención con sus luchas ecologistas como si tuviera la misión de salvar el planeta ella solita. Aunque la niña ideal se convirtió en una rebelde a la que expulsaron dos días por protagonizar una acalorada discusión con el director sobre los menús del comedor y ya no era el ojo derecho de los profesores, los compañeros la veían como una heroína sin capa.

Sé que mis sentimientos hacia ella eran dañinos e injustificados, que ella nunca se había portado mal conmigo y que incluso había intentado acercarse a mí varias veces, como si reiniciara su mente olvidando mis malos gestos para darme una nueva oportunidad. Pero nunca fui capaz de poner a cero mi corazón con ella. Bay era una semilla maligna en mi vida, alguien de la que me quería separar para dejar de producir todo aquel veneno dentro de mí.

Entonces, un día, surgió mi oportunidad, la que llevaba toda la vida esperando, ese momento de flaqueza de Bay. Fueron largos años de espera, pero llegó, aunque tuve que sufrir porque ella empezó a salir con

5. Personaje de *El rey león*.

Scott Longley, cómo no... No podía ser de otra manera, la perfecta Bay tenía que ser novia de la promesa del surf australiano, del más guapo, divertido y adinerado chico del instituto. De todas las cosas que Bay me había arrebatado a lo largo de la vida sin intención, esa fue la que me rompió por dentro.

Scott llegó al colegio en secundaria, se había trasladado desde Adelaida, y el destino quiso que nos convirtiéramos en vecinos. Nuestros padres se hicieron amigos, por lo que él y yo comenzamos a relacionarnos por obligación cada vez que ellos quedaban para cenar; pero para mí no era una obligación, pues me enamoré de él nada más verlo. Era divertido y ocurrente, y hacíamos muy buena pareja; nuestros padres no paraban de repetirlo, ya que bromeaban continuamente sobre lo ideal que sería llegar a ser familia en el futuro.

Yo estaba absolutamente pillada por él, hasta los huesos. Tanto que me escapaba de casa para colarme en la suya, me gastaba los ahorros para invitarle al cine y hasta llegué a fingir que era una amante del surf con tal de que mis padres me apuntaran a la misma escuela donde él entrenaba por las tardes. Éramos muy buenos amigos, los mejores, al menos así lo sentía yo. Pero llegó un momento en que mis caricias insinuadoras se convertían en cosquillas evasivas por su parte, que mis mensajes dejaron de tener respuesta o recibía excusas como «Acabo de verlo. Lo siento, otro día», hasta que llegó la sentencia de muerte para el único amor que había conocido mi corazón...

Que Scott comenzara a salir con Bay no debería haber sido una sorpresa para mí; de hecho, era algo bastante previsible teniendo en cuenta que ella siempre conseguía todo lo que quería. De todos modos, ni siquiera podía culparla por ello, porque fui testigo de cómo ella lo rechazaba al principio y de cómo él se ridiculizaba en sus intentos de que ella le dijera que sí a una cita; pero igualmente la odié, la odié tanto que quemé mi alma.

Ya me había rendido; había asumido que Scott jamás sería mío, que debía concentrar todas mis energías y todos mis deseos en salir de Exmouth. Incluso había comenzado a relacionarme con Bay; no es que llegásemos a ser amigas íntimas, pero ella apostaba por un futuro mejor y siempre me había dejado abierta una puerta de acceso a su vida. Compartimos mesa en el comedor algunos días y llegué a contarle a ella y a sus amigas mis planes de futuro. Ansiaba llegar a un lugar nuevo, partir de cero, poder pasear por calles bulliciosas en las que camuflarse entre desconocidos fuera posible; quería irme a un lugar donde Gaby no fuera la mala de la película, donde pudiera limpiar mi espíritu.

Pero entonces Scott cambió, algo le sucedió y toda mi vida volvió a centrarse en él, en la posibilidad de conseguirle, ya que había cortado con Bay. Reconozco que ver llorar a Bay un día en el aseo del instituto me produjo la mayor de las satisfacciones. Escuché cómo le contaba a su amiga Kata lo confusa que se sentía, que le faltaba el aire, que no podía dormir y que se negaba a ir con ellos a Bali en la Schoolies Week. Ahí vi mi oportunidad, me aproveché de la situación y me ofrecí a ir en su lugar al viaje. Mi grupo de amigas tenía pensado ir a Gold Coast, pero Bali era sin duda un destino mucho más excitante y estaría con Scott. Le pagué a Bay los gastos del viaje y ocupé su plaza, con sus amigas. Sabía que ellas no me miraban con buenos ojos, pero yo intenté ser la mejor versión de mí misma: la divertida, la generosa, la incansable. La mejor amiga de Bay, Kata, me había vetado desde el minuto cero, pero necesitaban mi dinero para no estropear su *pack* vacacional. Con Paula, Hanna y Louise, no hubo problemas, estaban más preocupadas en desmelenarse y conseguir ligarse a alguien, que en mí. Y yo tenía mi propio objetivo: Scott.

Aquella semana fueron días de descontrol: música, alcohol, baile, alcohol, vivir de noche, dormir de día y a ratos. Alcohol... Demasiado alcohol. Vi a Scott liarse con varias chicas, y yo misma terminé enrollando mi lengua con dos chavales a los que soy incapaz de ponerles cara ahora, pero la noche en la que por fin él fue mío la recuerdo perfectamente.

No necesitaba promesas, no quería que aquello durase más allá de aquella escapada; solo ansiaba entregarle por fin mi cuerpo, sentirle mío, palpar su deseo y saborear por fin sus labios. Tan solo fue algo que necesitaba hacer antes de marcharme. O, al menos, eso es lo que creí que sentía y quería; eso fue lo que le dije y así le convencí, de esa manera lo llevé hasta mi cama, con un «*carpe diem*» sin consecuencias. Con un «lo que ocurre en Bali, se queda en Bali».

Cuando regresamos a Exmouth aún creía en mis propias palabras. Me sentía por fin victoriosa, triunfadora, invencible, poderosa... Y quise dar una fiesta en mi casa. Mis padres habían esperado a que regresáramos para irse de viaje con los padres de Scott, por lo que invité a toda la clase, incluida a Bay. Ya no la odiaba tanto, tenía mi secreto guardado bien adentro, y al mirarla podía sentirme poderosa.

No imaginé que Scott y Bay aparecerían de la mano en la fiesta, no había contado con la posibilidad de que ella le daría una segunda oportunidad, con que él querría volver, con que aquello me dolería con más intensidad que nunca... Aquella noche corrió el alcohol por mi casa como si aún estuviéramos en Bali, pero yo no probé una gota. Solo hice lo que tenía que hacer.

Al poco vi cómo Scott y Bay comenzaban a comportarse como una pareja de novios recién estrenados, desinhibidos, se comían con los ojos, con los roces de sus manos, con besos impulsivos en el pasillo... Los vi abandonar mi casa a media noche a trompicones, en dirección a la de Scott. Cuando vi desde mi terraza que se encendía la luz de su habitación, dejé mi propia fiesta para colarme en la casa de mi vecino. Era fácil, llevaba haciéndolo prácticamente toda la vida.

A los pocos minutos, Scott me encontró en su salón, a oscuras, probablemente iba a por un vaso de agua a la cocina. Ni siquiera se sorprendió al verme, estaba tan borracho que seguramente no sabía bien si aún estaba en su casa o en la mía. Tan solo llevaba puesto un bañador y su melena enmarañada relucía con el reflejo de las lejanas luces de mi casa que entraban por sus ventanales.

—¿Dónde está Bay? —le pregunté susurrando.

—Se ha quedado frita en mi cama —dijo con los ojos entrecerrados, tambaleándose de un pie a otro.

Scott se agarró al tirador de la nevera. Me apresuré a sostenerle por la cintura y antes de que alcanzase la botella de agua, cogí una cerveza.

—No puedo beber más, Gaby. No seas mala...

Yo la abrí con rapidez, le di un trago que mantuve dentro de mi boca. Me lancé hacia la suya para vertérsela dentro. Fui clara en mis intenciones, mis manos sabían bien lo que tenían que hacer y antes de que me diera cuenta, había conseguido que Scott me tumbara debajo de él, a unos pasos de ahí, sobre el enorme sillón de sus padres. Saber que Bay estaba en el piso superior convirtió aquello en lo más excitante que he hecho en mi vida. Scott hizo que rozase el cielo, porque volvía a hacerlo mío, porque volvía a arrebatárselo a Bay, porque aquello significaba que lo suyo con Scott no tenía futuro, y porque yo era consciente de que en verdad sí que quería tenerlo para mí, para siempre. Demonios, estaba enamorada de él.

Tras aquella noche, no volvió a pasar nada entre Scott y yo. Él volvió a romper mi corazón en tantos trozos que cada uno se convirtió en metralla contenida que poder lanzar un día contra él, contra Bay, en el momento adecuado.

Sin embargo, Bay tuvo el accidente y una tarde Scott apareció en mi cuarto llorando. Era la primera vez que acudía en mi busca, y lo hacía desesperado y muy asustado. Bay no solo estaba sumida en un profundo coma del que no sabían si podría salir, además de eso había algo que para Scott era mucho más devastador: le habían dicho que estaba embarazada.

—¡¿Cómo me puede estar pasando esto?! No consigo comprender cómo ha podido ocurrir. ¿Crees que es un castigo por acostarnos en la noche de tu fiesta? No recuerdo bien lo que ocurrió, pero sí sé que lo nuestro no debió pasar, Gaby. Seguro que es un castigo por haberla engañado...Y ahora ella está ahí en ese hospital, medio viva y medio muerta, ¡y embarazada!

Necesitaba desahogarse y me había buscado a mí para hacerlo, así que le acogí entre mis brazos y dejé que llorara como un crío asustado, pero mientras le daba pasadas consoladoras en su pelo, mi mente estaba fría. Me parecía increíble que volviera a pasarme a mí algo así, que el amor de mi vida me usara de aquella manera, que Bay volviera a apartarlo de mí; incluso desde la cama de un hospital.

Scott pensaba que nuestra noche había sido la culpable de todo, que aquello era un castigo, pero yo, solo yo, sabía la verdad. Y dejé que Scott se marchara de mi habitación sin saberla. Ya no quería recuperarle, solo deseaba que sintiera más engaño y dolor del que él me había hecho sentir a mí.

10

Aquella noche Jude no se bajó la cena a su apartamento, sino que se sentó a la mesa con nosotras y, aunque no se dirigió mucho a mí, estuvo hablador. Contó la salida de aquel día, en la que habían avistado el primer tiburón ballena de la temporada con un grupo de turistas que había sido de los buenos: obedientes, simpáticos y participativos. De vez en cuando, me miraba al hablar, como si de alguna manera pudiera ser partícipe de las cosas que contaba porque yo ya las había vivido antes, y aquello me gustaba y frustraba a partes iguales. En cuanto terminó de cenar se bajó; no hizo esfuerzos por mantener una conversación conmigo, pero creí que no podía pedir más de alguien como él después de haber pasado la tarde conmigo ayudándome con la rehabilitación.

La nueva versión de Jude que había conocido en la playa me había hecho mirarle con otros ojos; o quizá era que por fin los había usado para fijarme en él en lugar de usarlos para mandarle maldiciones. No es que él hubiera sido un despliegue de atenciones y simpatía de repente conmigo y tampoco se había comportado como el muchacho alegre que había visto relacionarse con el grupo de turistas, pero pensé en la posibilidad de que aquella actitud vital y desenvuelta la usara solo a nivel profesional, con los que le daban de comer, y que quizá en lo personal fuera un chico seco, reservado y con tendencia al mal humor. Entonces pensé en Terra y en él, volví a preguntarme si eran pareja.

Fuera como fuese, aquella noche me sentía más acompañada, con fuerzas para seguir adelante y con esperanza. Contando con que finalmente Scott no me llamó, y que yo tampoco sentí que quisiera o debiera hacerlo, mi mente quedó liberada de pensamientos sobre los dos chicos, y eso hizo que me abrazase a la almohada con dos pensamientos recurrentes: la nota del libro y el encontronazo con aquella chica llamada Gaby.

¿Quién era E? ¿Qué hacía esa nota ahí? ¿Quién era mi padre? ¿Qué ocurrió entre mi padre y mi madre? ¿Qué había ocurrido con mi madre? ¿Qué sabía yo de todo eso antes del accidente? ¿Quién era Gaby? ¿Qué problemas había habido entre nosotras para que me hubiera hablado de aquella forma tan hiriente?

En aquel momento, tomé una determinación: si mi mente no quería devolverme mi pasado, lo recuperaría pieza a pieza; lo reconstruiría, aunque tuviera que hablar con todo el maldito pueblo o rebuscar debajo de las piedras. Quería saber quién era, encontrar las repuestas a todas las preguntas. Algo me decía que, hasta que no fuera capaz de iluminar mis sombras, no podría visualizar un futuro.

Me acosté releyendo una y otra vez el papel que había caído del libro, y aquello me hizo arrepentirme de no haber cogido una foto de mi padre de mi casa; porque, cuantas más veces lo leía, más fuerte se hacía el lazo que me unía con aquel fantasma.

El estómago se me revolvió un poco, quizá de tanta emoción o de tanto ejercicio, quizá solo porque estaba embarazada y tener náuseas era de lo más normal en el primer trimestre; aunque aún me resistía a pensar mucho en eso. Era consciente de la presencia de Kumquat dentro de mí, pero no era algo a lo que le permitiera robarme más energía que la física. Necesitaba toda mi fuerza mental para gestionar lo demás.

Terminé por dormirme de agotamiento y, cuando Jude me envió el mensaje para despertarme a media noche, terminé de llenarme con la tranquilidad que necesitaba para caer en un profundo sueño.

Al día siguiente, aprendí la que sería mi nueva rutina: levantarme a las seis, desayunar en la cafetería del Jalalai y dar un paseo hasta la oficina para abrirla a las siete y media. Podía haber quedado con Jude para ir hasta allí, pero preferí no sugerirle esa opción. Él tampoco la había ofrecido o pedido, pues no debía necesitar ayuda para llevar la comida destinada a los aperitivos que se servían en las excursiones desde el Jalalai hasta nuestro local. Al llegar, me encontré con Terra y Jude, que recogían el listado de sus respectivos grupos y del tipo de *tour* que habían contratado para preparar el equipo necesario que llevar a los barcos. Se asignaban los grupos a los patrones, esperaban a que llegaran los turistas por su cuenta o a que los llevara alguien, y después de todo ese ajetreo inicial, yo me quedaría sola allí.

El teléfono no sonaba muy a menudo y la gestión de las reservas fue algo que conseguí terminar en poco más de una hora, por lo que el paso del tiempo me resultaba tedioso y lento, así que terminé recostada en el sofá destinado a los clientes y continué con la lectura del libro de Johan.

Descubrí que el desove anual de los corales marcaba la llegada de los tiburones ballena al arrecife Ningaloo durante los meses de marzo y abril; aquello cuadraba con el tipo de excursiones que había agendado aquel día en el ordenador y me imaginé a Terra y a Jude nadando junto a aquellos enormes peces que podían llegar a medir hasta dieciocho metros de largo mientras ellos se alimentaban de las poblaciones de plancton que se encontraban en aquellas cálidas aguas tropicales. Envidié a los turistas de aquel día porque yo también quería escuchar sus explicaciones, colocarme las gafas de *snorkel* y saltar al agua para experimentar aquella sensación, que debía de ser algo sobrecogedor. De todos modos, medio coja, embarazada y con náuseas constantes, sabía de antemano que obtendría una respuesta negativa si se me ocurría preguntarles si podía acompañarlos en una de las salidas.

Para cuando finalizara la temporada del tiburón ballena, en la zona se empezarían a avistar las ballenas jorobadas, las pequeñas ballenas Minke e incluso ballenas azules en su migración hacia el norte. Para entonces, calculé que yo misma parecería ya una de su especie y que tampoco tendría oportunidad de ir con ellos.

No podía evitar mirar con frecuencia por la cristalera de la puerta por si volvía a pasar por delante la tal Gaby, porque tenía pensado asaltarla si eso ocurría; no volvería a dejar que se marchara con las preguntas sobre ella flotando en el aire, pero aquel día no ocurrió. Miré mi teléfono móvil para comprobar por vigesimoquinta vez que Scott no me había llamado y, tras resoplar con frustración, decidí que yo misma le llamaría aquella noche. No es que sintiera necesidad de escuchar su voz, pero aposté a que él sí sabría quién era la tal Gaby y que podría contarme la historia que había hecho que ella me odiara tanto como para ser una verdadera estúpida al verme.

Cuando sentí el trasero insensible y la cabeza inundada con datos del mundo marino, decidí registrar el que había sido el escritorio de mi padre y que ahora ocupaba Jude. Al contrario del despacho que había en la casita de la playa, allí todo se encontraba en un escrupuloso orden. Los cajones estaban subdivididos con separadores para que cada cosa tuviera su espacio y los papeles estaban perfectamente ordenados por carpetas. Allí no encontré ni un solo objeto personal ni del uno ni del otro, absolutamente nada. Lo que sí encontré en el ordenador fueron archivos con fotos clasificadas en subcarpetas con las referencias de las excursiones como nombre, y entre ellas una que se llamaba «Fotos Bay». La abrí pensando que encontraría fotos en las que yo aparecería junto a mi padre, pero en realidad eran fotos de ballenas, tortugas y tiburones en su mayoría. Reconocí algunas de las fotos porque eran las que estaban enmarcadas en las paredes del local y aquello creó un extraño sentimiento de orgullo hacia esa Bay, la autora de aquellos momentos inmortalizados. Seguí mirando las fotos, a cada cual más impresionante, con ángulos imposibles, con rayos del sol que se filtraban atravesando el mar como estelas de fuego, con animales que parecían sonreír a la cámara, con colores que contaban por sí solos grandes historias... Entonces, apareció una última ronda diferente de fotos; eran imágenes del equipo: de Roger y Stu bebiendo cerveza, de Terra y Lori saltando por la borda unidas de las manos, y de Jude lanzando un pescado para dar de comer a un delfín desde la proa, con una rodilla al suelo y la otra, doblada pero firme, sobre la que apoyaba el otro brazo. Miré esta última fotografía durante bastantes segundos. Jude se veía atractivo; la amplié hasta visualizar aquella sonrisa ladeada suya de labios pronunciados hacia fuera, aumenté lo suficiente su tronco para descubrir un abdomen bien marcado en el que no me había fijado el día anterior y que de pronto le había dado un vuelco a mi estómago. Pasé la imagen con rapidez, como si mirarle así no estuviera bien, pero apareció otra de él en la que miraba tan directamente a la cámara que se notaba que había posado en aquel momento para la fotógrafa que, si había sido yo, no imaginaba cómo había podido soportarlo. Esa forma de mirar, esa intensidad... Pasé a la siguiente foto y me encontré con otra, y otra, y otra más en la que él era el protagonista. No pude más que preguntarme por qué había toda una tirada fechada más de un mes antes del accidente que estaba dedicada a él, y que era además, la última que había guardada en aquel ordenador.

No había encontrado lo que buscaba, ni información personal sobre mi padre, nada que me aclarara quién era E, ni un solo recuerdo personal suyo que me facilitara el conocerle. Concluí que necesitaba ir a la casa de la playa si quería respuestas y pensé en el modo de poder llegar hasta allí, teniendo en cuenta que era del todo imposible hacerlo andando.

Mientras leía el último número del *National Geographic* que había sobre la mesa de Johan, concretamente un artículo marcado con un pósit sobre la repoblación de arrecifes en Curazao, me comí un sándwich de queso con nueces y rúcula que me había preparado Adele.

Un par de horas después, llegó la furgoneta con el grupo de turistas de aquel día y volví a ser testigo del ritual de despedida que usaba Jude; ese gritito de guerra que contagiaba a todos y ese choque de palmas grupal que promovía esa versión irresistiblemente simpática de mi socio de empresa. De todos modos, en cuanto entró por la puerta, yo no recibí ni tan solo un saludo cordial, algo parecido a un «Hola, ¿qué tal te ha ido la mañana? ¿Ha habido muchas llamadas? ¿Alguna reserva nueva?» Nada. Jude se fue directo a dejar las llaves en su lugar y se pasó la siguiente media hora hablando por teléfono y rebuscando papeles. Mientras, yo ayudé a Terra a guardar todo el equipamiento que habían usado los dos grupos en sus salidas, la ayudé a rellenar de oxígeno las botellas y limpié el resto de material. Roger y Stu, por su parte, parecían tener un ritual de la cerveza que marcaba el fin de su jornada laboral: se sentaban en la mesa del *office* y rellenaban un informe donde anotaban la ruta del día, las millas recorridas, el número de avistamientos de ejemplares y las zonas donde se habían producido, entre otras cosas que yo no entendía. Tras terminar con su papeleo, abrían un par de latas y las apuraban en dos tragos.

—Pasado mañana tenemos que ir al banco y al notario. Y no sé si a algún sitio más, Bay —me informó de pronto Jude tras colgar el teléfono y, antes de que pudiera preguntarle algo al respecto, se dirigió a Terra—. Ponte en contacto con los del Coral Reef Dive para derivarles mi grupo otra vez.

Se le notaba malhumorado, o estresado, o preocupado... En realidad, parecía que tenía todos esos sentimientos agitándose dentro de él; pero en ese momento no me sentó mal que fuera tan borde conmigo porque dejé de sentirme el centro del universo y me di cuenta de que mi situación le estaba afectando a él de forma directa. Todo aquel papeleo que lo agobiaba parecía haberse generado por mí, por la situación tras el fallecimiento de su socio, de mi padre; por nuestro accidente, por sus consecuencias. Y él estaba mirando de arreglarlo todo, de reajustarlo, de solucionarlo... tan solo estaba haciéndose cargo de todo. De mí.

—Sí, claro. Lo que necesites, Jude —le contesté de una forma mucho más sumisa.

Crucé la mirada con Terra, que parecía haber anticipado una súplica que no llegó a lanzar al ver mi respuesta hacia él, le sonreí levemente y esperé paciente en mi escritorio a que alguien me dijera qué podía hacer, si es que había algo más que pudiera hacer. En realidad, lo que quería era que Jude se relajara un poco para poder acercarme a él y pedirle algo que necesitaba de forma urgente; aunque no sabía si sería posible.

Roger y Stu se marcharon, y Terra se despidió de mí antes de acercarse a Jude y darle unas pasadas por la espalda mientras le susurraba algo al oído que logró que su espalda se relajara un poco, y allí nos quedamos él y yo en el local, en silencio. Llegué a pensar que se había olvidado de que yo estaba allí mientras él rebuscaba entre papeles y páginas de Internet.

—Bay, vete al Jalalai. No sé cuánto más voy a tardar en terminar y ya no hace falta que te quedes. Yo puedo atender las llamadas —me dijo sin girarse.

—En realidad... —Esas palabras consiguieron que se girara hacia mí con las cejas alzadas—. Necesito ir a mi casa, lo necesito de verdad.

—¿Qué necesitas? Si quieres comprarte algo, mañana mismo te van a hacer una tarjeta de la empresa a tu nombre en el banco, ya lo he solicitado.

—No se trata de nada de eso. Necesito algo de allí.

—¿Quieres que vaya y te lo traiga?

—¡Necesito ir yo! —exclamé desesperada.

Él enmudeció y se quedó mirándome un par de segundos antes de moverse. Se levantó y fue hacia la cajita donde guardaba las llaves, cogió unas y me hizo una señal con los ojos para que le siguiera. Salimos fuera del local y fui tras él hacia el lateral del edificio, hasta una puerta de garaje que abrió con un mando a distancia.

—No puedo dejarte el *jeep*, ni siquiera creo que aún tengas control en esa pierna como para poder conducir un coche, pero quizá esto te sirva.

Allí dentro había chalecos salvavidas viejos, herramientas, estanterías con cajas y muchos trastos desperdigados, pero lo que llamó mi atención fue el *quad* al que Jude acababa de subirse. Lo arrancó y maniobró quitándome de en medio con aspavientos en la mano para que me apartara de allí. Paró a la puerta y se bajó para cerrar el garaje.

—No lo usamos mucho, así que puedes llevártelo cuando necesites desplazarte o quieras ir a tu casa.

Me pidió la muleta, la plegó y la enganchó en la parte de detrás con una goma enseñándome cómo poder soltarla después. Luego cogió un casco y se acercó a mí decidido. Antes de que pudiera reaccionar, me lo estaba colocando en la cabeza y tirando de las cinchas para ajustarlo a mi medida. No pude negarme a mí misma que aquello hizo que mi corazón de pronto cobrara vida propia y comenzara a latir más rápido. Lo tenía a unos centímetros, mirándome fijamente, apartándome los rizos de la cara para poder abrocharme bien el casco, rozando mi piel con la punta de los dedos, como si entre nosotros existiera ese tipo de cercanía, de familiaridad, de consentimiento. Sentí electricidad, pero tan fugaz que, cuando terminó y se separó, no pude retener la sensación conmigo.

—Es bastante simple: acelerador, freno y botón de arranque. Conduces por el carril de la izquierda e intentas no tener un accidente. —Nada más decirlo, se dio cuenta de la metedura de pata y en seguida quiso rectificar, y por primera vez le vi nervioso, preocupado por lo que yo podía llegar a pensar o sentir y aquello sí que fue electricidad pura—. ¡Lo siento! No quería decir... Es decir, claro que quería decir que tuvieses cuidado, pero... Joder, lo siento.

Yo rompí a reír, porque en realidad había tenido gracia todo, el comentario inapropiado viniendo de él, su cara, su reacción...

—No tiene gracia, Bay —desplomó los hombros.

—En realidad, sí que la tiene, pero «no quiero discutir, Jude» —imité su voz para recordarle cuando él me había dicho lo mismo.

—Aquí tienes las llaves de tu casa. —Se masajeó el cogote y, tras sostenerme la mirada un par de segundos, agitó la cabeza y ya de espaldas me dijo que me quedara con ellas.

—¿Nos vemos luego en el Jalalai? —le pregunté alzando la voz a su espalda.

—¿Cómo?

—La rehabilitación.

—Oh... —Se paró en seco, intuí que probablemente había cerrado los ojos lamentando haberse comprometido conmigo.

—Si no te viene bien, no pasa nada. Puedo pedirle a Beef...

—¡Te recojo a las seis! —zanjó doblando la esquina de nuevo.

El Wildlife Dive estaba abierto hasta las cinco, por lo que tenía poco más de una hora para ir a mi casa, buscar algo que aún no sabía bien qué era y regresar al Jalalai. Por ello, me monté en aquel armatoste de cuatro ruedas, arranqué con el dedo índice y me encaminé hacia la carretera principal que bordeaba el cabo y que me llevaría sin pérdida hasta Jurabi Point.

Era la primera vez que me quedaba sola, del todo, y aquello de pronto me proporcionó una sensación de libertad que no esperaba. Sonreí de placer al sentir el viento en mi cara y los rayos suavizados del sol, disfruté de la soledad del camino, de sus curvas, de sus vistas salvajes. Exmouth me quitó el aliento, con los cambios de tonalidad de su horizonte esmeralda conforme dejaba metros de tierra atrás, la humedad pegándose a mi ropa hasta impregnarla con su aroma salino y notando cómo el polvo rojizo pasaba a ser una segunda piel.

Aquel día, el mar frente a la solitaria casa de madera estaba embravecido, con olas que terminaban por rizarse en la orilla y la llenaban de espuma blanca. El viento revolvió mi melena en cuanto me quité el casco y maldije al universo por no llevar una goma del pelo en la muñeca. Desenganché la muleta todo lo rápido que pude y me encaminé a las escaleras con el paso inestable sobre aquel suelo arenisco. Una vez en el porche, y aunque sabía que no contaba con mucho tiempo, me senté en uno de los dos sillones de caña que había. Dejé que mis rizos flotaran, que los oídos me zumbaran con el aire, que el corazón me latiera lento, y lo intenté una vez más; intenté buscar dentro de mí, en lo más profundo, en lo más oscuro. Quise partir de lo que ya sabía, de la cara que había visto en aquellas fotos la vez anterior, de sus palabras escritas en el libro, del orden de su escritorio, de todo lo que había reciente dentro de mí sobre él para encontrarle, para que volviera, para dibujar mi pasado.

Suspiré tan profundo que sentí cómo las costillas se me contraían dolorosamente y allí, sola por fin, lloré llena de frustración. Me permití sentir, sin testigos, sin culpa, pero llena de motivos para hacerlo. Sabía que podía seguir adelante, no era difícil dejarse llevar por el cauce de mi vida anterior. Solo tenía que ir a trabajar donde me correspondía, curarme, mudarme a aquella casa, volver a enamorarme de mi novio, y todo saldría bien; pero era incapaz de aferrarme a la idea de un futuro sin ser capaz de ver el pasado, sin referente, sin pistas.

Todo aquello salió de mí a borbotones, en un llanto desconsolado mientras daba tumbos de una habitación a otra intentando buscar un espacio en el que me sintiera protegida, un lugar mío y algo a lo que poder abrazarme. Terminé sentada en el suelo, con la espalda apoyada en la cama y con la almohada entre los brazos. Lloré mirando a través del ventanal, hacia un mar infinito. Sin embargo, no tenía mucho margen de tiempo, así que me forcé a parar. Me recriminé a mí misma el ser débil, me obligué a sacar fuerza de espíritu y me fui a la habitación-despacho de mi padre para poder revisarla con detenimiento aquella vez.

Fui a su armario y lo abrí de par en par; no tenía mucha ropa, y esta se basaba principalmente en pantalones cortos, bañadores y camisetas. Conseguí sonreír al ver que hasta allí dentro guardaba libros y revistas, y que aquel era el lugar donde parecía esconder su peor desorden, porque las cosas estaban apelotonadas. O quizá era que, en realidad, aquel cuarto era insuficiente para todas sus cosas, y entonces me di cuenta de que, él había optado por dejarme a mí la habitación más grande de aquella casita, en lo que seguramente había sido un gesto de amor. Dentro de aquel armario encontré un álbum de fotos improvisado sobre una libreta normal y corriente de anillas en la que él había ido pegando con papel celofán las fotos en sus páginas. En todas las fotos aparecía yo: en la playa, con una cabeza llena de rizos dorados y la piel tostada por el sol; en la puerta del colegio, con una mochila amarilla y una sonrisa de entusiasmo; subida a un caballo, en lo que parecía un rancho que obviamente no reconocí; subida a una tabla de surf, esperando una ola, ajena al objetivo... No había muchas fotos y saltaban varios años en el tiempo de una a otra, pero las páginas del cuaderno estaban manoseadas, lo que me hizo pensar que él las revisionaba a menudo. Parecía que había tenido una buena infancia, pues se me veía feliz en todas las imágenes y, aunque sabía que una foto solo capta un instante, un segundo aislado en el tiempo que puede no representar el siguiente, yo sentí qué sí que había sido una niña feliz.

No había ni una foto de él conmigo ahí pegada, por lo que pensé que debía haber enmarcado las pocas que teníamos juntos y que eran las que estaban por las estanterías. Tampoco vi ni una sola foto de mi madre. ¿Habría muerto en el parto? Pensé en esa posibilidad, aunque la idea de encontrar a una madre viva era lo que en realidad me había llevado hasta allí.

Al ver lo tarde que se me había hecho, elegí la foto de su escritorio para llevármela al Jalalai y di una última pasada con el dedo sobre los lomos de sus libros para llevarme otro, pues estaba a punto de terminar el primero que había cogido. Entonces, mi dedo se detuvo sobre uno delgadito, uno que me habría pasado desapercibido entre los demás de no ser por el nombre que acompañaba al de mi padre:

—J. Shein y E. Miller —leí en voz alta—. E.

El corazón comenzó a latirme con fuerza. Lo saqué, leí su título, *El arrecife de Ningaloo*, y lo abrí buscando la biografía de los autores: «E. Miller. Bióloga marina y oceanógrafa especialista en la recuperación de corales. Colaboradora de investigación en la estación Smithsonian de Fort Pierce. Florida».

Podía estar equivocada y que esa E. Miller no fuera la E que había firmado la nota del libro, la que parecía romper con mi padre en algún momento de su vida y que debió de significar mucho para él, tanto como para que conservara la nota. Miré el reloj de mi muñeca y miré al ordenador, pero me resigné al tiempo y decidí dejar la búsqueda en la red para más tarde. En el Jalalai había un ordenador para uso de los clientes y decidí que aquella noche lo utilizaría.

Me llevé la foto, mis cámaras, el libro y una sudadera de mi padre, porque, aunque jamás llegaría a escuchar su voz, a conocer su carácter o a sentir un abrazo suyo, gracias a aquel trozo de tela podía saber cómo olía. Desde aquel momento, para mí, Johan fue un olor a colonia de bebé, a sal, a vida.

11

—Jude, quería darte las gracias por todo lo que estás haciendo por mí, por las noches en vela en el hospital, por la empresa, por seguir despertándome a media noche... Me doy cuenta de que me he convertido en una carga y quiero que sepas que no hace falta que me sigas despertando. En cuanto la pierna me responda mejor, me mudaré a mi casa y ten por seguro que me voy a esforzar por aprender rápido y trabajar cada vez más en el negocio. Hoy he recogido la cámara de mi casa y quiero probar a ver si sigo siendo capaz de hacer buenas fotos.

Notaba que Jude quería hablar, sin embargo, aquel día, me sentía nerviosa entre sus brazos mientras hacía círculos en el agua con la pierna a un lado y a otro, por lo que las frases me salían atropelladas, casi sin tomar aire para terminar una antes de comenzar con la siguiente. Él movía las cejas y abría la boca intentando hablar, pero mis ojos danzaban de sus brazos que velaban por mi equilibrio a su mirada marrón oscura, de su torso firme a mi ombligo tembloroso, de su boca entreabierta esperando su turno al cielo despejado que había sobre nosotros, de sus abdominales al mar en calma que me bañaba hasta la cintura.

—Es chocante que sea capaz de recordar cómo funciona cada botón de la cámara o las lentes que debo usar, cuando no recuerdo dónde la compré o quién me la regaló o cómo la conseguí; pero, bueno, nos viene genial porque, si no he perdido el toque, podré seguir haciendo buenas fotos de los clientes mientras nadan con las ballenas.

—No creo que puedas hacer fotos de los clientes con ballenas hasta la próxima temporada —dijo mirando mi vientre sutilmente abultado a través del agua cristalina.

—Mierda. A veces, se me olvida. De hecho, solo lo recuerdo cuando siento las náuseas.

—Pues es algo en lo que deberías pensar. Siento decírtelo, pero no pensar en ello no hace que desaparezca.

—No es eso. Es que tengo muchas otras cosas en qué pensar, tantas y tan importantes que Kumquat pasa a un segundo plano por no ser una cuestión inminente.

Cambié de movimiento y me agarré a él para recolocar la planta de mis pies firme en el fondo del mar. Empecé a hacer una serie de sentadillas en las que él me servía de punto de apoyo. No hizo ningún comentario a lo que le había dicho, así que proseguí, porque estar en silencio era realmente incómodo mientras hacíamos los ejercicios.

—Necesito conocer a mi padre, aunque sea a través de sus cosas y sus libros. Necesito saber qué fue de mi madre. ¿Imaginas que esté por ahí sin saber que me he quedado sola o que mi padre ha fallecido?

—Bueno, nunca ha formado parte de tu vida, no sé si saberlo le afectaría en algo.

Aquella contestación fue como una patada en el estómago, lo que me hizo arrepentirme de haberme abierto a él, en lugar de hacer los ejercicios en silencio durante una hora antes de despedirnos hasta el día siguiente.

—Johan jamás habló con nadie de ella, al menos que yo sepa, y puede que el motivo de su ausencia sea incluso que no esté viva —añadió.

—Ya lo he pensado, pero creo que, si hubiese muerto, no tenía por qué no conservar ni un solo recuerdo suyo. Si su mujer hubiese muerto, no tiene sentido ocultar su existencia a los que le rodeaban, hacer que no existía incluso para su hija... No. Yo creo que está viva, en algún lugar, y que algo hizo que se separasen. Quizá mi padre se portó mal con ella, quizá ella huyó.

—¡Qué estupidez! Tu padre era un tipo increíble, probablemente la mejor persona que haya conocido y conozca jamás. Así que, quizá ella simplemente os abandonó —inspiró antes de proseguir, como si necesitara calmarse—. Bay, si quieres buscarla, adelante, pero prepárate para aceptar lo que encuentres.

—No se puede perder lo que no tienes, ¿no?

Después de que yo dijera aquella frase, volvió a tensarse y me soltó, pero no perdí el equilibrio. ¿Qué había dicho? ¿Por qué volvía a frotarse la nuca con disgusto? Se giró, miró al horizonte y dobló el brazo con firmeza hacia mí para que me agarrara a él.

—Salgamos ya para que puedas andar un rato antes de que empiece a anochecer.

Salimos del agua en silencio, nos secamos sin cruzar palabra y, antes de dar el primer paso, me tendió un auricular con lo que di por anulada cualquier conversación entre ambos durante la siguiente media hora.

—Son los Beach Boys. Te gustarán —me dijo antes de darle al *play* en su teléfono.

Aquella noche Jude tampoco cenó con nosotras, ni siquiera subió a por la cena y Adele dijo que probablemente se las había apañado él solo con algo de la cafetería del Jalalai.

Había sido un día muy intenso y estaba agotada, pero no quise acostarme sin despejar al menos alguna duda de mi cabeza; por eso, me disculpé con Adele por no sentarme a hablar con ella en el sofá un rato y me fui a mi habitación para llamar a Scott por teléfono.

—¡Pues sí que has tardado en decidirte a llamarme! —dijo Scott al aceptar mi llamada.

—Bueno, yo esperaba que fueras tú el que llamase.

—Bay, me dijiste que querías espacio —se defendió, con un tono más suave lleno de impotencia.

Me mordí el labio y me acomodé sobre la almohada doblada a mi espalda.

—Tienes razón, pero, no sé, aun así, lo esperaba. ¿Qué tal te han ido estos dos días?

—Liado, debía ponerme al día con las clases perdidas, he ido a hablar con algunos profesores y a pedir unos cuantos apuntes. Mañana tengo una reunión con los Vans, quieren llevarme a la Rip Curl.

—Oh, genial —le contesté con bastante indiferencia.

Sabía que nuestra situación no podía ser de otra manera en aquel momento, que aunque yo estuviera pasando por algo terrible, él no podía aparcar su vida cuando ni siquiera yo estaba segura de querer tenerle a mi lado; aunque, en el fondo, igual sí que lo quería. Una parte de mí, la más perdida, quería que lo abandonara todo por mí, que se sacrificara, que regresara a Exmouth para ayudarme a recordar o a comenzar a ser la nueva Bay, que pasara los días junto a mí consiguiendo que mi corazón volviera a latir por él y así todo fuera más fácil, como debía de ser...

—¿Y tú? ¿Qué tal sigues?

—He empezado a trabajar en el Wildlife Dive, también he comenzado a hacer la rehabilitación con Jude y... ¿puedes decirme quién demonios es Gaby?

Dentro de aquellos segundos de silencio tras hacer la pregunta cabían muchas respuestas, pero, por algún motivo, Scott necesitaba tiempo para responderlas y yo ya estaba cansada de interrogantes.

—¿Gaby? —repitió él ganando unos segundos más.

—Sí. Morena, de ojos azules, tetona... ¿Conoces a muchas Gabys así por aquí? —le dije irritada.

—Es... Era una compañera del instituto. ¿Por qué? ¿Te la has encontrado?

—Sí, y ha sido bastante borde conmigo. Al comprobar que había perdido la memoria se ha reído de mí y me ha dicho algo así como que era cosa del destino, como si yo mereciese estar así. Y eso me ha hecho pensar que igual sí que podía merecer esto, que quizá es un castigo porque le hice algo malo que no recuerdo. O simplemente es una chica estúpida. ¿Le hice algo a esa Gaby?

—Existir. Siempre te tuvo envidia. No le hagas ni caso. Si te la vuelves a encontrar, no pierdas el tiempo hablando con ella.

—¿Y hay muchas más «Gabys» en Exmouth con las que tenga que esperar encuentros tan desagradables?

—No, Bay. Precisamente por eso Gaby te tenía envidia, porque tú brillabas en cualquier lugar sin intentarlo y ella lo intentaba con todas sus fuerzas sin éxito.

No me pasó desapercibido el tono de añoranza con el que había dicho eso, como si hablara de un muerto con el dolor de la pérdida.

—Pues ahora mismo no me da ninguna pena. Tenías que haber visto cómo nos ha mirado a Jude y a mí, con qué suficiencia, qué recochineo, y qué... qué...

—Relájate, Bay. Olvídate de ella. ¿Cómo te va con Jude?

—Bueno, ahora escuchamos música.

—¿Música?

La conversación se tornó relajada y más divertida. Charlamos poco más de media hora, pero fue suficiente para sentir que había alguien ahí fuera al que le importaba saber qué había sido de mi día, alguien que pensaba en mí. Aunque tampoco me pasó desapercibido que en ningún momento me preguntó cómo estaba Kumquat o cómo llevaba lo de los vómitos del embarazo. Tampoco mencionó si pensaba venir o no para la siguiente cita en el ginecólogo. Y, como tampoco era algo en lo que yo quisiera pensar mucho, colgué el teléfono como si aquello no tuviera importancia alguna.

A media noche me desperté sobresaltada, bañada en sudor y con el corazón tan acelerado que sentía que se me iba a salir por la boca. Encendí la luz y traté de sosegarme. Cogí el teléfono y comprobé que seguía siendo el mismo día, que no me había dormido durante un mes de nuevo, que recordaba todo lo que para mí era el nuevo todo, nada más, pero nada menos. Entonces, acudieron a mí las náuseas, volví a correr con mi pierna tambaleante hasta el baño para abrazarme durante un buen rato al retrete y, cuando conseguí regresar al cuarto, abrí las puertas del balcón y salí fuera a llorar. Necesitaba aire fresco, escuchar los sonidos de la noche que armonizaban con los ecos de las olas del mar, me llené de ellos y los usé para consolarme. Lloré sin saber bien por qué motivo lloraba, pues mi interior era una coctelera de razones por las que sí hacerlo, pero la principal era aquel miedo a no despertar un día más, a seguir haciéndolo sin recuerdos, a la bofetada de realidad que suponía aceptarlo.

—¡Bay!

Oí su voz, como en un susurro un par de metros debajo de mi balcón. Jude había salido de su apartamento, aunque era bastante improbable que me hubiera oído, por lo que no entendí bien qué hacía allí, en la oscuridad, pendiente de mi balcón. Pero no pude contestarle porque seguía sollozando sin control. Entonces vi cómo se encaramaba a la pared y en tres saltos lo tenía junto a mí, despejándome los rizos de la cara y buscando en mis ojos el motivo por el que estos estaban llenos de lágrimas.

—¿Qué te duele? —me preguntó angustiado.

—Nada, solo he vomitado. No me pasa nada... —Entonces arranqué en un llanto más agudo y desgarrador que me hizo abrazarme a él, porque necesitaba consuelo y porque él había trepado por el edificio para alcanzarme y eso era motivo más que suficiente para hacerlo. ¿En serio había trepado?

—Está bien. ¿Te has despertado y te has asustado? —Me habló con ternura, pegando su boca a mi oído, como nunca antes lo había escuchado.

—Sí.

—Necesitas ayuda, Bay. Quizá sería buena idea que fueras a un psicólogo. Todo esto es demasiado para ti sola.

—¡No estoy sola! ¿No? —De pronto me separé, porque necesitaba que me corroborara que él sí que estaba junto a mí, que mientras él lo estuviera yo no podía estar sola. Ni loca quería ir a charlar con otro desconocido, tan solo necesitaba tiempo. Y le necesitaba a él—. Solo necesito que sigas despertándome. Si me duermo sabiendo que me despertarás, que alguien estará pendiente de mí... Solo necesito un poco más de tiempo. No se lo digas a tu madre y no me envíes a un loquero, por favor.

Quizá se lo pedí con los ojos demasiado desorbitados y bañados en lágrimas, con la voz ahogada en la súplica y con excesiva desesperación, pero conseguí verme en el brillo de sus ojos oscuros, que, al no parpadear, me permitieron encontrarme en él.

—¿Quieres que me quede contigo? —Me agarró por los brazos con suavidad y volvió a retirarme los rizos de la cara, como si estuviera acostumbrado a hacerlo, como si ya lo hubiera hecho muchas veces antes. Sentí un escalofrío por todo el cuerpo y afirmé, aunque sabía que debía decirle que no, porque no estaba bien, porque era inapropiado, por mil millones de motivos como que estaba embarazada de otro chico y en aquel momento lo único que deseaba era que él se metiera en la cama conmigo, que me rodeara de nuevo con sus brazos y que el sueño me atrapara sintiéndome segura hasta el día siguiente.

Pero mi deseo no se cumplió. Jude entró conmigo en la habitación, me guio hasta el borde de la cama y seguidamente él abrió el armario, el que le había pertenecido durante años, para sacar una almohada del altillo. La tiró al suelo y se recostó en él.

—Te despertaré en un par de horas —me comunicó, poniendo espacio entre ambos, todo un abismo.

—Gracias —le contesté atónita.

Había accedido a regresar al cuarto porque quería que se acostara junto a mí, y un segundo después de sentir eso, deseé que se lanzara por el balcón, porque de pronto aquella situación era del todo incómoda. Desde luego, las ganas de llorar se me pasaron de sopetón y me encontré apabullada con la sábana hasta el cuello, con los ojos abiertos de par en par mirando el techo y escuchando cómo su respiración me transmitía que él tampoco dormía.

A la mañana siguiente, salió de la habitación justo cuando despuntaba el sol por el horizonte y lo hizo en silencio. Abrí un ojo al sentir sus pasos y con un sutil movimiento de mano se despidió, con el gesto frío, los labios endurecidos y con la sutilidad de un gato.

No hablamos de lo ocurrido en la oficina, de hecho, nos evitamos mutuamente la mirada. Yo me dediqué a dejar todo organizado para las excursiones y cuando todo el mundo salió por la puerta rumbo a los barcos, me senté en mi silla, expulsé todo el aire contenido y apoyé la frente en las palmas de mis manos durante un rato mientras negaba y asumía mi idiotez profunda. Me pregunté si todo aquello sería fruto de un ataque hormonal originado por Kumquat, si sería un efecto secundario al tremendo golpe que había sufrido en el accidente ocasionándome una tara cerebral paralela a la amnesia o si, simplemente, la nueva Bay, sufría un sucedáneo del síndrome de Estocolmo con Jude.

Una vez revisadas las nuevas reservas y organizado el plan del día siguiente, mientras esperaba a que sonara el teléfono, entrara un nuevo correo electrónico o alguien abriera la puerta de cristal, decidí abrir el buscador de Internet e investigar sobre E. Miller.

Al principio encontré muchos enlaces al libro escrito entre ella y mi padre, por lo que acoté la búsqueda y entonces surgieron una serie de enlaces a artículos científicos y a publicaciones en revistas como el *National Geographic*. En uno de ellos descubrí que E. venía de Elle; ese era su nombre, Elle Miller. Y podía ser una mujer cualquiera, una gran investigadora y defensora de la vida marina, o algo mucho más significativo: podía ser mi madre. Volví a hacer una nueva búsqueda con su nombre completo y salieron varias personas con el mismo nombre e imágenes de algunas de ellas, pero solo una con una mujer subida a un barco que se dedicaba a la prospección del fondo del mar, con el pelo salvajemente rizado y rubio como el mío. El corazón comenzó a latirme con fuerza, amplié la foto todo lo que pude hasta que se pixeló. Y retrocedí.

Aquella imagen me hizo sentir que Elle Miller era mi madre, quizá llegar a esa conclusión tan solo porque teníamos el mismo tipo de pelo era muy aventurado por mi parte, pero necesitaba creerlo. Entonces me metí en el enlace de aquella foto y me llevó a un artículo del *National Geographic* sobre la *Posidonia oceanica*. El artículo tenía solo un par de años de antigüedad y, aunque intenté buscar más información, no conseguí nada más en Internet.

Recostada en el sofá, mientras se imprimía todo lo recopilado, me tomé la ensalada de quínoa que Adele me había preparado aquel día. Al hacerme con los papeles, releí toda la información hasta casi aprendérmela de memoria y hasta que recordé el montón de recortes del *National Geographic* que había encontrado en el despacho de mi padre. Me incorporé y quise avanzar hacia su escritorio, pero la pierna me falló y caí de bruces al suelo.

—Mierda. ¡Odio esta pierna inútil del demonio! —Entonces recordé a Kumquat y me llevé la mano al vientre, como si pudiera haberle lastimado con el golpe y el corazón se me aceleró asustado.

Me quedé sin respiración durante un par de minutos, analizando mi cuerpo, por si sentía algo extraño dentro de mí, pero tan solo estaba el dolor en el costado sobre el que había aterrizado. Me incorporé sujetándome al escritorio más cercano y, una vez en pie, volví a analizarme.

—Lo siento —susurré.

Entonces negué con la cabeza, como si hablarle a eso fuera una estupidez. Agarré la muleta y fui a por lo que verdaderamente me importaba en aquel momento. Encontré la revista del *National Geographic* en el mismo lugar donde la había visto el primer día, la abrí por la página marcada y pude comprobar con nerviosismo y entusiasmo que era un artículo de Elle Miller.

Antes de que me diera cuenta, regresó el alboroto a la puerta del local, los excursionistas se bajaban del pequeño autobús y repetían la despedida habitual de Jude. Aquella tarde entró Terra antes que él y me miró con una sonrisa desconcertada al ver el jaleo de papeles que había originado sobre el escritorio.

—Lo recojo todo ahora mismo —me excusé.

—Eh, tranquila. Tú eres la jefa —rio.

—Y Jude… —repliqué con una mueca.

Ella rio de nuevo antes de contestarme:

—Dudo mucho que Jude te vaya regañar a ti por desordenada.

Quise preguntarle a qué se refería, pero él entró por la puerta con lo que hundí la cabeza en los papeles y comencé a amontonarlos mientras mi mente se debatía entre la vergüenza que de pronto me producía enfrentarme a sus ojos y las ganas que tenía de compartir con él mi descubrimiento.

Me contuve, él volvía a tener aquella cara de «mil cosas por hacer» y dejé que se dedicara a ellas.

—Mira Bay, hoy hemos pescado esta impresionante langosta. Casi ha saltado al barco —rio Stu, que agarraba aquel increíble ejemplar por la cola.

—Menudo botín —contesté admirada—. ¿Y cuántos tiburones habéis avistado hoy?

—Nosotros dos.

—El Diver 2 solo uno. —Roger reconoció su derrota de aquel día cediéndole el abrelatas al otro capitán de barco.

Apuraron sus cervezas para terminar su ritual diario y se despidieron hasta el día siguiente. Terra los siguió en cuanto terminamos de limpiar el equipo y nos aseguró que al día siguiente todo estaría controlado en nuestra ausencia mientras arreglábamos los papeles del banco. Yo había olvidado aquello, pero supuse que, si era capaz de superar otra tarde de rehabilitación junto a él, una mañana de papeleos y firmas sería mucho más fácil de gestionar.

Esa tarde Jude no me dijo que me fuera a casa y le esperara allí para ir juntos a la playa, en realidad, no me dijo nada. Estuvo colgado al teléfono o entre papeles hasta que por fin dio un carpetazo y me miró:

—¿Nos vamos?

Asentí, me levanté, me colgué el bolso cruzándolo sobre el pecho y agarré mi muleta. Él apagó las luces y me abrió la puerta. Le dediqué una sonrisa de agradecimiento por sostenérmela abierta, aunque él no sonrió de vuelta, por lo que me arrepentí de mi gesto. No sabía cómo acertar con él, tenía un sentido del humor impredecible y un carácter demasiado complicado.

Me monté en el *jeep* y él puso dirección a la playa, con las ventanillas bajadas porque la temperatura era muy agradable. Conducía con el brazo derecho apoyado por fuera de la ventanilla, con las gafas de sol ocultando sus pensamientos y con la radio apagada, como si en su cabeza tuviera demasiados pensamientos que ordenar como para poder prestar atención a cualquier emisora. Pero para mí era tan incómodo el silencio...

—Hoy hemos recibido seis reservas para diciembre. Alucino con que la gente pueda planear sus vacaciones con tanto tiempo; aunque, bien pensado, debe ser un aliciente tener algo en el horizonte hacia lo que ir. Supongo que debe ser como si te esperase un gran premio si consigues llegar. Sin embargo, ¿no te hace eso vivir pensando en el mañana en lugar de centrarte en disfrutar el momento, en el día que estás viviendo?

Jude giró la cabeza para mirarme y sentí que me analizaba con la mirada antes de contestar.

—No creo que ser previsor y organizado compita con saber vivir plenamente.

—Pero compite con ser espontáneo.

Jude soltó aire con una media sonrisa y negó con la cabeza.

—¿Qué?

—Nada.

—Si fuera «nada» no habrías hecho eso con la boca.

—Es que tú... bueno, tú eras siempre muy espontánea. Es lógico que ahora estos pensamientos te estén martilleando la cabeza.

—¿Que era espontánea? ¿Cómo de espontánea?

—De las que no pensaban mucho en las consecuencias.

—Entonces era una espontánea de las negativas —dije mirándome el ombligo, bajando el tono, meditando en aquello como si acabaran de pintar de gris oscuro una parte de mi pasado.

—Bueno, no siempre. No quería decir eso, no del todo al menos. Hay veces que está bien tener cerca a gente que se atreve a decir las cosas que siente sin filtros, la que lucha por esas cosas. Y tú también eras una guerrillera. ¡Conseguiste que Louis desterrase las pajitas de plástico de su heladería cuando le llenaste las mesas con fotos de tortugas con pajitas incrustadas en los orificios de la nariz! Fue algo agresivo y espontaneo, pero eficaz.

—Eso me gusta más: una guerrillera espontánea.

—Pero para otras cosas es absurdo ser espontáneo. Si alguien quisiera venir mañana y de buenas a primeras decidiera que le interesa hacer un *tour* se encontraría con un no gigante porque no fue lo suficientemente previsor como para hacer su reserva seis meses atrás.

—Pero eso es porque somos los mejores —le sonreí.

—Qué sabrás tú... —me dijo con condescendencia, pero por fin agradable, con una forma de mirarme que me hizo sentir cómoda a su lado.

—Que ahora tenemos a la mejor recepcionista —concluí convencida.

Jude se rio, miró al cielo un instante y encendió la radio, como si los problemas que le abrumaban se hubieran esfumado tras nuestra absurda conversación. Cuando llegamos a la playa, apagó el motor y bajó de un salto a la arena, se desprendió de la camiseta y rodeó el coche para ayudarme a bajar.

—The Mamas and The Papas —me dijo al ofrecerme el auricular.

12

Las semanas pasaron sin que me diera cuenta. Yo ya me había adaptado al horario semanal, que era de lunes a domingo porque había *tours* todos los días, aunque Johan lo había organizado de tal manera que cada uno pudiese librar un día. Jude había decidido que a mí me tocase descansar los viernes y, el resto de días, aprovechaba los ratos de soledad en la oficina para leerme absolutamente todo lo que mi padre había escrito y también todo lo que encontraba sobre Elle Miller, que eran sobre todo artículos en revistas científicas. Básicamente, dediqué los días a estudiar, asimilar y tatuar en mi mente todos aquellos conocimientos. Por parte de mi padre, sus libros eran principalmente estudios sobre la ballena jorobada, mientras que, por parte de ella, lo que encontré fueron publicaciones sobre los arrecifes de coral. No era extraño pensar que ambas cosas los hubieran unido porque la ruta migratoria de las ballenas jorobadas pasaba por el arrecife de Ningaloo.

Aunque yo no hubiese participado en ningún *tour* me sabía la descripción de cada uno como una retahíla al dedillo y era capaz de resolver cualquier duda de las que me planteaban los clientes al entrar por la puerta, al teléfono o en los correos electrónicos.

—Sí, por supuesto, hay una gran probabilidad de poder nadar con las ballenas jorobadas para esa fecha. De hecho, en nuestra web publicamos a diario los avistamientos que hacemos de cada cetáceo. De todas formas, si nuestro avión no es capaz de localizar algún ejemplar, se puede disfrutar igualmente del *tour* porque siempre queda la oportunidad de nadar con los peces tropicales en el área de Lighthouse Bay, hacer *snorkel* en Bundegi Bombies, sumergirse en el hogar de los delfines Monkey Mia... Hay muchas aventuras disponibles, incluso vivir la experiencia de sentirse como un verdadero náufrago en las islas desiertas de Muiron, que son un verdadero paraíso de arena nacarada y flanqueada de cocoteros.

Moría de ganas de experimentar en mi propia piel todo aquello que relataba con soltura, más aún tras empaparme a fondo de los estudios de Johan y Elle, y comenzaba a sentirme una experta capaz de liderar uno de los barcos, aunque era más que probable que Terra y Jude, con sus carreras de Biología marina, no opinasen lo mismo.

Un día, uno en el que por mucho que buscaba en la red no lograba encontrar nada nuevo, le conté por teléfono a Scott mis sospechas y suposiciones sobre Elle Miller. Él me escuchó, pero no participó de mi entusiasmo ante la idea de buscar a mi madre, pues no era capaz de encontrar el momento adecuado para hacerlo junto a mí, sin darse cuenta de que yo no le había pedido su compañía para llevarlo a cabo. Sabía de sobra que no podía dejar las competiciones.

—Creo que podré escaparme para las vacaciones de otoño. Tendré unos días entre la Quicksilver Pro de Gold Coast y la Rip Curl Pro de Bells Beach. Pero no puedo llegar y desaparecer para buscar a esa tal Elle a... ¿dónde has dicho que está?, ¿en una isla del Caribe?

—Curazao, de allí es el último artículo del *National Geographic.*

—Es una locura, Bay. ¿Quién sabe si ella aún sigue allí?

—Pero podría ser mi madre...

—Pues contacta antes con la revista o con la estación marina de Florida, quizá puedan darte información sobre ella.

No era una mala idea, de hecho, era más práctica y sensata que la mía, pero al parecer yo seguía siendo la misma Bay impulsiva y espontánea, y la paciencia no conjugaba bien con esas dos cualidades.

Aunque no habíamos llegado a un acuerdo tácito, cada martes Scott me llamaba y yo lo hacía los viernes, a sabiendas de que siempre estaba preparándose para ir a algún entrenamiento o sesión de estudio y nuestras conversaciones se acortaban. No es que no quisiera hablar con él, es que me parecían conversaciones frías, sin contenido, charlas que solo conseguían frustrarme aún más. Él afirmaba que le era imposible escaparse, estaba a unos niveles de competición muy altos que le exigían total dedicación y aun así estaba intentando sacarse una carrera universitaria. No había cabida en su vida para su ex, amnésica y preñada. ¿Qué sentido tenía hablar por teléfono con él entonces? Así no podría llegar a conocerlo, era imposible que surgieran sentimientos amorosos hacia él por mi parte, a duras penas estábamos logrando entablar una amistad. Y entonces, todo aquello hacía que odiara a Kumquat y que me odiara a mí misma, porque no era capaz de encontrar sentido a mi decisión de seguir adelante. Odiaba a todo el universo por ponerme en esa situación.

Temía que llegara la semana dieciséis, la primera revisión ginecológica tras salir del hospital de Perth, pero llegó y tenía que enfrentarme a ella yo sola. Le había comentado a Adele el tema de la cita durante una cena, por si se ofrecía a acompañarme, pero ella se escabulló como siempre lo hacía de las cosas que la incomodaban, no quería venir. Aunque debería haberme sorprendido que, después de tratarme con tanto cariño, no quisiera venir a algo tan especial, no lo hizo. Y es que había algo en ella, un rastro silencioso de gestos que había ido recolectando a lo largo de los días, que me hacía tener una idea más definida de su personalidad. Había algo raro en ella, algo que la frenaba; nunca quería salir a dar un paseo por la ciudad conmigo, quizá por el mismo motivo por el que apenas salía del hostal, y parecía rehuir del mundo más allá de las paredes del Jalalai, e incluso dentro, pues se limitaba a moverse por las cocinas. Pensé en lo difícil que le habrían resultado los días que estuvo junto a mí en el hospital, y solo por eso intentaba entenderla y no la forcé a acompañarme. Y, aunque me sentí muy sola e indefensa, de alguna forma, la comprendí.

Sin Scott y sin Adele, solo me quedaba Jude, y ni por todo el oro del mundo le habría pedido a él que me acompañara al ginecólogo. Sin embargo, ocurrió lo más inesperado, lo más impredecible: Jude anunció, sin opción a réplica, que vendría.

—Pero no puedes, tienes salida con un grupo de alemanes.

—Terra me va a cubrir, ya está hablado.

Apenas llevábamos media hora de rehabilitación cuando lo soltó como una bomba. Íbamos caminando con el agua hasta la cintura y me resultaba dificultoso avanzar sin sujetarme a él; sin embargo, en cuanto le escuché, me solté como si así ya le expresara mi desacuerdo.

—Puedo ir sola.

—Nadie debería ir sola a algo así.

—Yo sí.

—Si no quieres que te acompañe, dilo. —Se cruzó de brazos tenso.

—No es que no quiera —le mentí, porque parecía ofendido y él llevaba cuidando de mí durante semanas, lo que incluía también a lo que yo llevaba dentro—. Es solo que me parece raro.

—No me preocupa parecer raro. ¿A ti te preocupa parecer aún más rara?

Tuve que reírme con aquel comentario, perdí el equilibrio y terminé cayendo sobre él, derribándolo, porque no lo esperaba, y hundiéndonos ambos en el agua cristalina.

—¡Los auriculares! —exclamé preocupada.

—Son acuáticos, tranquila —dijo tras sacudirse las gotas de agua de su pelo agitando su cabeza, escondiendo una sonrisa.

Le miré, el corazón me golpeó en el pecho y, como una tonta, accedí a que me acompañara.

—¡Vamos a realizar la primera ecografía! —dijo con entusiasmo Violet Edmond, la ginecóloga de Exmouth.

No hizo preguntas porque me aclaró que ella ya sabía quién era yo, qué me había ocurrido y quién era Scott. Había recibido mi historial clínico del hospital de Perth y el resto de detalles jugosos por parte de algún vecino de la localidad. Y, aunque probablemente miraba a Jude sin terminar de saber cómo encajarlo en aquella ecuación, le trató con agrado.

Me destapó la tripa con delicadeza, la untó con gel para ultrasonido, posó con soltura aquel aparato con forma de lector de códigos de barras encima de mi barriga y lo movió hasta fijarlo a un palmo bajo mi ombligo.

Jude había adoptado un estado marmóreo con los brazos cruzados sobre el pecho para observar el monitor y yo hice como él: abrí bien los ojos a la espera de aquella primera imagen que transformaría una masa de células parecida a una larva en un pequeño extraterrestre.

—Ya has entrado en el segundo trimestre. ¡Enhorabuena! Lo peor ya ha pasado, seguro que has empezado a sentir menos náuseas, lo que es como sentirse en el cielo de repente, ¿verdad? —La doctora Edmond hablaba mientras movía el aparato sobre mí, pero no esperaba en realidad una respuesta—. ¡Y aquí tenemos al bombón!

Me quedé sin respiración. Kumquat era ¡enorme! Y tenía forma humana, con una bola de billar por cabeza, unas piernas muy largas, mucho más que sus dos brazos que terminaban en unos muñones.

—¡No tiene dedos! —exclamé horrorizada.

—Sí que los tiene, pero tiene cerrados los puños. No te preocupes, Bay. Tiene todos los órganos correspondientes con su tamaño normal, incluidos los del sexo. ¿Quieres saberlo?

De forma inconsciente miré a Jude interrogante, como si necesitara que alguien me dijera qué contestar. Él afirmó con la cabeza, casi pidiéndomelo con las cejas encogidas.

—¿Qué es?

—Una niña que pesa ochenta gramos y mide un poco más de once centímetros. Es como un aguacate —dijo risueña la ginecóloga, y yo no encontré las palabras adecuadas para definir lo que eso significaba para mí, porque realmente no lo sabía, ni era capaz de traducir mis sentimientos al respecto.

En aquel momento estaba feliz, una niña parecía algo bueno, aunque quise creer que habría sentido lo mismo de haber sido un niño; sin embargo, la sensación de responsabilidad de pronto inundó mi cuerpo y en lo único que podía pensar era en el hecho de que eso saldría de mí en unos meses y que no tenía la menor idea de cómo iba a poder cuidar de ella.

Salí de la consulta en silencio, en *shock*, porque todo era aún más real tras ver aquella imagen, tras escuchar de nuevo aquel galope fuerte y taladrador que seguía reverberando dentro de mis tímpanos. Jude también permanecía en silencio, aunque en realidad, si hubiera salido repentinamente parlanchín de la consulta, habría sido incapaz de prestarle atención. Me senté en el asiento del copiloto y finalmente exploté:

—Esto es una catástrofe tridimensional. No sé en qué estaba pensando cuando por un instante pensé que yo podría seguir adelante con todo esto. ¡Es enorme! Y lo va a ser más y más cada día, y luego saldrá, y será real del todo y yo... ¿Cómo me voy a hacer cargo de ese aguacate? —Mi tono de voz se había ido elevando en el aire palabra tras palabra. Miré a Jude esperando unas palabras mágicas que lo cambiara todo, pero él ni siquiera desvió la mirada de la carretera—. Scott ni sabía lo del embarazo antes del accidente, ¿qué clase de persona es alguien que le oculta algo así a su novio? ¿En qué estaba pensando? ¿Quería tenerlo o quería abortar? Porque probablemente si ni él lo sabía sería porque quería hacerlo desaparecer y entonces, ocurre el accidente, y le doy la vuelta a mi vida. Y ahora estoy aquí, sola, sin la menor idea de cómo voy a organizar mi vida... E incluso puede que, ahora que no hay marcha atrás para esto, deba mirar alguna agencia de adopción porque quizá yo sea una persona inestable. No tener pasado no te hace un buen referente de nada, ¡¿cómo voy a serlo si no tengo yo referente alguno en mi cabeza?!

—¡Cállate, Bay! —exclamó Jude pisando con suavidad el freno hasta hacer parar el coche a pocos metros de la entrada del Jalalai.

—¿Cómo me voy a callar? —le grité aún más, porque estaba enfadada y asustada, y me acababa de gritar.

—¡Porque no estás diciendo más que estupideces!

—¿Te parecen estúpidas mis preocupaciones?

—No, me parece estúpido que lleves semanas llamando Kumquat a tu hija y que ahora vayas a llamarla Aguacate. Me parece estúpido que te preguntes por lo que habrías hecho antes del accidente porque no puedes dar marcha atrás en el tiempo. Y me parece estúpido que digas que estás sola tan solo porque estás asustada, porque sola es lo único que no estás ahora, tienes una niña dentro de ti.

—¡Pero no sé si la quiero! —volví a gritar.

—Pues ella no ha pedido venir a este mundo, así que más te vale aclararte antes de septiembre.

—¿Y así es como piensas ayudarme?

—En ningún momento se me ha ocurrido la idea de ayudarte en esto, para eso ya tienes a Scott.

Jude volvió a arrancar, avanzó el espacio que nos separaba del hostal y echó el freno de mano mirando al frente. Deduje que no pensaba aparcar, sino que quería que yo me bajara para poder continuar él conduciendo a otro lugar. Pero como no habló, yo tampoco lo hice. Me bajé, cerré la puerta de un portazo y, al girarme, sentí cómo la arena se levantaba tras las ruedas aceleradas de su coche.

—¡Imbécil, idiota, amargado, estúpido! —le espeté entre dientes mientras lo veía alejarse.

Entré en el Jalalai sin tambalearme a pesar de llevar la muleta sostenida en el aire. La rabia que sentía dentro parecía haberme dotado de una fuerza interior capaz de despertar todas las terminaciones nerviosas de mi pierna afectada y, cuando pasé al lado de Beef, se la entregué informándole que ya no la iba a necesitar más. Fui directa a la cafetería del hostal y me senté en un taburete de la barra. Allí esperé a que Adele saliera y, cuando lo hizo, cambió su sonrisa por un gesto de preocupación al verme con la cabeza hundida entre los hombros.

—¿Te encuentras bien, Bay?

—No quiero hablar —le contesté sin levantar la cabeza.

Sabía que no me estaba comportando bien porque regresar de aquella manera del ginecólogo no inducía a pensar nada bueno, pero estaba molesta con ella también. En aquel momento sentía que, si ella hubiera querido acompañarme, Jude no lo habría hecho. No me sentía en la obligación de tener que informarle de nada a Adele, puesto que ella había sido la primera en desvincularse, y, aunque sin mirarle a la cara sabía que en aquel momento sí que esperaba enterarse de lo sucedido en la consulta, callé.

Oí cómo abría la tapadera de cristal que cubría una de las tartas, el chirrido metálico del cuchillo al cortar una porción, el suave golpe de un plato sobre la barra y el deslizamiento de este hacia mí.

—¿Quieres?

Pude oler la mezcla de limón y galletas, el merengue y el jengibre. Aquel aroma fue suficiente para despertar mi estómago, antes de levantar la cabeza y mirar hacia la porción de tarta. Me lancé sobre el dulce con desesperación y rompí a llorar mientras lo reducía centímetro a centímetro con el tenedor.

Adele me sirvió un vaso de leche fría, en silencio, respetuosa frente a mi dolor y fue entonces cuando lamenté mi actitud hacia ella. Pero sentía tanta rabia, indefensión, soledad y miedo... ¿Quién era yo para obligarla a cuidar de mí? ¿Quién era yo para exigir que Jude pronunciara solo las palabras de consuelo y esperanza que yo quería oír? ¿Quién era yo para creerme suficientemente fuerte para afrontar aquella situación?

Entonces saqué de mi bolso la foto de la ecografía, la puse sobre la barra y la arrastré hacia ella.

—Es una niña. Un aguacate con forma de niña. Y está bien —le informé.

Adele cogió el trozo de papel, lo miró y sonrió, pero no lo hizo con los labios sino con los ojos, como si no quisiera transmitirme su alegría, pero no pudiera evitar sentirse feliz al verlo. Fue una sonrisa para ella misma, no para mí. Sin embargo, cuando me la devolvió, me miró a los ojos con intensidad y me dijo unas palabras que me llenaron de oxígeno los pulmones.

—No existe el momento perfecto, ni la ocasión idónea, ni hay una única elección correcta. En la vida solo hay circunstancias y, frente a ellas, solo tenemos que reaccionar. Todo será tan grave como la forma en que lo afrontes, cielo.

Aquel trozo de tarta fue suficiente cena para mí, por lo que, tras ducharme y ponerme el pijama, me resguardé en mi habitación y comencé a planear el futuro sin esperar hasta haber recuperado el pasado.

Aún estaba sentada en el escritorio cuando oí la puerta principal abrirse y la voz de Jude dirigiéndose a su madre. No pude evitar que mi corazón se alterase. No quería verle y me perturbó tener que escuchar su voz al otro lado de la puerta. Entonces, unos nudillos golpearon la madera y yo maldije en voz baja.

—Bay, soy Jude. ¿Puedo pasar?

—¿Qué si puedes pasar? Puedes irte a Groenlandia y no regresar, eso es lo que puedes hacer... —mascullé.

—Te he oído... y con gusto me marcharía a ver morsas, pero tengo que enseñarte algo del trabajo. ¿Puedo entrar?

Me levanté y abrí la puerta con cara de fastidio.

—¿Y bien?

—Tienes que venir conmigo.

—¿Ahora? ¿A dónde? Estoy cansada, Jude.

—Ponte un bañador, te espero abajo.

Jude se giró dejándome con una protesta en los labios, busqué a Adele con la mirada por el salón, pero no la encontré y, tras resoplar, apreté los dientes y abrí el cajón donde guardaba los bañadores.

Mi compañero de trabajo me esperaba con el *jeep* arrancado y me miró de refilón cuando salí del *hall* del hostal; apenas se me notaba ya la cojera, pero no hizo ningún comentario. Le noté nervioso, algo incómodo, aunque su frente estaba suavizada y repitió su baile de ojos hacia mí un par de veces hasta que por fin me senté a su lado.

—¿Y bien? ¿Qué urgencia tiene el Wildlife Dive a estas horas que requiere que lleve puesto un bañador?

—Ya lo verás.

—¿En serio te vas a poner misterioso?

Jude elevó una ceja, encendió el reproductor musical y por los altavoces del *jeep* comenzó a sonar música.

—No me fastidies, Jude. ¿Te parece normal sacarme de casa, sin explicaciones y poner ahora música para evitar hablar después de haber discutido esta tarde?

—No pongo música para evitar hablar, es que no tengo la necesidad de hacerlo ahora mismo. Me paso la mitad del día buceando, para mí eso es lo mejor de este mundo: el silencio ahí abajo es... ¡el edén! Aquí arriba todo es ruidoso. Y, cuando estoy fuera del agua, simplemente prefiero la música al ruido. Aunque está claro que tú no puedes callar ni debajo del agua. —Me miró de reojo y se aclaró la voz—. Y no hemos discutido.

—A mí me parece que sí.

—Si hubiéramos discutido, no me habría ido sin solucionar el tema. Jamás dejo nada sin solucionar. Pero reconozco que he sido un poco duro y que no tenía por qué haberte hablado así.

Miré al frente, vi la dirección que tomaba en la que nos alejábamos del centro de la ciudad, de nuestra oficina, e inspiré.

—Supongo que yo no debía haberme desahogado contigo —le concedí.

—Supongo que eso es lo que yo quería decirte.

Apreté la mandíbula, porque no me gustó escuchar aquello; ese rechazo directo, dolía.

—Pues solo hablaremos de trabajo, será lo mejor —le dije.

—Es lo adecuado.

Volví a callar durante unos minutos y escuché la letra de la canción.

—Pero… ¿por qué no podemos ser también amigos, Jude? Ya sé que me dijiste que tú y yo nunca fuimos amigos antes del accidente. Supongo que nuestras vidas estaban en planos diferentes, pero se nota que tú le tenías mucho aprecio a mi padre, y ahora trabajamos juntos y estoy durmiendo en tu cuarto, ¡en casa de tu madre! ¿No podemos ser amigos además de compañeros de trabajo? Prometo no hablarte más del aguaca… quiero decir… —inspiré y me armé de valor antes de continuar—, de la niña, ni de mis problemas sentimentales o emocionales; pero necesito un amigo. Scott está a más de setecientas millas de aquí; si tengo amigas, no las recuerdo, y las únicas personas a las que veo fuera del trabajo sois tu madre y tú.

Jude afirmaba en silencio mientras me escuchaba, como si estuviera sopesando cada palabra, y también él se hizo acopio de aire antes de contestar.

—Prometo intentarlo.

—¿Prometes intentarlo? Menuda mierda de respuesta, Jude. ¿Tan desagradable te resulto como para que tengas que intentarlo?

—Lo entiendes mal, Bay. Tú no tienes ningún problema. No eres ni desagradable, ni tonta, ni insoportable, ni nada de eso… Soy yo. No sé si seré capaz de ser tu amigo porque no es que tenga muchos amigos, y aún menos, amigas.

«¿Porque te lías con todas?», pensé y sonreí, lo que él obviamente no entendió.

—¿Te ríes ahora tú de mí?

—No, lo siento. Ha sido algo que se me ha cruzado en la mente, perdona.

—Pues menudo consuelo es que pienses en otras cosas mientras me sincero contigo. —Elevó una ceja y le dio un pequeño golpe al volante.

—No... es que, me resulta difícil de creer que no tengas amigos. He visto cómo te metes en el bolsillo a los clientes a la vuelta de cada *tour*, he visto cómo bromeáis Stu y tú, y también he visto cómo os miráis Terra y tú.

—¿Cómo nos miramos Terra y yo? —me preguntó arrugando la frente y desviando la mirada de la carretera durante un segundo hacia mí.

—Sí, como si fuerais algo más que amigos. —Me mordí el labio inferior porque sentí que en realidad no debía haber dicho nada, porque me estaba metiendo en su vida privada.

—Pues menudo radar tienes tú. Terra es la novia de Lori. —Sonrió divertido.

—¿De Lori? ¿Nuestra piloto del avión de avistamientos?

Jude afirmó y se rio, y por fin, apareció en su cara esa expresión de serenidad, de relajación que le hacía parecer más real, más cercano, más íntimo.

—Conocí a Terra en la universidad, fuimos compañeros de prácticas en tercero y nos hicimos amigos. Creo que es la única amiga chica que he tenido jamás.

—¿Porque sabías que no tenías posibilidad de ligue con ella desde el principio?

Jude soltó aquella vez una carcajada y yo me acomodé en el asiento, sin importarme cuál era nuestro destino ni el motivo de aquella salida nocturna.

—¡No! Terra no llevaba un letrero gay en la frente, aunque tampoco me fijé en ella de esa manera cuando la conocí. Simplemente nos caímos bien. Y con el trascurso del tiempo, llegó la confianza y el apoyo incondicional en nuestra relación.

—No sé si te comprendo —le confesé.

—Ser amigo de alguien es una responsabilidad, Bay. Lo que me pides es un compromiso. Yo no llamo amigo a cualquiera que pasa por mi vida, aunque se quede en ella durante un tiempo porque compartimos circunstancialmente algo. Para mí, un amigo es alguien con el que haces un lazo cuyo nudo es irrompible, pase lo que pase, ya sea el tiempo o la distancia. Es alguien en quien puedes confiar porque te conoce por completo, sobre todo tus defectos, tus errores y tus sombras, y, a pesar de todo, está ahí de forma incondicional.

—¿Eso que estás describiendo no es la familia?

—No, la familia es la sangre, viene impuesta. Los amigos son aún más especiales, porque los eliges tú.

—Y... entonces, ¿no crees que puedas ser amigo mío porque aún no sabes si podrás soportar todos mi defectos, errores y sombras?

—No sé si tú podrás soportar los míos.

Aquella confesión me golpeó el pecho, porque Jude dejó caer su escudo para mostrarse por completo, su vulnerabilidad, su debilidad. Abrió un poco la puerta a su interior para que pudiera mirar dentro y, tras aquello, mis ganas de hacerlo se precipitaron.

—Ya hemos llegado —anunció.

Me había quedado mirándole tan perpleja que no me había dado cuenta de que habíamos llegado a un embarcadero donde había un par de barcos de motor atracados y varias personas agrupadas dentro y fuera. Algunos estaban terminando de enfundarse trajes de buceo, otros revisando equipos de grabación y otros conversando alegremente.

—¿Me has traído para ayudar en un *tour* nocturno? No recuerdo haberlo visto en el tablero...—pregunté confusa.

—No, te he traído para que veas algo extraordinario. Esto no es un *tour*, ni esa gente son turistas. En realidad, son reputados oceanógrafos de todo el mundo, algunos del Programa de Ciencias Marinas o del Departamento de Medio Ambiente y Conservación. —Jude se bajó del *jeep* y lo rodeó con rapidez para ayudarme a bajar. Y, aunque ya no necesitaba su brazo como punto de apoyo, no se lo rechacé—. Una semana después de la luna llena en abril, durante tres noches, tiene lugar el desove de los corales.

—¿Y voy a poder verlo? —Abrí los ojos entusiasmada.

—Esa es la idea.

—Pero ¿y los demás? ¿Por qué yo?

No entendía que me hubiese llevado precisamente a mí. Terra no estaba por allí, ni nuestros patrones de barco, ni Lori... ¿Por qué había decidido llevarme cuando hasta entonces parecía que no me quisiera tener cerca?

Jude se encogió de hombros como respuesta y me apremió a bajar de una vez del coche. El tiempo que había permanecido agarrada a su brazo sin moverme de aquel asiento se había alargado demasiado, nos había conectado demasiado. Me había hablado mientras las yemas de mis dedos se agarraban a él con fuerza y él abría la palma de su mano para acoger con firmeza mi codo. Pero cuando por fin me moví y me soltó, no lo hizo de forma fugaz como hasta entonces habían sido nuestros contactos; en aquella ocasión, con mis pies ya en la arena, tras negarme una respuesta clara con aquel movimiento suyo de hombros, me había sonreído con la mirada y había deslizado sus dedos por mi brazo un par de centímetros antes de dejarme libre e invitarme a seguirle.

Sentí un escalofrío en todo el cuerpo y miré su espalda mientras avanzaba hacia el embarcadero saludando a los biólogos con familiaridad, lo que sumaba nuevas facetas al Jude que hasta entonces había perfilado en mi mente. Ahora era alguien cercano, vulnerable y relacionado con gente intelectual, lo que me hizo mirarle con cierta admiración. Ya no era un simple animador de *tour*, de repente era un biólogo entre colegas de altura. Y por algún motivo me quería junto a él en aquella ocasión.

—Bay, ella es Waeda Beko, la directora de la Marinna Mission, un equipo que trata de criar bebés coral para reconstruir los arrecifes en zonas devastadas. —Jude me presentó a la primera mujer que alcanzamos.

—Hola, Bay, no tuve la suerte de llegar a conocer a tu padre, pero lamento mucho lo que le ocurrió y me alegra tenerte con nosotros esta noche.

Waeda Beko rondaba los cincuenta años, tenía el pelo corto y quemado por el sol, la nariz moteada, arrugas en la comisura de los ojos y una figura que lucía espectacular enfundada en un traje de buceo. Le agradecí el comentario y, como no sabía hasta dónde conocía mi situación personal, simplemente contesté admirada por el dispositivo desplegado.

—Últimamente he estado leyendo mucho sobre los arrecifes de coral y no me esperaba para nada poder asistir a algo así hoy, ni junto a gente tan reputada —le confesé entusiasmada.

—Bueno, creo que estás aquí por tus grandes habilidades fotográficas. Todos formamos hoy un equipo.

La prestigiosa bióloga me apretó el brazo y se unió a sus colegas que estaban embarcando. Yo me giré confusa hacia Jude, entonces reparé en la mochila que cargaba a sus hombros y la cámara que sostenía por la cinta una de sus manos.

—¿Voy a hacer fotos del desove? ¿Esto es algo que ya estaba pactado antes del accidente?

—Así es.

—¿Y por qué no me lo has dicho desde el principio? ¡No sé si soy capaz de hacer el tipo de fotos que hacía antes!

—Precisamente por eso no te lo he dicho. No quería que te echaras atrás solo por el miedo a no ser capaz de hacerlo.

—¿Pero y si no lo soy? Que recuerde cómo funciona una cámara no quiere decir que sea capaz de capturar una imagen con la misma facilidad o pericia que antes, porque yo no soy la misma, creo... o quizá sí, pero no estoy segura de nada. —Mis ojos hablaban con más terror que mi boca, porque no quería que nadie más oyera lo que le estaba diciendo.

—Bay, no eres la única con cámara. Si no obtienes ninguna imagen buena, no pierdes nada. Y si consigues, aunque sea una buena, quizá la utilicen en sus publicaciones o quizá te pague por ella alguna revista.

Alcé las cejas e inflé el pecho de aire. El corazón se me desbordaba últimamente cada vez que estaba con Jude; bien porque me enfadaba, me alteraba, me desconcertaba o me presionaba como lo estaba haciendo en aquel momento.

—Te va a gustar, confía en mí. Confiar es de amigos... —Y chasqueó su lengua con descaro.

—Eso es juego sucio.

—Si funciona... —Jude volvió a adoptar esa expresión de suficiencia, y terminé por arrebatarle la cámara de las manos.

Embarcamos en el segundo barco y el capitán puso rumbo al arrecife de Ningaloo. Era la primera vez que iba allí, la primera vez que subía a un barco, la primera vez que investigaba una cámara acuática, la primera vez que me enfundaba en un traje de neopreno. Al menos, que yo recordara.

—Tus fotografías serán casi superficiales y prácticamente tendrás que esperar a que ocurra la fecundación porque, al estar embarazada, no puedes bucear con botella. Así que tendrás que usar estas gafas con tubo y mantenerte en la superficie. Llamé a la doctora Violet y me dijo que sí podías hacer esto, pero tienes que evitar hacer apneas prolongadas. ¿Entendido? —me dijo Jude tras una sacudida para subirme bien la cremallera del traje.

Él también se había puesto su neopreno y no pude más que contener la respiración al reparar en su cuerpo masculino que rozaba la perfección. Quise traer a mi mente la silueta de Scott y recordarme lo impresionante que era, su espalda ancha, su melena rubia, su sonrisa desenfadada... pero no podía dejar de pensar en Jude mientras toqueteaba mi cuerpo para ayudarme a vestirme.

—¿Qué es lo que voy a ver exactamente? —le pregunté.

—Habrá un momento en que los corales desoven prácticamente sincronizados. Se verán diminutas bolitas ascender, como si nevara desde el fondo del mar hacia la superficie. Los paquetes de huevos ascenderán para romperse arriba, donde con suerte se encontrarán con el esperma de otros corales.

—Estoy nerviosa —le confesé.

—Estoy seguro de que lo vas a disfrutar.

—¿Y toda esta gente ha venido solo para verlo? —le pregunté.

—Los biólogos van a capturar paquetes celulares que fertilizarán luego *in vitro* para conseguir larvas con las que hacer resiembra de corales.

—El setenta por ciento de los corales del mundo están en peligro —añadió explicativamente un chico asiático que teníamos al lado.

—Así que vosotros sois los héroes de los arrecifes —adulé al desconocido que sonreía simpático.

—Puedes llamarme «el Salvador» —me dijo bromeando el muchacho al ofrecerme su mano.

—Yo soy Bay —dije aceptándosela—. Es un placer o, mejor dicho, un honor.

—«SuperBay» —me corrigió divertido.

—¿Cómo está tu mujer, Joe? —Jude nos interrumpió.

—Sufriendo el calentamiento global, como todos.

Mi compañero se puso a su lado y le echó el brazo por encima de los hombros.

—Joe, «el Salvador» —dijo con retintín—, estudia los sumideros de carbono, y resulta que los corales absorben las emisiones de CO2 para usarlo en la construcción de sus esqueletos. ¡Así es como los corales luchan contra el calentamiento de la tierra y le dan trabajo a este idiota!

—Lo sé. Y también son barreras naturales contra huracanes y tormentas, evitan la erosión de las costas y contienen moléculas que se están usando en el desarrollo de antibióticos y medicamentos contra el cáncer, por no mencionar la belleza indiscutible que aportan a nuestro mundo —añadí recitando casi de memoria uno de los trabajos de Elle. Quería desesperadamente transmitirles que podía merecer estar allí, aunque fuera un poco.

—Digna hija de su padre —dijo Joe y por un instante creí que diría «digna hija de su madre», pero aquello seguía siendo un secreto, una sospecha, un deseo, una esperanza.

Navegar fue una sensación poderosa, los motores del barco alcanzaron los veinte nudos, pero la superficie del mar estaba tan calmada que la sensación era como la de patinar sobre el agua. El viento cargado de gotas saladas impactaba en mi rostro despejando cualquier atisbo de cansancio y la emoción que se anudaba en la boca de mi estómago me mantenía alerta y receptiva a todas aquellas nuevas y fascinantes sensaciones.

Cuando llevábamos un rato en el barco, recogí mi pelo en un moño porque la humedad y la velocidad lo estaban convirtiendo en una mata enredada, a cada segundo más y más cardada.

—¿Te encuentras bien? ¿Mareada? —me preguntó Jude acercándose a mi oído para evitar que el sonido de sus palabras se lo llevase el viento.

—¡Para nada! Estoy tan emocionada que lo único que me da miedo es hacerme pis encima.

Jude soltó otra carcajada, la segunda que le oía esa noche, y maldije que de pronto me gustara tanto escucharle reír.

Cuando alcanzamos el punto exacto donde debíamos parar motores, los biólogos comenzaron a echarse al agua con sus bombonas de oxígeno mientras grandes focos iluminaban el fondo marino a nuestro alrededor. Otros se mantuvieron en cubierta tomando notas y finalmente, con ayuda de Jude, yo también me sumergí en aquellas aguas que iban a ser el escenario de algo maravilloso.

Había estado trasteando la cámara durante el camino y no había grandes diferencias con la que ya había probado en tierra. De todos modos, en cuanto me metí en el agua, hice algunas cuantas fotos de prueba. Era imposible calcular el momento exacto en el que sucedería el desove, pero me dijeron que solía ocurrir en las tres horas que seguían al ocaso, por lo que, al poco tiempo de estar dentro del agua, volví a subir al barco a la espera de que Jude me informara del momento inminente en el que comenzaría el espectáculo.

Cuando las luces en el fondo comenzaron a agitarse, supe que era el momento y bajé por las escalerillas de la plataforma todo lo rápido que pude. Lo que vi al sumergirme fue algo como de otro mundo. Coloqué la cámara frente a mí y mis ojos se convirtieron en el objetivo que enfocaba un cosmos oscuro lleno de estrellas brillantes que se movían al ritmo de la marea, en grupo. Las diminutas bolitas que ascendían armoniosas lucían como si estuvieran compuestas por fluoresceína y, cuando al fondo vi a un integrante del Marinna Mission intentando capturar algunas, hice la primera foto. A esa la siguió una ráfaga tras otra, en las que me frenaba la obligación de tener que respirar. Mis pies enfundados en aletas se balanceaban con fuerza para guiarme hacia el ángulo perfecto, me sentía rodeada de aquella nieve viva que se posaba sobre mí, sobre la cámara, que flotaba y esquivaba a los pequeños peces que se querían alimentar de ellas. Las luces bajo mis pies iluminaban un fondo marino que hacía que mi mente explotara con tanta belleza. Las largas trompas de los corales se abrían liberando los huevos por doquier y, aunque deseaba aguantar la respiración y descender hasta donde estaban los demás, recordé la advertencia de Jude.

No sé cuánto tiempo estuve ahí abajo, pero sí sé que fue Jude quien me obligó a salir del agua. Sentí que alguien me agarraba por la cintura y tiraba de mí hacia la superficie.

—Joder, Bay. Te dije que no hicieras apneas largas.

Jude se había quitado la botella de oxígeno en algún momento y había saltado del barco de nuevo para sacarme del agua. Estaba enfadado, pero me hablaba en susurros, como si no quisiera ponernos en evidencia delante de los demás. Yo me subí las gafas de bucear a la cabeza y escupí el tubo. Sus manos aún me sostenían y su mirada era fría como el acero. Entonces sentí algo dentro de mí, algo físico; un aleteo en mis entrañas que hizo que mis ojos se abrieran mucho y aguantara la respiración.

—¿Estás bien? —me preguntó él alertado.

—Sí... es que...

—¿Qué te ocurre? —Una de sus manos me rodeó y sostuvo mi cuerpo en el agua con más decisión.

—Estoy bien. Y Aguacate también lo está.

—¿Y cómo vas a saber que está bien? Tienes que ser más obediente... ¡Joder! —Jude estaba visiblemente enfadado, se soltó y dio un giro rápido con intención de subir al barco, pero le agarré por el brazo para frenarlo.

—¡Espera!

Me encontré de nuevo con sus ojos, con su ceño fruncido y sus labios apretados hacia fuera. Busqué su mano en el agua y la llevé hasta mi vientre, aquello produjo una descarga en mi interior que provocó un nuevo aleteo.

Él abrió mucho los ojos, tanto como yo lo había hecho antes, y comenzó a respirar agitado mientras ambos intentábamos permanecer a flote.

—Está bien —le repetí sonriendo.

Pero él continuó con la mano sobre mi tripa, respirando como si ahí en la superficie tuviera menos oxígeno que dentro del agua y entonces reaccionó:

—Deja de llamarla Aguacate de una vez.

No me miraba a mí, sino a su mano a través de la oscuridad del agua. Luego, con suavidad pero aún enfadado, regresó al barco y yo le seguí, sonriente. De todos modos, no entendía el motivo por el que se había enfadado; no tenía por qué comportarse como si fuera mi padre, y yo tampoco había estado tanto tiempo aguantando la respiración bajo el agua. La experiencia me decía que pronto se le pasaría el enfado y por ese motivo no dejé que su reacción estropeara todo lo que había ocurrido. Arrastraba por el agua una cámara repleta de instantáneas llenas de magia, mis ojos se habían inundado con ellas, mi corazón había experimentado una sensación única y mi cuerpo acababa de responder, quizá para recordarme que ahí dentro también se originaba una nueva vida. Mía. Compartir aquel momento con Jude había sido un impulso, casi una necesidad, y quizá era pedirle demasiado a alguien que no quería verse involucrado en mis problemas. Sin embargo, no me arrepentía. Quizá era egoísta, pero, de alguna forma, había resultado especial sentir su mano y aquella corriente de vida reaccionando a nuestro contacto. Pensé en Scott mientras braceaba hacia la plataforma de la embarcación, y tampoco sentí culpa alguna.

13

Jude volvió a distanciarse. Durante el camino de regreso al Jalalai de madrugada yo hablé sin tregua, mientras que él a duras penas me contestaba con monosílabos, pero yo seguía emocionada por lo experimentado, y revivirlo una y otra vez en voz alta me parecía que era algo imperioso. De alguna manera, haciéndolo, quería dejarle claro lo feliz que me sentía, lo agradecida que estaba de que me hubiese llevado, que no hubiera anulado aquella cita tras el accidente, que hubiera tenido la fe suficiente de creer que yo podría llegar a aquel día, a aquel momento, que tendría oportunidad de vivirlo. Pero él no estaba receptivo y, cuando por fin nos despedimos en la puerta del hostal, simplemente nos dijimos adiós. Un adiós frío, vacío y rápido.

Al llegar a la habitación, fue cuando el cansancio se apoderó de mí. Me quité la ropa aún húmeda, me volví a colocar la camiseta arrugada que había dejado antes de marcharme a los pies de la cama y, sin molestarme en ponerla del derecho, me metí con ella entre las sábanas. La pantalla del teléfono se iluminó tras mi primer pestañeo y lo agarré con rapidez pensando que pudiera ser Jude. Pero era el nombre de Scott el que aparecía en una llamada entrante. No se lo cogí, no tenía fuerzas, y, cuando mi novio desistió, en el teléfono aparecieron las seis llamadas perdidas de aquella noche y recordé que no le había llamado al salir del ginecólogo. Sin embargo, le di la vuelta a la pantalla. Él no había querido hablar del tema en todo el mes y creí que una noche más no marcaría ninguna diferencia.

Por la mañana intenté llamar a Scott, pero su teléfono estaba apagado. Quizá se había enfadado conmigo, quizá se había quedado sin batería, quizá... El caso es que yo le envié un audio disculpándome, en el que le contaba todo lo que había experimentado por la noche junto a los oceanógrafos, hice énfasis en lo emocionante que había sido para mí, con la intención de que así suavizara su enfado conmigo, y retomé mi rutina diaria abriendo la oficina del Wildlife Dive. Aquella mañana, Jude continuó parco en palabras, pero accedió a revisar conmigo las fotos que había hecho la noche anterior y convino en que había un par muy buenas. Yo volví a contar mi experiencia sin cansarme de hacerlo a Terra, Lori, Roger y Stu. Y, como había quedado claro que podía montar en barco sin marearme e incluso bucear de forma superficial, insistí en hacer una salida aquella semana para poder vivir la experiencia que no paraba de vender a los turistas. Los convencí de que, si lo experimentaba, sería aún más convincente y hasta les sugerí poder hacerlo un viernes, en mi día libre, para que así no se viese perjudicado mi trabajo. Quería hacerlo en el barco con Terra, pero Jude dijo que eso era innegociable, que lo haría con él o no lo haría, y aquello me sacó de quicio, porque era imposible entenderle. Tan pronto era la persona más agradable y detallista del universo, pendiente de mis necesidades, protector como un oso y dispuesto a entregarme sus horas de descanso y de sueño, como se transformaba en un controlador autoritario con malos humos e incluso, en ocasiones, un borde.

—Anoche me demostraste que hay que estar pendiente de ti —me acusó.

—¿Perdona?

—¡Te dije que no debías hacer apneas largas, ni descender demasiado y, en cuanto me daba la vuelta, parecía que ibas directa al coral!

—Bueno, pero te aseguro que esta vez no me voy a ir directa a tocar las aletas de los tiburones ballena. Está prohibido hacerlo —me reí quitándole importancia.

—No tiene gracia, Bay. Eres una irresponsable.

—Nadie te ha nombrado mi nuevo padre, ni mi cuidador, ni ahora que lo pienso... mi jefe; de hecho, soy tan jefa como tú de esta empresa y no tengo por qué pedirte permiso para salir y hacer un *tour* con quien me dé la gana y cuando me dé la gana.

—Genial, Bay. Pues, a partir de hoy, haz exactamente eso, lo que te dé la real gana.

Jude salió de la oficina dando un portazo y yo me sentí mal, porque se me había ido de las manos la situación. Yo solo quería experimentar, ¡vivir! Quería unir lazos con Terra, porque me parecía muy simpática; porque, si era de las pocas personas que había logrado convertirse en amiga de Jude, debía ser muy especial. Quería dejar libre a Jude al que ya había robado más tiempo del necesario, puesto que ya ni siquiera veía justificado seguir con las tardes de rehabilitación junto a él porque ya podía caminar bien. Necesitaba distanciarme un poco de él porque había sentido cosas que no estaban bien y algo en mi interior me decía que debía hacer todo lo posible por reconducir esas sensaciones hacia Scott. Pero todo eso se había transformado en una falsa reivindicación de mi independencia y autosuficiencia, en un grito de asfixia frente a su control sobre mí, en una pelea delante de nuestros compañeros que agacharon la cabeza y simularon seguir con lo que tenían entre manos, aunque en el caso de Roger fueran las migajas de un donut.

Cuando todos salieron por la puerta con sus respectivos *tours* y me quedé completamente sola en la oficina volví a llamar a Scott y esa vez sí que dio señal.

—¿Scott? —Escuché que descolgaban, pero no hubo ningún saludo. Estaba enfadado—. Lo siento, Scott. Fue todo tan...

—¿«Rápido»? Porque pasaron tres horas desde la cita del médico hasta que, según tú, Jude fue a por ti para ver lo de los corales esos. ¿O querías decir «apresurado»? Porque te estuve llamado durante seis malditas horas en las que me pasó de todo por la puñetera cabeza. ¿O quizá «agotador»? Porque la última llamada la hice a las tres de la madrugada y decidiste pasar de mí.

Tenía tanta razón en todo lo que me decía que no supe qué contestar, porque la realidad era que no le había llamado porque no me había apetecido hablar con él, ni de lo del ginecólogo ni de lo del desove de los corales. No había sentido ni las ganas ni la necesidad de compartir con él lo de Aguacate, porque hasta entonces no parecía que él tuviese mucho interés en saber nada del tema, y de lo de mi salida nocturna con Jude...

simplemente quise que la noche fuera solo mía, o nuestra, pero no de él. Había sido algo mágico y él no había formado parte de ello. No había querido que, al responder la llamada, de alguna manera pudiera estropearlo. Pero, al parecer, con ello le había preocupado, y mucho.

—Todo está bien. Yo estoy bien y... bueno, me dijeron el sexo del... —aún me costaba trabajo decirlo en voz alta—: bebé.

—¿Y eso no te pareció lo suficientemente importante como para llamarme en cuanto saliste del ginecólogo? —La voz de Scott era crispada, por primera vez le oía así. No había bromas, ni chistes, ni tranquilidad.

—Sinceramente, no sabía si querrías saberlo. Aún no sé si quieres que esto esté sucediendo.

Hubo un par de segundos de silencio antes de que Scott resoplara al otro lado de la línea, como si no supiese por dónde empezar.

—Esto no es nada fácil para mí tampoco, Bay. Tú estás lidiando con lo que te ha pasado, ¡pero yo de alguna forma también! Mi vida también ha cambiado, también se ha sentenciado.

—Yo no quiero sentenciarte a nada.

—No es culpa tuya, pero... Yo no quería que siguieras adelante, y tú decidiste hacerlo. Ahora no hay vuelta atrás y, sí, quiero saber qué pasa al respecto. Te quiero y quiero saber que estás bien y que el bebé está bien, ¿de acuerdo?

Lo había dicho. Había dicho «te quiero», como si eso fuera posible, como si yo fuera la misma que había sido antes. Y había dicho «bebé» sin bajar el tono de voz como hacía yo, sin cobardía, con realismo.

—El bebé está bien, y es una niña.

—Oh, vaya... —susurró entre sorprendido y disgustado.

—¿Preferías un niño?

—Supongo que sí. No sé. Una niña también está bien, creo. ¿Tú estás contenta?

—Tampoco lo sé, Scott —le confesé.

—Bueno, era cincuenta-cincuenta. No había opción de conseguir un oso panda, ni un Mogwai. —El tono distendido que le caracterizaba regresó y yo me relajé.

—¿Un Mogwai?

—Sí, como un Gizmo, de *Los gremlims.*

—¿Los gremlims? —volví a preguntar perdida entre sus alusiones.

Saltamos por encima del tema de la niña con su explicación de aquella película de los ochenta que yo había visto al parecer millones de veces, pero cuyo recuerdo también se había esfumado de mi mente. Podría haberle contado más cosas sobre Aguacate, sobre la niña, como que por fin la había sentido; pero entonces tendría que haberle contado que junto a su aleteo en mi interior sentí muchas cosas más cuando Jude puso su mano sobre mí y aquello era algo que, en realidad, quería olvidar. Tampoco me preguntó por la experiencia nocturna que había vivido, ni por el tema de la búsqueda de mi madre, y eso me entristeció. Al colgar el teléfono, se me instaló en el cuerpo la sensación de que con él todo era superfluo, intrascendente, como si fuésemos dos conocidos que se encuentran en la calle y se cuentan cómo les va la vida, pero sin entrar en detalles, sin decirse la verdad.

A pesar de ello, no podía negar que me había hecho reír al instarme a alquilar aquella película, porque antes me encantaba y no podía seguir viva sin conocerla, y cuando me había trasladado durante unos minutos a la vida universitaria de Perth, como si fuese lo más emocionante del mundo y yo debiera hacer todo lo posible por recuperar la memoria y así poder ir a vivir algo así el año siguiente... El año siguiente. Aquello era pensar tan a largo plazo, tan al futuro. Y para mí mirar al horizonte era aún algo que no podía hacer porque todo mi tiempo lo ocupaba mi búsqueda del pasado.

De hecho, en cuanto todos regresaron de sus *tours* y hube ayudado con la limpieza de los equipos, me despedí con rapidez y avisé a Jude de que esa tarde no haría la rehabilitación.

—No seas cría, Bay. Que hayamos discutido no quiere decir que tengamos que dejar de hacer los ejercicios juntos.

—Vaya, al menos hoy reconoces que hemos discutido... —le contesté irónica, pero no quería volver a comenzar, todo lo contrario, quería disculparme. Por ello, para continuar adopté un gesto que podría haberse confundido con un coqueteo—. No tiene nada que ver con lo de antes, ya lo he olvidado y te perdono. Si tú me perdonas.

Jude elevó una ceja y sacó sus morritos hasta ladearlos en una sonrisa.

—¿Entonces?

—Hoy necesito ir a mi casa... y el viernes ya estará Scott.

Los ojos oscuros del muchacho se quedaron fijos en mí mientras su mente procesaba aquello y finalmente asintió:

—Está bien. Tú decides, aunque no creo que debas dejar los ejercicios de forma radical. Si algún día quieres que vuelva a ayudarte, solo tienes que pedírmelo.

—¿Después de las vacaciones? —le solté de sopetón. Y es que, de pronto, yo tampoco quería dejarle ir del todo.

Él afirmó y le regalé una sonrisa. Sí, se la regalé, porque sentí que se la merecía, porque se había echado sobre sus hombros una obligación que no le correspondía, porque antes había ayudado a mi padre, porque cuando me miraba de aquella forma me burbujeaba la sangre. Me giré para despedirme de los demás y, al hacerlo, los pillé mirándonos desde sus ubicaciones, aunque intentaron disimular lo pendientes que habían estado de nosotros mientras hablábamos. No podía criticarlos, unas horas antes les habíamos dado todo un espectáculo.

Saqué el *quad* del garaje y puse rumbo a la playa de Jurabi. El otoño era más fresco y, con la velocidad de la moto, lo sentí frío como si viniese directo de la Antártida. Había días como aquel en el que el color rojo se adueñaba de todo y te hacía sentir en Marte; días en que los pies levantaban el polvo de aquella tierra roja y el sol, hundiéndose en el horizonte, prendía fuego al océano. Yo sentía cómo aquellos tonos penetraban en mi piel, llegaban hasta mi espíritu y gobernaban mis sentimientos. Y de alguna manera, me sabía en casa, con ese silencio pautado entre olas, con esa intensidad de luz ardiente que me impulsaba hacia delante... como si el escenario estuviera ya desplegado y yo solo tuviera que tirar adelante e ir a por lo que debía ir.

La pequeña casa apareció en mi visión cual fantasma de mi pasado. Todas las casas cuentan una historia y la de esa debería haberla sabido;

sin embargo, aquellos tablones de madera salvaje mal pintados o aquel aspecto de semiabandono contaban desde fuera una historia engañosa. Ya había estado dentro, conocía su corazón y sus pulmones, sabía que dentro había color, rincones con vida propia y el aroma de dos extraños que deseaba con todo mi corazón conocer. En aquel momento, no había un alma en la playa ni por los alrededores. Solo estábamos ella, yo y un montón de preguntas que quería hacerle y que esperaba con demasiada necesidad que me respondiera. Había dejado de forzar mi mente, de rebuscar inútilmente en ella recuerdos de cada cosa o persona que habían estado presentes en mi vida antes del apagón. Había asumido que ese interruptor jamás se encendería, por lo que había ido creciendo dentro de mí una urgencia por encontrar pistas de quién había sido yo, de quiénes habían formado parte de mi vida y de qué forma lo habían hecho, de saber dónde estaba el punto exacto desde el que debía comenzar mi nueva vida.

Tras haber pasado los últimos días inmersa en el mundo científico de Elle y Johan, cuando ya no quedó un artículo ni estudio que leer en la Red, me di cuenta de que necesitaba algo más; necesitaba dejar al científico y llegar a la persona. Con Elle lo tenía bastante complicado porque, aunque había enviado un correo a la revista donde había encontrado su último artículo publicado, en el que les pedía sus datos de contacto, aún no había recibido respuesta. Con Johan, por el contrario, tenía varias vías: preguntar sobre él a los que le conocieron y lo que había en el interior de aquella casa.

Entré con mucho respeto, como si le pidiera permiso a aquel hogar para poder destriparlo, y entonces fui directa a la habitación de mi padre. Me puse delante de la librería y comencé a revisar libro por libro, a abrirlo, a sacudirlo, esperando que volviese a caer una nota doblada de alguno de ellos; pero no ocurrió nada de eso. Había carpetas con facturas viejas y con instrucciones de electrodomésticos, aparecieron mis notas del colegio en las que pude apreciar que era una alumna más enfática que destacada, y también encontré una carpeta llena de títulos y diplomas de mi padre; aquello me impulsó a buscar una de sus fotos para pasar mi índice por su barba, por su mandíbula ovalada, por aquellos ojos cándidos. Rebusqué entre los libros del suelo y de ellos elegí otros dos que llevarme al hostal para leerlos. Me tumbé un rato en su cama, hundí la nariz en la almohada y pude apreciar que el aroma de colonia suave era más rancio allí, como si se hubiera mezclado con sudor, con humedad, con el paso del tiempo... Aun así, no resultaba desagradable, tan solo convertía aquel objeto en algo con alma. Miré desde allí la habitación; quise meterme en la piel del que había sido su dueño y cerré los ojos para escuchar el rumor del viento y el mar embravecido. Me pregunté dónde más podía buscar y mis ojos se toparon con la pantalla apagada del ordenador. Era viejo y probablemente su sistema operativo era tan antiguo que no tuviera ni contraseña, así que me levanté de la cama, me puse frente al escritorio, busqué el botón de encendido y, mientras el aparato cobraba vida con sonidos intermitentes, cogí una carta marítima en la que Johan había dibujado la ruta de migración de las ballenas del año anterior. La pantalla del ordenador se iluminó y un montón de carpetas aparecieron sobre el fondo celeste, a la vez, la impresora comenzó a hacer rodar su tambor. Aquello llamó mi atención, porque aún no había pulsado ninguna tecla; sin embargo, la máquina comenzó a imprimir, pero el papel se atascó dentro. Abrí el aparato y saqué el folio impreso.

14

Elle,

No me arrepiento de la decisión que tomamos, pero ha sido difícil.

Solo, con todo el peso de la responsabilidad sobre mis hombros. Sin poder compartir mis momentos de incertidumbre contigo, cuando no sabía qué contestar, qué elegir, cómo reaccionar... Cuando no sabía si lo que yo hacía estaba bien o mal, si lo que ella hacía era malo para ella o solo complicado para los demás. ¿Qué debía hacer cuando se empeñaba en no estudiar las lecciones de inglés porque quería estudiar las algas de la orilla tras una noche de resaca? ¿Qué se supone que era lo correcto cuando me dijo que estaba enamorada con quince años de un tal Ricky y que el amor no tenía edad? ¿Qué debí haberle contestado cada vez que me preguntaba por ti?

Ser padre no es fácil, te hace sentir como si estuvieras sometido a un continuo examen en el que no puedes fallar. No es que no puedas equivocarte ni tomar decisiones incorrectas de las que vas aprendiendo casi día a día, quiero decir que, la presión es peor; porque, si fallas, el perjudicado no eres tú, sino tu hijo. Y, ¡oh, cielos!... que le pase algo a tu hijo por un error tuyo es infinitamente peor.

Bay nunca ha sido una niña fácil. Con dos años ya quería hacerlo todo sola: sostener la cuchara con su mano temblorosa para comer, vestirse sola, nadar mar adentro sin protección... Era agotadora, temeraria, atrevida, con demasiado carácter. Pero no podía contenerla, porque todo lo que se proponía hacer lo lograba. Consiguió comer sola sin mancharse con tres intentos, logró cambiarse de pantalones aunque fueran del revés y nadó mejor que un delfín tras tragarse medio océano. ¿Cómo retienes a alguien cuyo empeño le lleva directo a la victoria, sin miedo al error durante el camino, sin importarle que yo pensara que era demasiado pronto para todo?

Bay ha experimentado muy pocas veces el fracaso y juro que no hay una peor versión de nuestra hija que cuando eso ha ocurrido. Se desatan tormentas, truenos y centellas, maldice al universo y a sí misma cuando algo se le tuerce... La frustración la lleva al descontrol, a explotar como un volcán con palabras como lava ardiente, y he aprendido a no ponerme en medio en esos momentos porque luego, siempre, llega la calma y busca en mí su refugio. Ha vuelto a hacerlo, cree que yo sigo siendo su refugio, y es increíble que lo siga pensando. Ojalá fuera cierto, pero la he visto, los he visto. Yo ya no soy su refugio, y siento que se está equivocando.

No sé si esto es en parte culpa mía, pero ahora mismo siento que sí. Jamás pensé que me vería dos veces en la misma situación, ante la misma elección. Aunque esta vez soy incluso aún más espectador.

Bay se ha quedado embarazada. Está muerta de miedo, lleva llorando horas en su habitación y temo que tome una decisión errónea presa de su estado de pánico. Y por más que intento pintarle un panorama futuro mucho más positivo del que ella se ha dibujado en la mente, no consigo demoler el muro del miedo. Y me pregunto si en realidad debería llegar a ella, porque es cierto que en su momento logré llegar a ti, hasta tus miedos, pero el resultado fue tan dispar para ambos...

No quiero presionarla, pero sé que se va a arrepentir, ella no es como tú. Tiene tu desbordado instinto de amar y lo gestiona igual de mal que tú; sin embargo, ella no podrá sentirse libre jamás si deja atrás esto. Y el chico la quiere, lo conozco bien y el amor se le escapa por los ojos cada vez que la mira. Ambos podrían llevarlo adelante, pero la decisión que tiene que tomar para ello es demasiado dolorosa. Todo es tan intenso a esa edad, hay tan poca proyección de futuro en su mente... ¡Vive como si el mundo fuese a explotar pasado mañana!

No puedo decir que entienda por lo que está pasando porque en verdad todo ha sido lioso, precipitado y sobre todo inesperado, tanto que ni ella misma está segura de estar eligiendo bien, aunque intente hacerme creer que sí. Estamos solos en esto, él no lo sabe. En cuanto me lo comentó, le dije que no me parecía bien que se lo ocultase, que él también tenía derecho a decir algo al respecto, pero aquello sacó de quicio a Bay. Se volvió loca y casi la pierdo... Y, sea como sea, ahora no puede quedarse sola. Por eso yo mismo le he buscado una clínica en Perth y tenemos una cita programada para mañana. Mañana... y aún siento que tengo tiempo de que recapacite. Las mentiras no conducen a nada bueno. Al menos tú y yo nunca nos mentimos. Jamás.

Si vieras la mujer en la que se ha convertido: valiente, tozuda, generosa... Ella es más que capaz de llevar esto hacia delante y no sé de qué forma hacérselo ver. Se ha metido en un lío, no quiere que nadie sufra, pero siempre hay alguien que sufre. Jamás pensé que ella pudiera querer hacer algo así, pero supongo que es imposible conocernos del todo hasta que no nos vemos en situaciones límite. Nadie sabe realmente lo que es capaz de llegar a hacer por alguien, por miedo, por amor...

Si lo hace, no lo soportará, Elle. No lo soportará. Ella no puede decir adiós y olvidarse. Ella no es como tú.

¿Cómo voy a volver a mirar al chico a los ojos después de esto? ¿Cómo, después de que él...?

15

No sé cuánto tiempo había pasado, pero fui consciente de que la noche se había cerrado ahí fuera cuando mis ojos ya no fueron capaces de leer otra vez aquella carta porque la luz ya no se filtraba por la ventana.

¡Yo quería abortar! Mi padre lo sabía y habíamos ido hasta Perth para hacerlo. Por fin sabía el motivo de que ambos estuviésemos allí, lo que nadie me había podido explicar porque era un secreto. Por fin descubría cuál había sido mi decisión sobre el embarazo, por fin sabía que todo había sido culpa mía: habíamos ido hasta allí por mí, yo era la culpable de todo. Y también acababa de descubrir que era una mentirosa, mi padre se lo decía bien claro en aquella carta a Elle. ¡A Elle! Mi padre le había escrito una carta a alguien llamado Elle. Elle tenía que ser E., y con aquello confirmé las sospechas de que Elle Miller era mi madre. Era tanta información y tan dispar en los sentimientos que me provocaba que fui incapaz de moverme de aquel catre en el que me había sentado para leer.

Al final, la sensación predominante que se apoderó de mí fue la de que me había equivocado, de que había elegido mal, que estaba traicionando la elección que la anterior Bay había tomado, que lo había fastidiado todo; aunque no supiese bien qué era ese «todo». Y me eché a llorar, hundí la cara en aquella almohada, como si en aquel momento se hubiese convertido en el pecho acogedor de un padre y lloré desconsolada durante lo que me parecieron siglos. No podía parar, dentro de mí había todo un océano de lágrimas. No paré hasta que unos focos iluminaron el interior de la casa y oí que la voz de Jude me llamaba. Me levanté como un alma en pena, arrastrando los pies hasta la puerta de la entrada y la abrí cuando él subía a zancadas los escalones del porche.

—¿Qué te ocurre, Bay? ¿Qué haces aún aquí? —Su expresión comenzó a cambiar en cuanto se percató de mi mirada ausente, de mis hombros caídos, de mi cara congestionada—. ¿Por qué...?

Entonces le miré y, creo que sin mover los labios, le pedí auxilio. Me recogió en sus brazos justo cuando las piernas se me doblaron y, como si no me importara mi cuerpo, me abandoné a él en más lágrimas. Sollozaba con tanto dolor en el corazón que por un momento llegué a pensar que se me estaba rompiendo en dos. Jude recogió mis piernas en uno de sus brazos y con el otro me sujetó por debajo de los míos para poder sentarse y acomodarme entre sus piernas, allí mismo, en el suelo del porche. A oscuras lloré sobre su pecho, como si ese fuera el lugar correcto para hacerlo y me vacié.

—Me estás asustando, Bay. ¿Te duele algo? —me interrumpió de pronto.

Negué con la cabeza e intenté dejar de llorar, de bajar la intensidad, de recobrar un ritmo de respiración normal.

—Es que... he... encontrado algo —dije hipando en cuanto fui capaz de hablar.

—¿Quieres compartirlo conmigo? —me preguntó prudente.

Me levanté abandonando el calor de su cuerpo al que me había acostumbrado, pero lo hice solo porque había dejado la carta dentro. Encendimos la luz al entrar, pero Jude no me siguió hasta el despacho de mi padre, sino que se fue hasta la cocina.

—¿Dónde vas? —le pregunté.

—A por agua.

—¿Venías mucho por aquí? —le pregunté con la voz cansada al ver que abría el armario correcto.

—Vine lo suficiente como para saber dónde están los vasos. —Entonces me lo ofreció—. Ten, has llorado tanto que has tenido que deshidratarte. Te hará bien.

Obedecí, porque me sentía pequeña en aquel momento, indefensa, necesitada del cariño y los cuidados que él me daba. Cuando terminé de beber, él puso el vaso encima de un mueble de pared, me puso la mano en el hombro y me siguió de cerca a la habitación de Johan, tan cerca que volví a sentir su cuerpo como si permaneciésemos abrazados.

Cogí la carta que había dejado sobre las sábanas y se la entregué. Él me miró confuso durante un momento.

—Al encender el ordenador, salió esto por la impresora. No sé... Debió darle a imprimir sin darse cuenta antes de apagarlo o algo por el estilo —le conté.

Jude se sentó en la cama y yo giré la silla del escritorio para sentarme frente a él y así poder observar sus gestos mientras lo leía. Arrugó varias veces la frente, movió los labios de un lado a otro y, al finalizar, suspiró profundo y agitó un poco el papel entre sus manos antes de mirarme.

—¿Elle es tu madre? —me preguntó.

—Eso parece, y creo saber quién es.

Me levanté, cogí de mi bolso el libro escrito por ambos y se lo enseñé. Entonces le hablé de los artículos que había encontrado de ella, de sus últimas publicaciones y del correo que le había enviado a la revista científica para poder encontrarla. En resumen, lo que había estado haciendo las últimas semanas.

—¿Quieres ponerte en contacto con ella? —preguntó receloso.

—¡Claro!

—¿Por qué? ¿No crees que hay una buena razón para que antes no formara parte de tu vida?

—Puede, pero mi padre se escribía con ella. Al menos él le escribía, porque he registrado toda la casa y toda la oficina y no he encontrado ni una carta de Elle.

—¿Y eso no es suficiente señal para dejar las cosas como están?

—Jude, ¡lo he perdido todo! ¿Crees que es mala idea intentar buscar algo real?

Jude soltó un pequeño bufido y agitó la cabeza:

—No lo sé. No sé qué decirte.

—Pero... la carta no solo me ha confirmado mis sospechas sobre Elle Miller. También explica el motivo por el que ambos estábamos en Perth, y saberlo es terrible, porque me he equivocado.

—¿En qué te has equivocado?

—¡En seguir adelante con esto! Yo no quería tener este bebé, fuimos a Perth para poder abortar antes de que Scott se enterase. Jude, yo era una mentirosa que quería seguir adelante sin un hijo.

Él se puso en pie y avanzó un par de pasos hasta la ventana junto al escritorio.

—Lo siento, Jude. Me dijiste que no querías estar en medio de mis temas y no hago más que colocarte justo ahí. Pero has llegado y... Bueno, si no hubieses venido, pues yo no te habría molestado con...

—Para, Bay, no pasa nada. Es lo que hacen los amigos. —Aguanté la respiración al escucharle pronunciar aquella palabra, como si me acabara de hacer un regalo inmenso—. Déjame decirte algo: a mí me parece que esta carta no tiene valor alguno ahora mismo.

—¿Cómo que no?

—No vale nada en absoluto, porque tú no eres ahora esa Bay de la que hablaba tu padre. Cualquier cosa que pasara, pensaras o hicieras antes del accidente se quedó en el pasado. Tú partes de cero, con tus nuevos sentimientos, tus nuevas circunstancias y tus nuevas elecciones.

—Ya, pero tuvimos el accidente porque yo quise ir allí —le dije con temblor en el labio inferior.

—Tuviste el accidente porque el taxista se saltó el *stop*.

Jude me agarró las manos, probablemente para que no volviese a arrancar en llanto y aquel contacto hizo que el aleteo me sorprendiera de nuevo, como si la pequeña Aguacate quisiera recordarme que ella también estaba allí.

—Se ha movido —dije mirándome al vientre.

Jude también desvió su mirada hacia el mismo lugar y sin darse cuenta me apretó las manos.

—¿En serio te parece que esto esté mal? Porque a mí me pareció la cosa más perfecta del universo cuando la vi en esa pantalla.

Miré sorprendida a Jude.

—Es lo más bonito que me has dicho desde que te conozco, desde que te recuerdo... Bueno, ya sabes lo que quiero decir.

—*Ella* me pareció perfecta —dijo soltándome las manos, girándose para darme la espalda y ocultando su rostro, hacia el escritorio, y se puso a rebuscar por encima—. ¿Has mirado en el ordenador por si hay más cartas o alguna pista más sobre Elle?

—La verdad es que no me ha dado tiempo de hacerlo.

—Pues veámoslo. —Jude se aproximó al teclado y escribió el nombre de Elle en el buscador interno. Sin embargo, tras un rato de búsqueda, ni siquiera apareció la carta que había impreso—. Yo no soy un gran informático, pero seguro que debe haber alguna manera de hacer una búsqueda más exhaustiva en el disco duro. Deberías hablarle de todo esto a Scott, es lo correcto —dijo de pronto mirando el cursor parpadeante.

Jude estaba y no estaba allí, se notaba que su mente iba y venía de un lugar a otro; y estaba claro que el tema que lo hacía distanciarse de aquella forma errática no quería compartirlo conmigo.

—Ya lo hice, le conté mis descubrimientos y sospechas sobre Elle y dijo que estaba loca por querer buscarla. No creo que contarle lo de esta carta le haga cambiar de opinión.

Jude arrugó los labios a un lado, pero no contestó.

—No entiendo por qué es tan difícil averiguar algo de ella. ¿Por qué la mantendría oculta mi padre? —le pregunté.

—Quién sabe, pero voy a ayudarte a encontrarla si eso es lo que quieres. Conozco a gente del mundo oceanográfico. En realidad, no debe ser tan difícil dar con ella. ¡Es Elle Miller! —Jude sonrió un segundo. Luego carraspeó y se sacó el teléfono de su bolsillo trasero—. Voy a llamar a mi madre, estaba preocupada por ti.

—¡Adele! Ay, lo siento. Perdí la noción del tiempo.

Levantó la mano quitándole importancia y escuché cómo le informaba de que estaba con él y de que llegaríamos en breve. Apagamos las luces, cerramos bien la puerta y me monté en el *jeep*. Dejamos allí el *quad* porque él no quiso que con aquella noche sin luna terminara en una cuneta de vuelta al Jalalai, y a mí me pareció sensato, ya lo recogería él a la mañana siguiente.

—Entonces, la información de la que disponemos es que tu madre es Elle Miller, la reputada bióloga marina especializada en los arrecifes de coral, que en algún momento de su vida se cruzó con tu padre, el gran experto en las ballenas jorobadas. Sabemos que escribieron juntos un libro y que te tuvieron a ti. Desconocemos por qué se separaron, el motivo por el que no ha ejercido como madre tuya, por qué él ocultó su existencia a todo el mundo y por qué, a pesar de todo eso, le escribió una carta. Aunque, claro, no sabemos si eso que hemos leído era solo un tipo de terapia de esas que mandan los psicólogos para desahogarse, como cuando te dicen que le escribas a un familiar muerto una carta para despedirte.

—¿Crees que mi madre puede estar muerta o que murió cuando nací? —reflexioné—. No, claro, eso no puede ser, porque he leído artículos suyos que no tienen más de dos años de antigüedad. ¿Crees que mi padre no tenía intención alguna de enviar esa carta?

—No lo sé... ¿Hay alguien que siga enviando cartas hoy en día? ¿No sería más fácil enviarle un correo electrónico?

—A mí no me preguntes, tú ahora mismo eres el único de los dos que lo recuerda, yo no tengo más que fotos y libros sobre ballenas para hacerme una idea de quién era él. ¿Le pegaba escribir cartas?

Jude rumió y balanceó un poco pensativo la cabeza. Aquella vez no había encendido la radio, estábamos él y yo, en medio de la nada, con una luna nueva oculta en algún lugar del cielo y un firmamento infinito que invitaba a perderse dentro de él.

—Puede... Quizá, sí.

Nos quedamos en silencio, él miraba la carretera perdido en sus pensamientos mientras que yo tenía los ojos puestos en el cielo estrellado, como si allí estuviera mi padre; como si, mirando hacia ahí arriba, pudiera hablarle con mi alma, preguntarle y esperar una respuesta.

—Bay, con respecto al otro tema, yo creo que has tomado la decisión más valiente —dijo de pronto Jude.

—Valiente no quiere decir inteligente —repliqué.

—Inteligente no quiere decir acertada.

Aquella noche, metida ya en mi cama, volví a llorar, pero de otra forma, más sosegada, más curativa, menos dolorosa. Lloré al pensar que, si no hubiera ocurrido el accidente, no estaría embarazada y mi padre seguiría vivo, y que, irónicamente, gracias a haberlo tenido, seguía embarazada. Y era alucinante. Daba mucho miedo, pero sentir aquel aleteo en mis entrañas me decía que aquello estaba bien. Por fin aquella noche me dormí y no necesité que nadie me despertara a media noche.

16

Jude llamó a Waeda Beko para preguntarle por Elle Miller y la oceanógrafa en seguida supo también de quién le hablaba, pero desgraciadamente no se habían visto en los últimos cinco años. La última vez que habían coincidido, Elle estaba a punto de embarcar en una misión por los mares de la Antártida con Ocean Savers. También se puso en contacto con sus amigos de la facultad de Brisbane, y un tal Johnny le dijo que tenía un conocido que trabajaba en el tema de las posidonias en Palma de Mallorca, España, y que quizá tuviera contacto con ella. Entre una información y otra, pasaron dos semanas, en las que me limité a trabajar, a andar por la playa para ejercitar la pierna mientras escuchaba la música de Jude y a terminar de leerme todos los libros escritos por Johan. Prácticamente los había memorizado, sin esfuerzo, y me planteé la posibilidad de que hubiese conseguido activar una zona de mi cerebro que ya había almacenado esa información antes, al igual que recordaba cómo se utilizaba la televisión o la cámara de fotos; ahora bien, aunque eso habría sido fabuloso y esperanzador, creo que, en realidad, toda aquella información se quedaba en mí porque me estimulaba, porque me bebía las líneas escritas con sed, porque me apasionaba cada cosa nueva que leía sobre cetáceos, algas o corales.

No le conté a Scott lo de la carta. Fue algo que medité mucho, pues no quería convertirme en alguien que miente, oculta o engaña, tal y como lo era antes del accidente; pero contarle lo que había descubierto y lo que le había ocultado en su momento, como bien había dicho Jude, no eran actos que ahora me pertenecieran y, en realidad, contarlos no nos harían ningún bien; ni a Scott, ni a mí. El que era mi novio no quería que siguiera con el embarazo y yo había ignorado su deseo porque había sentido que era algo que yo debía hacer, conservar y cuidar. Decirle, cuando ya tenía medio asumido el asunto, que la Bay preaccidente pensaba como él, solo habría provocado una situación más incómoda y sin vuelta atrás. Así que dejaría que siguiera pensando que había ido con mi padre hasta Perth para ver la universidad, una a la que realmente parece que nunca contemplé ir y que ahora veía como un imposible. Él parecía bastante ilusionado con pasar unos días en Exmouth durante las vacaciones de otoño y pasó las dos primeras semanas de abril haciendo planes por teléfono de todas las cosas que podríamos hacer juntos en cuanto regresase. Para cuando me quise dar cuenta, lo tenía un jueves en la puerta del Wildlife Dive, con un pequeño ramo de flores.

—¡Scott! ¿Pero no me dijiste que llegabas mañana?

—Te mentí para poder sorprenderte —contestó con picardía.

—Qué bonitas, pero no tenías por qué. —Acerqué el ramo a mi nariz y aspiré perturbada el aroma de aquellas flores rosas y nacaradas.

—¿Necesitas un jarrón? —Roger apareció por encima de su hombro y me ofreció una de las tazas grandes que había junto a la cafetera.

—Sí, gracias —acepté el ofrecimiento que me hacía mi compañero con cara de guasa—. Pasa dentro un momento, Scott —le invité a entrar bastante nerviosa, consciente de que todos nos miraban en silencio.

Él los saludó a todos mientras yo quitaba el envoltorio de papel marrón del ramo para meterlo en aquella taza llena de agua. Notaba las palpitaciones de mi corazón disparadas, y no era un repiqueteo de los que uno siente cuando la emoción te embarga, sino que era uno de los que se precipitan cuando se apodera de ti el pánico. No me había preparado para su llegada. Había pasado los últimos días pensando qué me pondría, de qué podríamos hablar, cómo sería estar a solas con él haciendo todas esas cosas que él había planeado... Y el tenerle ahí, en mi trabajo, con el resto de mis compañeros, siendo consciente de que mi atuendo era la camiseta de la empresa por fuera de unos vaqueros, a los que Adele les había cosido un elástico en la cintura porque ya no era capaz de abrochármelos con la cremallera, y de que llevaba el pelo recogido en un moño medio deshecho, no era algo que hubiese contemplado. Todos decían que antes yo era pura improvisación, por lo que me convencí de que aquello debía gustarme y puse mi corazón a raya. Dibujé una sonrisa radiante en mi cara tras terminar de recolocar por cuarta vez las flores y me giré dispuesta a disfrutar de algo que llevaba meses esperando: tener la oportunidad de volver a enamorarme de mi exnovio y padre de mi hija.

Al girarme vi que Scott y Jude consultaban la pantalla de uno de los ordenadores.

—Hay oleaje plano, olas cada diez segundos más o menos. Viento On Shore[6]. Yo creo que el mejor momento lo tendrás en una hora —escuché decir a Jude.

—¿El mejor momento de qué? —pregunté.

—Scott quiere llevarte a hacer surf —me respondió él con la mandíbula tensionada. Tragó saliva y, tras darle una palmada a mi sonriente pretendiente, cogió las llaves de su escritorio y se despidió de forma apresurada de nosotros para salir por la puerta.

—Pero, Scott... —Me acerqué a él remarcando un poco mi cojera—. No creo que yo pueda hacer surf dada mi situación actual.

—La verdad es que no imaginaba que ya estuvieras tan... tan... embarazada.

Mi silueta no era la de una modelo de bikinis precisamente, y cualquiera que me viera adivinaba mi estado. Así pues, aunque me podía manejar sin problemas con la barriga mediana que ya tenía y mi pierna se había recuperado ya casi del todo, había cosas que simplemente no era prudente hacer y que Scott ni siquiera se había planteado.

—Pues lo estoy —me encogí de hombros.

—Bueno, todo tiene solución, podemos ir, ver a los chicos, bañarnos en la orilla... Incluso puedo darte un paseo con el remo sobre la tabla,

---

6. Vientos en dirección a tierra que producen olas suaves y planas.

lejos de la zona donde rompen las olas. En realidad, no es el mejor día para surcar las olas.

—¿Los chicos?

—Sí, algunos han vuelto por vacaciones como yo, y luego están los que siguen aquí.

—No sabía que aquí siguiera gente de antes. ¿Eran amigos míos también? Porque nadie se ha pasado a hacerme una visita —dije afilada.

—Bay, no seas así. Piensa que es difícil enfrentarse a eso, ¿qué le dices a alguien que no te recuerda?

—¡Cualquier cosa si antes te importaba lo más mínimo! «Estoy si me necesitas para algo», por ejemplo —le contesté mientras terminaba de guardar las cosas en mi bolso. Cerré la cremallera y le miré contundente a aquellos ojos celestes.

—Seguro que hoy te dicen algo.

Scott me agarró de la mano, me dio un pequeño tirón para que saliera de la oficina tras él y yo mascullé entre dientes, y con esfuerzo, lo feliz que me hacía la idea.

Entonces me subí a su coche dando gracias al cielo por haberme acostumbrado a usar a diario bikini en lugar de ropa interior; ya que así Jude y yo íbamos a hacer los ejercicios en la playa directamente desde la oficina.

Scott estaba contento, sonriente y parlanchín, y me dijo al menos veinte veces las ganas que tenía de surcar olas tan solo por diversión, para quitarse estrés, porque los entrenamientos y el ritmo de estudio de la universidad le había dejado agotado aquel primer trimestre; aunque, recordando la de fiestas a las que me había dicho que había acudido, dudaba que el cansancio fuera por hincar los codos. Aun así, le dije que no me importaba que hiciera surf con los amigos durante un rato mientras yo me tumbaba tranquilamente en la arena bajo aquel sol que cada vez calentaba menos, pero que aún era suficiente para resultar acogedor el ponerse a su merced.

—Gracias, Bay. Eres genial, y estás muy guapa. Te sienta bien —dijo mirando de forma fugaz mi tripa.

—Si tú lo dices... —Le sonreí.

—Después podríamos ir a cenar algo por ahí. Los chicos me han dicho que por fin le ha salido competencia al Froth, que han abierto un bar nuevo por el centro. ¿Vamos con ellos?

—Está bien.

En realidad, no estaba nada bien. Aquel plan me apetecía tanto como pegarme un pisotón en el pie. Estaba cansada después de trabajar seis días seguidos y era más que evidente que Scott se moría por pasar el rato con sus amigos, supongo que para contarse y comparar sus diferentes experiencias universitarias. Deducía que aquella conversación no iba a ser muy inclusiva y sabía que me iba a enfrentar a la mirada de esos a los que yo les debía de importar un bledo, pero que no dudarían en juzgarme. Era un blanco fácil, podían hablar sobre mí entre ellos, de mi pasado o de mis decisiones, y, además, podían sentir lástima al mismo tiempo para así no arrepentirse por criticarme previamente. Definitivamente, ese plan no era algo que me apeteciera, pero le dije que estaba bien porque quería con todo mi corazón que estar con él, haciendo lo que a él le apetecía, estuviera bien. Era verdad que había contado conmigo, que lo primero que había hecho tras llegar de Perth había sido ir a recogerme, sorprendiéndome, incluyéndome en lo que para él era el plan perfecto. Lo que ocurría es que, en aquel momento, su idea de perfección no era la misma que tenía yo. Si me hubiese preguntado, le habría dicho que yo habría preferido dar un paseo tranquilo por la playa para ejercitar un poco la pierna con él, me habría ido a casa para darme una larga y relajante ducha después, me habría tumbado para leer aquel libro sobre tiburones martillo que había cogido de la estantería de Johan y, con suerte, habría disfrutado de un masaje de pies de mi ex mientras cenábamos pizza en el sofá de Adele. De hecho, hasta hacía un momento, ese iba a ser mi plan para aquel jueves; excluyendo la fantasía del masaje, claro está, porque se suponía que Scott iba a llegar un día después. Y me había preparado para ello, para estar lista física y mentalmente para el viernes; sencillamente, me faltaba un día.

Continuamos la carretera hacia el norte del cabo, atravesando el terreno árido y desolado que continuaba imperturbable durante kilómetros en todas direcciones, hasta que el horizonte se difuminaba con el cielo en una neblina producida por la suspensión de polvo atravesada por los rayos del sol. Nos desviamos a la derecha para llegar al aparcamiento de la playa de las Dunas, donde había unos cinco coches aparcados; lo que, en medio de la inmensidad del lugar en el que estábamos, realmente parecía mucho.

—Genial, ellos ya han llegado —me dijo tras abrirme la puerta—. Voy a darte un paseo en tabla que te hará sentir en una góndola.

—¿En una góndola?

—Será incluso mejor.

—Pero...

—Tengo intención de que esto salga bien, Bay —dijo volviéndome a interrumpir—. Sé que ya no somos nada, bueno, somos amigos... Pero voy a esforzarme porque los tres estemos bien.

—Lo sé —le contesté guardándome dentro lo que realmente pensaba.

Pues, si me hubiera abierto a él en ese momento, le habría dicho que, si tenía que esforzarse, sería porque realmente no estábamos destinados a estar juntos, porque, en teoría, no debería de costar trabajo hacer algo que te gusta, simplemente lo disfrutas porque funciona. El esfuerzo puede ser una medicina, pero no el origen de una relación. Sin embargo, sus ojos eran sinceros, quería de verdad que lo nuestro funcionase. Y yo también, aunque algo me impedía tener tanta esperanza como él en el resultado.

Scott desenganchó la tabla de surf del coche y la cargó a pulso hasta la arena mientras yo le seguía con el remo en la mano. Estaba nerviosa porque durante las últimas semanas me había instalado en mi nueva zona de confort y mi vida social se reducía al trato con los clientes, con mis cinco compañeros del Wildlife Dive y la gente del Jalalai. No había dejado que nadie más de mi pasado entrara en mi nueva vida, ni siquiera las chicas de la cafetería de enfrente de la oficina, que habían intentado ya varias veces iniciar una conversación conmigo y a las que yo esquivaba hundiendo la nariz en los libros de Johan. Me había autoimpuesto un proceso para asumir todo aquello: primero debía saber qué ocurría en mi vida antes del accidente, quién era yo, y solo entonces, con esa guía, podría comenzar mi nueva vida de verdad.

Ya tenía una idea más o menos clara de quién y cómo había sido mi padre, y cada vez era más duro asumir que jamás llegaría a conocerle y que su figura solo la dibujarían los recuerdos de los demás en mi mente. Por otro lado, no me importaba saber quiénes habían sido para mí mis compañeros del Wildlife Dive, Adele o Jude, porque me había bastado con conocerlos de nuevo al vivir con ellos mi nuevo día a día. Terra era callada, muy trabajadora y maniáticamente ordenada, pero en cuanto llegaba Lori, con su forma de hablar atropellada y vital, se le caían de las manos hasta los bolígrafos. Roger, por su parte, era tosco pero muy detallista, siempre estaba pendiente de que no me faltara algo que llevarme a la boca para merendar, y Stu formaba con él un tándem cómico en el que no paraban de insultarse con más cariño que una pareja tras treinta años de matrimonio. Adele era un cofre precioso con la llave echada, alguien entregada al trabajo, a su hostal, a su hijo y a mí; alguien sin vida social pero feliz dentro de su burbuja, alguien que se lo pensaba mucho antes de poner un pie fuera de su refugio. Y Jude... él tenía demasiados matices contradictorios, pero había conseguido instalarse en mi vida de tal manera que me asustaba darme cuenta de cuánto lo quería en ella. De todos modos, lo que me estaba resultando más complicado era conocerme a mí misma y, de alguna forma, me había convencido de que necesitaba llegar a encontrar a mi madre para tener un punto de partida real; sentía que necesitaba conocer mis orígenes para poder pensar en un futuro.

En cuanto a Scott, conocerle era algo que había sido imposible hacer hasta entonces. Unas llamadas esporádicas y frías por teléfono, con bromas y temas banales como eje central de la conversación, no habían dado pie a que ninguno de los dos nos abriéramos mucho. Y yo afrontaba esos días de vacaciones como si participara en una competición contra mi destino: debía conocerlo, debía gustarme, debía convertirse en el estribillo de mi canción favorita, debía ser la tuerca que encajara a la perfección conmigo... Debía convertirse en mi todo, porque lo había sido antes y teníamos algo muy importante en juego. Y, si fallábamos, en realidad, le estábamos fallando a ella.

Avanzamos juntos por el sendero hasta la playa y él rápidamente localizó a su grupo de amigos.

—Te caerán bien. Mark es el bajito, es el dueño de Ningaloo Surf y seguramente se aprovechará de tu amnesia para intentar revenderte una tabla que tú misma le devolviste al día siguiente de comprarla.

—Pues qué simpático... —ironicé.

—Lo es a su manera, y es el primero en enterarse de todo, pero también es un caradura.

—¿Y por qué se la devolví?

—Porque se te daba fatal tener paciencia con los deportes y, en cuanto pasaste una tarde conmigo tragando agua durante más tiempo del que permaneciste sobre ella, decidiste que no volverías a intentarlo jamás. Tus palabras fueron: «estar encima del agua no es lo mío, yo prefiero estar debajo».

Me reí, pero comprendí mis viejas palabras. Ya había experimentado lo que era bucear y no había otra sensación que lo superase.

—Entendido. Le abriré mis orejas y me alejaré de sus ofertas comerciales.

—Lou y Jesse son hermanos, y los mejores surfistas del Cabo, después de mí, claro —rio con suficiencia—. Elsa y Roma son sus novias, y puede que sean incluso mejores que ellos cogiendo olas, pero no compiten.

—¿Y quién es la otra chica, la asiática que me saluda como una loca?

Scott arrugó la frente para luego alzar las cejas.

—¡Es Kata!

Lo dijo extrañado, como si no la esperase allí, y también como si fuera algo obvio que debiera saber, olvidando de nuevo, por un instante, que yo no recordaba a nadie. Lo dijo como si haber olvidado a esa chica fuese algo imposible por mi parte. Esta había salido corriendo hacia mí al verme llegar y, antes de que pudiese reaccionar, la tenía envolviéndome en un abrazo.

—¡Bay! Esto ha sido una puñetera mierda —dijo al separarse de mí casi del todo, porque sus manos aferraron mis hombros y sus ojos me sostuvieron la mirada con determinación.

—¿Nos hicimos uno juntas antes de mi accidente? —le pregunté clavando mis ojos en su mechón rosa.

—¡Sí!, ¿lo recuerdas? —preguntó sorprendida elevando el pecho al respirar.

—No, solo lo he deducido. Al despertar tenía uno igual.

—Esos mechones tienen su propia historia —sonrió intentando ocultar la enorme decepción.

—Pues estoy deseando conocerla —dije realmente emocionada de por fin encontrar a alguien que había sido amiga mía antes del accidente.

—Te la contaré cuando él no esté delante. Hola, Scott.

Kata miró a Scott de pasada, fue un saludo cordial pero frío, lo que me hizo pensar que algo había pasado entre ellos que yo desconocía.

—Hola, Kata. Me alegra verte, no sabía que ibas a venir. —Scott se esforzó en ser muy agradable con ella, aunque la asiática parecía inmune a su encanto natural.

—Roma me dijo que traerías a Bay —le aclaró alargando incluso más los ojos para desviarlos de nuevo hacia mí, como si hablar con él fuera una pérdida de tiempo—. Ni siquiera he pasado por casa de mis padres aún, he venido directa a la playa para verte. Tenía tanto que decirte, que explicarte... Siento tanto no haberte llamado, pero no sabía...

—Eh, Kata. Acabo de conocerte, vayamos despacio. El pasado, pasado está. —Aquella chica, tras solo unos segundos, ya me caía bien.

—Tienes toda la razón, tenemos que empezar de cero. Así que... Hola, soy Kata y prometo volver a convertirme en tu mejor amiga.

Cuando sonreía cerraba tanto los ojos que no se le veían y, al hacerlo, también encogía un poco el cuello entre los hombros. Era menuda, muy delgadita, con el pelo tan negro como la noche, a excepción del mechón rosa, y tenía las orejas más diminutas que había visto.

—Encantada, Kata. Tener una amiga suena realmente fabuloso.

Me había estado mirando la barriga con disimulo todo el rato y me había dado cuenta de lo incómodo que le resultaba el hecho de que yo estuviera embarazada, lo que me hizo pensar si realmente podría convertirse en mi amiga, pero lo deseaba tanto que lo pasé por alto.

—Vamos, quiero presentarte a los demás. —Scott me apremió a que lo siguiera.

Avanzamos hasta llegar al grupo y me los fue presentando uno a uno, lo que resultó del todo incómodo porque me miraban con cara de pena y condescendencia, y el silencio que se instauraba cuando no se sabía qué decir porque yo estaba delante era cansino y desesperante. Yo no esperaba nada de nadie, ni siquiera de los que habían formado parte de mi vida claramente como Scott o Kata, ni reclamaba atención especial, ni demandaba su consuelo, ni esperaba un esfuerzo especial por mí; lo único que yo necesitaba era unir piezas, sola, poco a poco, hasta completar el puzle de mi pasado. Y, de alguna forma, las piezas salían a mi paso por sí solas.

—Entonces, estás preñada hasta los ojos... —soltó de pronto Kata una vez que nos quedamos solas, después de que el resto se metiera en el agua a surcar las olas antes de que se pusiera el sol.

Solté una carcajada al darme cuenta de la naturalidad con la que lo había dicho, sin anestesia, con la desinhibición propia de una confianza instalada atrás en el tiempo.

—Estoy de dieciocho semanas. Es una niña —le contesté acariciando mi tripa y esperando un saludo suyo que no se produjo; aún me resultaba extraño decir aquello, pero, desde que había empezado a notarla dentro de mí, mi instinto de protección hacia ella había crecido.

—He marcado tu número de teléfono infinidad de veces, y colgaba antes de que llegase a sonar ni un solo tono, porque no sabía si querrías hablar conmigo.

—¿Por qué no iba a querer?

—Porque estábamos peleadas —me confesó—. Pero no me preguntes el motivo, porque ahora es una tontería y no quiero empezar de cero contigo con ese recuerdo.

—Me parece bien, siempre que el motivo de nuestra pelea no fuera porque me robaste algo, te liaste con mi novio a mis espaldas o hablaste mal de las ballenas.

—¿Liarme yo con Scott? Te aseguro que a mí no me van los chicos atléticos y populares —especificó con retintín—. Yo soy más bien de los gafitas *sexys*. Las asiáticas les volvemos locos, ¿sabes? Y te aseguro que lo único que he robado en mi vida ha sido un catálogo de Funko de la tienda de Robbie; aunque, en realidad, creo que era un ejemplar gratuito.

—Pues únete a mi amnesia y olvídalo tú también —resolví dispuesta a comenzar de cero.

—Lo siento, Bay. Siento mucho todo lo que te ha pasado, siento no haber estado aquí y siento aún más no poder quedarme; pero te prometo que, a partir de ahora, puedes contar conmigo, aunque sea en la distancia. —La chica me cogió las manos entre la suyas, parecía sincera y bastante transparente en sus sentimientos, por lo que sentí que así sería.

—Gracias, Kata. Y ahora necesito que me cuentes todo lo que ahora mismo debería saber sobre ti, como dónde y qué estudias, o qué piensas hacer para convertirte en mi mejor amiga.

—Estudio en la Universidad Tecnológica de Sídney, mis padres son los dueños de la mejor joyería de Exmouth, mi familia cultiva perlas en Broome desde antes de la colonización y tengo dos hermanas mayores que siempre me han ignorado, lo cual me lanzó a pegarme a ti como una ventosa desde el primer día de colegio, cuando yo lloraba desconsolada porque extrañaba a mi madre y tú te me acercaste para que dejase de hacerlo, ya que, según tú, al llorar parecía que no tuviera ojos y eso podía dar miedo a los demás.

—¿Te dije eso?

—¡Vaya si lo dijiste! Y dejé de llorar, pero no porque me lo pidieras, sino porque continuaste hablándome sin parar y con mi llanto no era capaz de oírte, y yo quería escucharte porque estabas ahí preocupada por mí y parecías simpática. A diferencia de mis hermanas, ¡me prestabas atención! Así que dejé de llorar y empecé a escuchar cómo me contabas, como si nos conociésemos de toda la vida, que tu padre te había enseñado a hacer la voltereta lateral. Entonces empezaste a dar giros a mi alrededor y, claro, eso me pareció alucinante. Olvidé que mis hermanas no me hacían caso, olvidé que echaba de menos a mi madre, olvidé que era el primer día de colegio de mi vida, y entramos en el edificio cogidas de la mano.

—Bonita historia —le sonreí.

—El récord de volteretas laterales hoy en día es mío, que lo sepas —aclaró con importancia.

—Ah, ¿sí? Pues, si mi centro de gravedad no estuviese perjudicado, te exigiría una competición ahora mismo para actualizar esa puntuación —repliqué.

—Veo que sigues sin querer ser la perdedora. —Me empujó con el hombro con suavidad.

—No quiero ser la que se rinde.

—Genial, esa es mi Bay. Y, aunque te quiera mucho y tenga mil cosas que contarte, a tu novio el guaperas se le va a dislocar el brazo si sigue llamando tu atención de esa manera desde el agua. Creo que quiere que vayas y te subas a su tabla.

—Sí, quiere darme un paseo. Pero no somos novios. Sé que suena raro porque lo éramos, pero para mí todo es nuevo, incluyéndole a él.

—¿Has cortado con Scott? —me preguntó con los ojos desencajados.

—Sí... Bueno, la intención es empezar de nuevo. Tengo que volver a enamorarme de él y en tiempo récord —apuntillé dando un par de golpecitos a mi vientre—. Creo que él está convencido de lograrlo en estos días de vacaciones.

—Qué complicado... —Kata le miró y suspiró.

—No te cae bien, ¿verdad?

—No es eso. Scott es irresistible para cualquiera, es simpático, gracioso, abierto... Podría soltar toda una retahíla de adjetivos positivos sobre él. Es solo que... —Calló y miró hacia el mar—. Deberías ir con él. Míralo, da hasta pena.

Me reí al ver que Scott se ponía de rodillas en la tabla suplicándome que le acompañara y me levanté, a pesar de que quería conocer «el pero» que Kata tenía para él.

—¿Cuál es su adjetivo malo, Kata? Si eres mi mejor amiga, deberías decírmelo.

Kata se mordió el labio antes de contestarme:

—Decirte cosas negativas de él no va a ayudar mucho a que te vuelvas a enamorar, pero si es lo que quieres... es un inmaduro. De todos modos, ¿quién no lo es con diecinueve años?

La chica se tumbó para dar por zanjada la conversación y la dejé con la promesa de volver para seguir hablando sobre quién era ella, quién era yo y sobre cómo recuperar el tiempo perdido.

Avancé por la arena hasta la orilla con una asombrosa facilidad y no pude evitar acordarme de Jude, a quien había dejado plantado aquella tarde. Caminar por la playa se había convertido en nuestro momento, cuando él se relajaba, cuando no dejábamos que los problemas entrasen en nuestro silencio, porque había un acuerdo tácito de que la música fuera quien hablara. Me sujetaba, me guiaba y me forzaba a continuar mientras yo me concentraba en mantener un ritmo normalizado, en memorizar los datos que él soltaba con cuentagotas sobre los grupos que reproducía en su teléfono y cuya música llegaba hasta mí por uno de sus auriculares; a veces incluso con los dos cuando él me cedía el suyo para que fuera capaz de apreciar los detalles de alguna melodía.

Miré al frente, a la sonrisa triunfal de Scott al ver que por fin iba hacia él, y sacudí de mi mente el rostro de Jude.

—Alguien me había prometido un paseo en góndola —le dije.

—Suba a bordo, *signorina* —sonrió—. El sol está a punto de ponerse y voy a regalarte el atardecer más bonito que hayas visto.

Me senté delante de él, con las piernas estiradas sobre la tabla y enfrenté la cara a la suave brisa salpicada con espuma de mar.

—O sole mio... Sta 'nfronte a te...

Scott había arrancado a cantar a pleno pulmón mientras nos impulsaba con el remo hacia la otra punta de la bahía, y su entonación era tan estridente y desafinada que consiguió su evidente propósito, hacerme reír. Me tapé las orejas con las manos y le rogué que parase, pero él aumentó el volumen con un par de estrofas más antes de ceder a mis súplicas.

—Que sepas que muchas me suplican que les deleite con mi increíble voz.

—Serán de la asociación de sordas.

—¡Oh! Me sé uno buenísimo de sordos. ¿Sabes por qué los pedos huelen?

Me sujeté la frente ante la inminente respuesta que no deseaba oír y negué con la cabeza.

—Para que los sordos también puedan disfrutar de ellos.

Y llegó su carcajada, porque no había nadie que se riera de sus propios chistes como él, y lo peor era que su risa era tan pegadiza que conseguía que yo me riera, aunque me pareciesen los chistes más penosos de la historia de los chistes malos.

—Reconoce que no has vuelto a reírte así desde que me fui. —Me guiñó un ojo seguro de sí mismo.

—Lo admito. Nadie me somete a semejante sufrimiento.

—Sujétate, ¡vamos a por esa ola!

Scott viró la tabla y remó con brío hacia el nacimiento de una pequeña ola que yo estaba segura de que nos haría volcar, pero no fue así. Él era un surfista experto, conocía las olas, su velocidad, su naturaleza, cómo domarlas. Logró que nos encaramásemos a la cresta y disfrutásemos de ella durante unos segundos que me hicieron sentir como si volara sobre la superficie del mar. Me aferré a la tabla y me deleité con los ojos bien abiertos, olvidando por un momento el peligro, el riesgo que suponía para mí un mal golpe de la tabla sobre mi tripa, y disfruté. Entonces miré hacia la playa para ver si Kata nos había visto. La saludé con el brazo y ella me lo devolvió. Inmaduro, quizá era cierto, porque Scott aún no pensaba ni en el peligro, ni en el riesgo y, desde luego, parecía olvidar con pasmosa facilidad el hecho de que estábamos esperando un hijo; pero no podía culparle por ello, porque yo misma seguía deseando a veces no haberme quedado embarazada, porque a veces lo olvidaba, y otras, como aquella, simplemente lo ignoraba y por eso le pedí que intentara surcar otra ola aplaudiendo entusiasmada. Yo también tenía diecinueve años.

Scott tenía razón cuando dijo que no era el mejor día para surfear, porque el poco viento que nos había recibido cesó pronto y dio paso a una calma que convirtió el agua en un manto sereno por el que remó sin dificultad, disfrutando de una verdadera visión mágica, la de aquel atardecer tostado. Al cabo de un rato, sentí frío por culpa del bikini húmedo sobre la piel y sin los rayos de sol para secarlo, y solo por eso le pedí regresar a la playa; porque, en verdad, estaba disfrutando de su compañía, de aquel paseo juntos.

Nos quedamos en la playa hasta bien entrada la noche, alrededor de una hoguera en la que asaron patatas y calentaron salchichas. Kata y Scott comenzaron a hablar entre ellos con menos tensión, como si hubiesen hecho las paces en algún instante en el que yo había pestañeado, y eso dio lugar a un montón de anécdotas sobre mí que contaban quitándose el turno de palabra.

—¿Recordáis cuando en las prácticas de química agitó aquel matraz de agua con sodio? —Todos rieron, pero yo los miré interrogante—. ¡Creaste un explosivo! Aquella cosa salió disparada contra el techo e hizo un agujero en él.

—¿Y cuando le dijo al entrenador Morris que si no utilizasen abonos químicos para el campo de *rugby* no tendrían por qué haber retrasado el partido de *rugby* una semana porque el compostaje orgánico no soltaba vapores tóxicos?

Las risas llegaron hasta el cielo, rebotaron en él y regresaron en forma de círculo mágico, uno con amigos.

Aquella noche llegué bastante tarde al hostal, la única luz encendida era la de recepción y fue frustrante obligar a mi cuerpo a dormirse cuando estaba tan lleno de vida. Me había reído tanto, había conseguido rellenar tantos vacíos de mi mente con aquellas historias de mi pasado, que mi cerebro estaba sobreexcitado. No podía parar de recrear las historias en mi mente una y otra vez de modo que, a su vez, perfilaba lo que sería la personalidad de aquella Bay que había olvidado ser y que ahora me decía cómo poder continuar. Tenía que crear un modelo, con sus cualidades y defectos, para saber cómo reaccionar ante las nuevas situaciones a las que me estaba enfrentando. Bay era espontánea, luchadora, descarada, patosa, generosa, cabezota y con afán de protagonismo... Cada uno de ellos me había pintado con un color diferente, me habían regalado cualidades diferentes. Esa era yo, y esa es la que debía volver a ser para que todo encajase en mi mundo de nuevo.

La verdad es que me metí en la cama agradecida con Scott por haberme sorprendido. Había pasado el mejor rato desde que había salido del hospital, si no contaba la noche del desove del coral. Ciertamente, no habíamos tenido oportunidad de disfrutar de un momento de intimidad más allá del rato en la tabla y no habíamos vuelto a mantener una conversación a solas, pero había sido un precioso plan de amigos, de reencuentros y de recuerdos revelados. Y, sobre todo, cerraba el día con la emoción de saber que tenía una amiga, al fin. Alguien dispuesto a no dejar que me volviera a sentir sola nunca más, alguien que me ofrecía cariño y sinceridad para abrirme a ella y ser mi confidente. Y necesitaba tanto una confidente... Porque mi interior era un caos de sentimientos, de contradicciones, de lugares a los que no llegaba la luz.

Scott tenía todo el viernes organizado desde hacía tiempo, aunque me había desvelado poca cosa de su planificación, por lo que decidí que reservaría lo que quedase del sábado tras el trabajo para estar con Kata.

Pasados unos minutos, cerré los ojos, ansiosa por despertarme en un nuevo día en el que mi futuro parecía encaminarse por el sendero correcto.

17

Aquel viernes, el sol brillaba más, el aire era pura maresía, las sábanas resbalaban sedosas por mi piel y hasta las gaviotas habían esperado a una hora decente para posarse sobre el letrero del Jalalai y me habían concedido unos minutos más de sueño. Sonreí mientras me estiraba como un gato perezoso en la cama e inspiré con fuerza en cuanto percibí el aroma de huevos revueltos y pan tostado. Despertarse sin náuseas era un nuevo motivo para dar gracias por haber alcanzado el segundo trimestre de embarazo. Miré el reloj de mi muñeca y lo primero que pensé fue que Jude ya habría embarcado con el *tour* hacia el arrecife. No lo vería en todo el día y me convencí a mí misma de que el motivo de que mi primer pensamiento fuera para él en un día tan especial era por la influencia que ejercía en mí el estar durmiendo en su antigua cama, rodeada de sus antiguos muebles y abrigada con la estela de algunos de sus recuerdos de infancia. Entonces pensé en Scott y desplegué la sonrisa mientras me acariciaba la tripa.

Si dejaba que mi mente repasara las imágenes que había grabado del día anterior, destacaban sin lugar a dudas las del paseo en su tabla, la del sol quemando el horizonte mientras nos deslizábamos con suavidad por el agua y también las risas alrededor de la fogata. Sus amigos eran simpáticos y tenían mucho que contar y contrastar sobre sus respectivas universidades; y, aunque había esperado que aquella conversación me aislara, en realidad me entretuvieron y fue la primera vez que lloré de risa.

Si me centraba en Scott, en lo que recordaba de él, tenía que reconocer que había hecho un estudio profundo de las curvas definidas de los músculos de su espalda, de su trasero y de su mandíbula. Me sorprendía que semejante chico estuviera a mis pies sin que yo hiciera nada y me preguntaba qué había hecho en el pasado para conseguir que alguien como él se fijara en alguien como yo. No es que yo fuera una chica fea, de hecho, tenía que reconocer que mi abundante melena rizada del color de la arena tostada y mi cuerpo menudo hacían que fuera bastante llamativa; pero no terminaba de ver qué faceta de ambos encajaba para haber llegado a ser la pareja perfecta del baile, que es lo que todos parecían pensar que éramos.

Él era un animal social, un surfero reconocido, condicionado por el rumbo del viento, alguien sin preocupaciones, risueño, dispuesto a disfrutar de cualquier buena excusa, concentrado en triunfar. Scott era el sonido de sus carcajadas tras contar sus chistes ridículos, el carisma arrollador que conseguía captar la atención de todos en todo momento. Era imposible ser inmune a él y reconocí que mi yo anterior tenía buen gusto, pero presentía que mi actual yo tenía bien poco en común con él...

Scott me caía sinceramente bien y a mi cuerpo comenzaba a no desagradarle la idea de sentir su contacto; aunque aún necesitábamos pasar más tiempo juntos para que yo pudiera averiguar si mi corazón se sentiría libre para abrirse a él, si en algún momento mis latidos se atropellarían con una mirada que me hiciera desearle como algo más que un amigo. Pero, fuera como fuera, a él no le pegaba una chica como yo en ese momento, alguien sin rumbo, mientras él tenía los motores arrancados para comerse el mundo; a él no le pegaba arrastrar una novia de instituto embarazada y con un futuro incierto. Sin embargo, parecía que nada de eso le preocupaba y se estaba esforzando realmente por hacerme permanecer en su vida. Yo estaba motivada, así que me senté en la cama, estiré los dedos de los pies que últimamente se me agarrotaban al dormir y me puse en pie dispuesta a pasar un gran día junto a él, que había quedado en recogerme para hacer un gran desayuno tardío, un *brunch* en toda regla.

Me hubiera gustado ponerme un vestido parecido al que él me había elegido para salir del hospital, pero todos los de ese estilo me apretaban en el pecho, por lo que escogí uno de tirantes, oscuro, suelto y de algodón, sobre el que me puse un jersey fino de rayas blancas que se me descolgaba por un hombro. Ese detalle me pareció *sexy*, y sentirme *sexy* en mi estado, a esas alturas, era bastante complicado. Me dejé libre la melena de rizos y, por primera vez, decidí usar colorete, rímel y brillo de labios; aunque dar por hecho que a Scott le seguía gustando físicamente de la misma manera que lo hacía antes del accidente era absurdo… De algún modo, yo quería volver a ser la que era entonces, pero, sin lugar a dudas, aún no lo era. Ni por dentro ni por fuera.

Además, yo misma había alejado a Scott de mí al romper con él, pero aquello me había parecido justo para ambos. Quizá mi recién estrenada inseguridad, mi rechazo a su contacto y la manera en que me obsesionaba con la búsqueda de mi pasado habían hecho que él me viera de forma distinta, seguramente para peor. Y resolver todo eso era incluso más complicado que mejorar mi aspecto físico, así que, por el momento, decidí centrarme en esta última parte de la ecuación.

Gracias a las fotos, había visto que antes se me daba bastante bien maquillarme y lamenté no conservar el pulso firme para conseguir una de aquellas rayas en los ojos que me hacía entonces y que me hacían parecer una chica atrevida, con carácter y sensual; la chica de la que Scott se había enamorado. Resultaba evidente que, con el sutil toque de pintura que había conseguido ponerme, no había alcanzado el mismo nivel, quizá porque el maquillaje no barnizaba mi actitud, pero, aun así, me sentí bonita y decidida; aquel día, Scott y yo teníamos una segunda oportunidad y merecía mi esfuerzo, mi entrega, algo especial; merecía que mis labios brillasen un poco.

—Guau… ¿Hay un certamen de belleza en la Marina y no me he enterado? —silbó Beef al verme bajar por las escaleras.

—¿Tan mal me has visto esto días? Solo llevo dos brochazos mal dados en los mofletes… —le contesté.

—No, pero eres como las fresas. Solas están buenísimas; pero, con un poco de chocolate o champán, suben a otro nivel.

—¿Me estás llamando fresa? Porque creo que es el piropo más bonito que me han dicho nunca. Que recuerde, claro. —Me apoyé sobre el mostrador y reposé la barbilla sobre las manos. Un flirteo inocente no hacía daño a nadie y Beef tonteaba hasta con las clientas octogenarias.

—Que recuerdes... ¡Exacto! Porque Beef vende con eslóganes de propaganda barata, pero yo te he dedicado muchas veces versos enteros dignos de ponerles música para convertirlos en el tema romántico central con el que abrir el baile de cualquier boda. Solo tengo que recordártelos.

—Preferiría escuchar unos nuevos —contesté.

Al momento reconocí la voz de Scott. Llegaba puntual, con un paquete envuelto en papel de regalo entre sus manos.

—Si Mahoma no va a la montaña... —me dijo al entregármelo.

Abrí el envoltorio y vi una gorra con el logo de la Universidad de Perth.

—Espero que te la pongas cuando vengas a visitarme. La capital te va a encantar. Ahora, el único recuerdo que tienes de allí son las malditas paredes del hospital, así que tienes que regresar para dar un paseo por el río Swan, nadar en las playas de Sorrento, subir a la torre Bell, pasear por el parque Kings y tomarte un vino en el valle de Swan. Conmigo, claro —puntualizó.

—Lo del vino tendrá que esperar —respondí dando unas palmaditas a mi vientre—, pero puedo estrenar ahora mismo la gorra. Muchas gracias.

Scott miró fugazmente mi barriga y apretó los labios para sonreír de forma temblorosa; era más que evidente que era algo que aún no había asumido del todo. De todos modos, no podía molestarme con él, pues Scott no había vivido durante dieciocho semanas con una niña creciendo en su interior hasta alcanzar el tamaño de una patata considerable. Aquello se había convertido en algo real para él de golpe y era incapaz de saber cómo se sentía más allá del nerviosismo que demostraba de forma involuntaria.

—Venga, comencemos nuestro día de aventuras —le animé, disolviendo el momento incómodo con una palmada.

Scott me llevó al Adrift Café, un local de ladrillo rojo cercado por altas verjas de rombos que daban sombra a las mesas que había repartidas a su alrededor. Nosotros teníamos reservada una especial, lo cual me pareció extraño, porque no era la mejor mesa ni tenía nada que la diferenciara del resto...

—Aquí tuvimos nuestra primera cita —me aclaró.

—Entiendo —dije con presión en el pecho.

—Nos fue bien la otra vez. Quizá sea un talismán o quizá solo sea un sitio en el que ponen un desayuno increíble —me dijo retirando la silla para facilitar que me sentara.

—Genial, porque me muero de hambre.

—Pues empecemos por el helado.

—¿Para desayunar?

—Para empezar, y comprobar qué sabor eres.

—¿Cómo? —le pregunté confundida. Pensé que, o bien se había dado un golpe en la cabeza y no lo había visto, o hablaba en clave, o volvía a hacer lo que más odiaba, hablar conmigo como si mi mente no estuviera fundida.

Él sonrió, me miró con condescendencia y me ofreció la carta para que eligiera el plato que más me apeteciera. Me decidí por un enorme plato de tostadas con huevos, aguacate y queso, y un batido enorme de helado sabor mandarina.

—¿Qué historia turbulenta hay entre tú y Kata? —le pregunté para romper el hielo y le pillé desprevenido.

—Pfff... Bay, no es precisamente algo de lo que quiera hablar ahora. Es complicado.

Permanecí en silencio porque aquella respuesta no era lo que esperaba oír y supongo que, al mantener mis ojos fijos en él esperando una contestación, supo que debía aclarar el tema.

—No siempre me porté bien contigo, Bay. Ella era tu amiga y lo recuerda.

—Era una buena amiga, supongo.

—Muy buena amiga.

—No sé si quiero saber qué hiciste mal. Kata también me dijo que antes del accidente estábamos enfadadas y, si te soy sincera, no quiero saber por qué. Quiero unir piezas, pero estaría genial comenzar por las buenas. Si fui su amiga, quiero saber cómo nació esa amistad, no cómo estuvo a punto de destruirse. Si tú y yo fuimos novios, si nos quisimos, quiero saber cómo comenzó todo. Cómo fue nuestra primera cita, aquí. Quiero saber qué pasa con el sabor de los helados. ¿Comenzamos por ahí?

Scott desplegó su sonrisa, dispuesto a satisfacer mi deseo.

—Tenías un algoritmo infalible con el que, según tú, eras capaz de conocer la naturaleza de un chico. Tímido, arriesgado, discreto, apasionado... Todo, basándote en tres cosas: los zapatos, la música y el sabor del helado.

Entonces me explicó con todo detalle aquel disparatado algoritmo con el que me hizo reír e incluso cuestionarme qué tipo de persona era yo misma según ese patrón. Scott no me había preguntado por la búsqueda de mi madre y seguía sin sacar en la conversación el hecho de que íbamos a ser padres, pero se emocionaba contando los recuerdos de nuestra relación y yo quería recuperar con todo mi corazón ese pasado que él pintaba maravilloso, por lo que me rendí ante su pasión para sumar piezas al puzle de mi vida olvidada.

—No podía comprender que te encantara deslizarte por las dunas con la tabla de *snow*, pero que te negaras a dejar que te enseñara a surcar las olas.

—Supongo que porque no se puede bucear debajo de la arena.

—Tiene sentido. Llegué a pensar que debajo de esa falsa capa de piel humana tenías escamas de pez. De hecho... —Scott calló un segundo, como si sopesara el contarme aquello o no.

—¿Qué? —le apremié abriendo los ojos.

—Me contaste que de pequeña pensabas que eras la hija de una ballena y, bueno, en cierto modo, aquello debía tener sentido para ti. Tu padre estaba enamorado de ellas, y había una que regresaba aquí año tras año, y tú decías que era capaz de reconocerte porque era tu madre.

—Suena bonito... y triste. Aunque ahora me has hecho desear que llegue el invierno para ver si esa ballena regresa a mí de nuevo, si sigue reconociéndome o si me ve diferente —respondí con la mente en el mar, en un lugar imaginario en el que nadaba con una ballena que no recordaba. En aquel momento, me pregunté por muchas cuestiones que mi padre podría haberme contestado sobre la naturaleza de aquellos animales, sobre su capacidad cerebral y sensorial, sobre qué parte de verdad había en aquella fantasía de niña.

—Por eso, si por ahí encuentras alguna carta de amor en la que te llamo «ballenita», no te extrañes —me soltó con sorna para que mi mente regresara a aquella mesa.

—No puedes decir en serio que me llamabas «ballenita». ¡Es horrible!

—Era adorable y te encantaba.

—Pues ni de coña vayas a llamarme «ballenita» ahora o te reviento la nariz de un puñetazo. ¡No se le puede llamar así a una chica embarazada!

Scott miró por encima de la mesa hacia mi tripa y sonrió con la boca abierta, desplegando su encanto con aquellos dientes alineados.

—Pero si ahora precisamente es cuando más adorable puede sonar.

—Scott... Ni en broma —le amenacé con el puño cerrado.

Nos reímos. Reír era fácil con él. Por supuesto, después de aquello vinieron varios chistes sobre ballenas y personas gordas tan malos que, o te reías, o le grapabas la boca. Era imposible, tenía la capacidad de contarme chistes sobre amnésicos, cojos y gordos, ¡a mí!, y que me riera. Quizá porque la ofensa está en quien la siente, no en quien la lanza. Y yo no podía enfadarme con él, porque también sabía decenas de chistes sobre rubios tontos y musculosos, y los contaba para reírse con la misma intensidad.

—¿Sabes cómo llaman a la hija de alguien que ha dejado de practicar surf? ¡La hija del exsurfista!

Nos lo estábamos pasando tan bien charlando que, cuando él anunció que era hora de marcharse, lamenté cortar aquel momento. Temía que en cualquier instante todo se fastidiara, porque conseguir que todo aquello funcionara casi sin esfuerzo era demasiado bonito para ser verdad.

—¿Qué es lo siguiente?

—Bueno, ayer en mi torpeza intenté llevarte a hacer surf. Que no te gustara antes no quería decir que un buen golpe en la cabeza no hubiera podido recolocarte el cable que tenías tarado antes... —Le aticé en el brazo, aunque él rio igualmente—. Así que hoy voy a llevarte a hacer algo que sí sé que te gustaba hacer y que ahora también te gusta.

—¿El qué? —pregunté excitada.

—*Snorkel.* Hablé con Jude y me contó lo de la noche del desove del coral, que es algo que sí que puedes hacer mientras controles el tiempo de apneas y todo ese rollo que me dijo que te soltó la otra vez.

Me quedé sin respiración porque no esperaba que él hubiese hablado con Jude ni que este le hubiese hablado de nuestra noche; aunque, claro, realmente no había sido «nuestra noche», por mucho que así la hubiese sentido yo... Y no supe cómo reaccionar al respecto, porque los sentimientos de enfado con Jude se mezclaban con los de sorpresa por Scott y los de desconcierto por la mezcla de ambos.

—¿Por qué pones esa cara? Llevas bañador debajo, ¿no?

—Sí, he aprendido que esa es la ropa interior que se usa aquí.

—¡Pues vamos allá! El velero nos espera.

—¿Velero? —pregunté asombrada.

Entonces Scott arrancó el coche, me miró con un brillo esperanzador en sus ojos y puso dirección al club náutico. Durante el trayecto, puso la radio y dejó que sonara la música. Tarareaba todas las canciones sin miedo a hacer el ridículo, porque era más que consciente de que tenía un oído enfrente del otro y, como era el primero en reírse de sí mismo, pasamos todo el viaje haciendo lo que mejor hacíamos juntos: reír.

Pasamos por detrás de su casa, pero no paramos allí, algo que agradecí. En todo aquel tiempo, sus padres no habían dado señales de vida y no se habían preocupado por mí ni por cómo iba mi embarazo. Había asumido que lo que ellos esperaban era que me volatizara y dejara de formar parte de la vida de su hijo; pero esa pelea no debía lucharla yo.

Scott avanzó hasta los muelles, dejamos el coche en el aparcamiento del club y, al bajarnos, él agarró una cesta y una bolsa de deporte.

—¿Qué llevas ahí dentro? —pregunté con curiosidad.

—Instrumental para la diversión —me guiñó un ojo y le seguí.

Entonces se paró delante de un velero impresionante y, antes de saltar dentro, me miró.

—¿Lo has alquilado para hoy? —pregunté impresionada.

—No, Bay. Convencí a mis padres para que lo comprasen y me apunté a clases de vela. Me saqué la licencia, por ti.

—¿Por mí?

Otra vez la sensación de culpa, otra vez aquella expresión de decepción que Scott no podía ocultar cada vez que la esperanza de darle color a un recuerdo se desvanecía.

—Anda, subamos. El tiempo es oro —resolvió él esquivando mis ojos.

Agarró uno de los cabos que amarraban el barco y tiró de él para acercarlo un poco al pantalán. Lanzó la bolsa a la cubierta, saltó y me alargó la mano para que le pasara la cesta. Después afianzó el cabo en su mano y me ayudó a subir a bordo. Era un velero realmente precioso, con el casco azul marino y la cubierta blanca. Las velas estaban recogidas y amarradas al mástil, y, al reparar en ellas, creció en mí el deseo de verlas desplegadas.

—Ven aquí y siéntate. No quiero que resbales y te des un golpe.

—Scott, solo estoy embarazada, no me he vuelto una inútil.

—La última vez que te vi llevabas muletas para andar.

—Hace semanas que no las uso. He hecho mucha rehabilitación —le dije mientras me dirigía al sillón que me había indicado.

—Genial. Pero ayer quedé como un imbécil al pensar que podías hacer surf y quiero que quede claro que quiero cuidar de ti. Así que siéntate, Bay. ¿De acuerdo?

—Sí, mi capitán —respondí cual grumete.

—Siempre he querido escucharte decir eso... —dijo con los ojos entrecerrados antes de colocarse una gorra que apartó la melena de su rostro.

—Relájate o harás que vuelva a tener náuseas...

Scott se dio media vuelta riendo y comenzó a moverse por la cubierta con soltura. Colocó nuestras cosas en el lugar adecuado, arrancó los motores de la embarcación, soltó amarras y comenzamos a deslizarnos sobre el agua. En cuanto salimos a mar abierto, aumentó la velocidad, el viento revolvió mis rizos y experimenté una sensación de libertad maravillosa. Scott me miró y sonrió, entonces empezó a explicarme cada paso que daba.

—Voy a poner el piloto automático en el timón para poder ir a liberar los rizos de los cabos. Hay que evitar que se formen nudos o haya roces a la hora de subir la vela.

Vi que analizaba el viento y cómo esperaba a que se dieran las condiciones adecuadas. Se movía de un lado a otro con seguridad, como si lo hubiera hecho infinidad de veces, y me pregunté si yo ya había experimentado aquello también infinidad de veces. No se lo pregunté porque la respuesta no cambiaría mi sensación de novedad, de emoción, de admiración hacia él.

—Voy a abrir la funda del palo y ahora comienzo a tirar de aquí, siempre observando el viento, observando cómo sube la vela. —Se detuvo un momento porque, al parecer, le entraba mal el viento, así que aguantó hasta que volvió a entrarle de forma correcta y terminó de subirla con ayuda de una manivela—. Ahora voy a guardar los rizos que he soltado antes y a regresar al timón, con el cabo del enrollador siempre a mano para poder controlar la vela.

Aplaudí su clase magistral y él respondió quitándose la camiseta con un movimiento rápido. No me esperaba que hiciera aquello y solté un alarido incrédulo.

—¿En serio te acabas de quitar la camiseta? Dime que no lo has hecho para que pueda admirar tus pectorales, porque desde aquí ha quedado demasiado obvia tu intención de impresionarme con tu físico —me reí con los ojos desorbitados y la boca abierta.

—¡Por supuesto que lo he hecho para eso!… ¿Ha funcionado?

—No voy a quejarme de las vistas —contesté escaneándolo de arriba abajo porque realmente aquella estampa parecía un anuncio de colonia—, pero no sé exactamente qué pretendías lograr. Eres guapo y lo sabes, Scott.

—Solo dispongo de unos días para enamorarte, no me juzgues por jugar todas mis cartas.

Sonreí y negué con la cabeza; él era bastante transparente, no filtraba las palabras antes de soltarlas por la boca, ni su repercusión. ¿Enamorarme? Lograr eso en unos días era tan complicado… pero estar allí con él y tener la oportunidad de conocerle ya era algo extraordinario para mí y, en tan solo un día y medio, podía decir que tenía delante a un chico capaz de hacerme reír de mí misma, de él, de las desgracias de la vida... Que no cejaba en el intento de recuperar lo que había perdido y que tenía un físico de infarto.

Mientras estaba con él, en mi mente había una continua lucha entre las ganas de conocerle y el sentimiento de decepción por no llegar a ser quien él había conocido, por no recordarle, por no amarle como se suponía que lo hacía solo unos meses atrás. Yo quería que eso ocurriera: recordarle y continuar donde lo dejamos, pero ya había aceptado que recordar no era una opción válida a esas alturas y solo me quedaba la esperanza de que la memoria de mi corazón se activara, que volviera a latir por aquel chico encantador, positivo y bromista. Sentía el paso del tiempo como un enemigo, la distancia como una amenaza y mis sentimientos confusos hacia Jude como un engaño y una traición a Scott y a mí misma.

Giré la cara hacia la costa mientras pensaba en todo aquello para que él no percibiera mi inquietud y le rogué a mi cerebro que se centrara en vivir el instante, que se entregara por entero a aquella oportunidad.

Navegamos durante un buen rato hasta llegar a la zona del santuario Lakeside, donde Scott arrió la vela y fondeó.

—Por aquí no dejan pescar, por lo que suele haber peces de arrecife grandes. Creo que lo vas a pasar bomba.

—¿Bomba? —reí. Con él no podía dejar de hacerlo.

Me quité el vestido y me puse las gafas de bucear; no podía ocultar lo emocionada que estaba de poder ver por fin con mis propios ojos las vistas que llevaba vendiendo a los turistas durante semanas. La noche del desove fue mágica, pero había tanto que explorar allí y había visto tan poco...

Scott me ayudó a tirarme al agua y bromeó con la seguridad que le proporcionaba ir con una boya refiriéndose a mí.

—Acabas de perder todos los puntos que habían ganado tus pectorales.

—Ponte el tubo y mete la cabeza en el agua; con lo que vas a ver ahí abajo, voy a recuperarlos todos y a ganar muchos más.

Le saqué la lengua divertida, me coloqué bien las gafas y acepté su mano para disfrutar de aquel regalo de la naturaleza.

¿Cómo describir cuando no sabes hacia dónde mirar porque todo lo que te rodea tiene tal belleza que sobrepasa tu capacidad de asimilación? Corales rosas, amarillos, bancos de peces azules atravesándolos, crías de tiburón escondidas entre las formaciones rocosas, peces grandes, pequeños, diminutos... Aquello era una explosión de color, de vida, de calma serena que me hizo pensar en la forma que Jude lo había descrito: el edén.

No sé cuánto tiempo estuvimos nadando, pero sí sé que me arrepentí de no haberme llevado la cámara de fotos, porque tuve que almacenar todas aquellas imágenes en mi cabeza. Cuando volvimos a subir al barco y saqué el tubo de mi boca, comencé a hablar sin descanso, relatando todo lo que habían visto mis ojos, como si Scott no hubiese estado a mi lado durante todo el tiempo viendo lo mismo que yo.

—¿Por qué sonríes así? —le pregunté por fin al ver que encontraba melancolía en sus ojos.

—Porque ahora mismo eres más Bay que nunca. Bay en estado puro. —Scott lanzó sus gafas de bucear al sillón y buscó una toalla para mí y otra para él antes de continuar hablando. Yo me había quedado muda, pensativa—. Antes, cuando hacíamos esto, reaccionabas siempre así, tal y como has hecho ahora. Es verdad que ha sido tu primera vez pero, es que para ti parecía ser siempre la primera vez. Salías y me explicabas todo lo que habíamos visto, las especies de los corales, los tipos de peces, las familias que habías reconocido y que siempre se refugiaban en la misma zona... Tú lo sabías todo y parece que sigues sabiéndolo.

—No es que lo recuerde, Scott. Es que lo único que he hecho estas semanas ha sido estudiar sobre Ningaloo. Siento volver a decepcionarte. Si te ha parecido que volvía a ser la de antes, no ha sido porque recordase. Supongo que habrá sido porque quizá esa parte de mí es inmutable, quizá es una parte inmune a los recuerdos, a las experiencias vividas, al resultado de... Quizá esta parte está insertada en mis genes y, por muchas versiones de mí que puedan existir, siempre tendrán esto en común. Sin embargo, jamás volveré a ser quien era.

—Lo sé... ¿Crees que no lo sé? —dijo con dolor.

En sus ojos vi que yo era otra para él y que su esperanza comenzaba a esfumarse, que había apostado todo a aquel día y, por momentos, veía cómo las cosas no iban a ser como él esperaba.

—Te he traído a este barco porque fue aquí donde hicimos el amor por primera vez. Pensé que, si había un lugar especial en el mundo capaz de hacerte recordarnos, a ti y a mí, sería este.

—¿Aquí? Dios mío, Scott... Eso es demasiada información. Demasiado importante y frustrante —resoplé y me senté envuelta en la toalla—. Yo... siento todo el rato que te estoy decepcionando.

—Y yo siento hacerte sentir eso. Te extraño, Bay.

—¿Pero es a mí a quien realmente echas de menos? ¿A esta Bay? Porque ahora no me conoces, ni yo te conozco realmente, pero en mi caso quizá es más fácil porque parto de cero. Pero tú... Tú quieres recuperar algo que recuerdas, y comparas, y ves la diferencia. ¿Cómo puedo competir con eso? Porque no voy a volver a ser ella, Scott. El día del accidente esa Bay también murió porque murieron sus recuerdos. ¿Y qué es una persona sin recuerdos? Un muerto. La vida son recuerdos, una suma de ellos. Y yo no los tengo.

Sentí que las lágrimas brotaban de mis ojos y aquello hizo que Scott salvara la distancia y me abrazara. Aquel no fue un abrazo entre dos personas que se amaban, fue un abrazo amigo que intentaba consolarnos a ambos.

—Lo siento tanto... —me dijo con la voz ahogada, haciendo verdaderos esfuerzos por no romper también a llorar.

Permanecimos en silencio un buen rato, dejándonos mecer por el suave oleaje de la costa.

—¿En serio perdí aquí la virginidad? —le dije con tono incrédulo, con la intención de recuperar su buen humor.

—Y fue increíble.

—No quiero saber los detalles. Es demasiado pronto para eso.

—¿Te cuento el primer beso? —lo preguntó con tantas ganas de contarlo que no pude negarme, aunque sintiera que también era demasiado pronto para eso—. Recibí tu primer beso dos semanas después de aquella cita en el Adrift Café. Sí, no me mires así. Lo *recibí*, porque no fui yo quien se lanzó. Y no es que no hubiese intentado besarte desde aquella tarde, es que decías que tenías que sentir que era el momento perfecto. Y por Dios si busqué momentos perfectos: noches de bailes alrededor de la hoguera con mucho alcohol de por medio, paseos en el barco hasta el arrecife, momentos en la orilla en los que intentaba acariciarte la palma de la mano antes de posarla sobre mi corazón para que vieses cómo estaba de desbocado... Sin embargo, aquel día, *el día* —recalcó alzando las cejas—, fui un simple espectador que te observaba mientras jugabas con el objetivo de tu cámara. Yo me estaba dejando fotografiar en ángulos imposibles mientras te contaba chistes; porque antes también te hacía reír, ¿sabes? —Sonreí—. De pronto, viste algo a mi espalda, a lo lejos, y usaste el atardecer desde el faro como fondo para capturar la imagen de una ballena jorobada que giraba sobre su vientre en un salto imposible. Tras conseguirla, te lanzaste hacia mí eufórica, como si hubieses logrado meter en tu máquina un momento irrepetible y único. Dijiste que yo te había regalado un recuerdo imborrable, porque te había llevado hasta allí en el momento justo y el día adecuado. Entonces, te sentaste sobre mis piernas sin titubear, me agarraste la cara e impactaste tus labios contra los míos. Y, madre mía, Bay, de pronto me sentí el tío más inexperto en besos del planeta. Me dejé guiar por ti, como si fuera mi primera vez. De hecho, si me preguntaran hoy en día por mi primer beso, mentiría si mencionara a Betty Martyn, porque aquello fue solo un torpe roce de labios babosos.

Scott me agarró de la barbilla para que pudiera mirarle bien y terminó con su recuerdo:

—Mi primer beso fue una puesta de sol que me abrasó de fuera a dentro.

Vi su intención a cámara lenta y los pensamientos en mi cabeza fueron a mil por hora, porque, por muy conmovida que estuviera por lo que acababa de contarme, yo no estaba preparada para que él me besara, así que le retiré la mano de un guantazo y me eché para atrás.

—¿Pero qué narices haces? —le espeté culpándole de estropearlo todo.

—Joder, Bay. He creído que era el momento, me has dejado abrazarte. Yo... he sentido que debía hacerlo. —Scott se puso en pie, se pasó las manos con nerviosismo por el pelo y luego las apoyó en las caderas para mirar por encima de mí hacia la costa.

—Te dije que necesitaba tiempo, comenzar de nuevo... ¡Solo hemos montado en tabla de surf y desayunado juntos! —Me agarré los brazos porque el frío se apoderó de mí en cuanto la distancia se interpuso entre nosotros.

—Te he abrazado.

—¡Jude también me ha abrazado y no me he enrollado con él!

—¿Que Jude te ha abrazado? —De pronto abrió los ojos descolocado.

—Tú no has estado aquí y he necesitado que me abrazasen, sí. Me he sentido sola, perdida y asustada, pero quería que esto funcionara, Scott. ¡Quiero que funcione! Pero aún no deseo...

—Aún no *deseas* besarme. —Él terminó la frase ofendido, como si le hubiese llamado rana verde asquerosa y pegajosa.

—No *quiero* besarte —le corregí colocando la mano en el corazón.

—Joder. Eso suena casi peor.

—Claro que mi cuerpo desea besarte, cualquier chica lo desearía. Estás muy bueno, Scott. —En mi cabeza sonreí ante lo que acababa de decir, pero la situación no era la apropiada—. No entiendes lo que quiero decirte.

—Te juro que no.

Me puse en pie y fui hacia el macuto donde él había guardado antes mi vestido para ponérmelo. Él me siguió con la vista esperando que le diera una explicación que pudiera llegar a comprender y yo busqué las palabras adecuadas.

—Scott, quieres provocar mi primera sonrisa, mi primer escalofrío y mi primera vuelta de corazón en un solo día, y esas cosas surgen poco a poco. ¡Ni te cuento lo que debería tardar el conseguir el primer beso de alguien! Yo también quiero volver al mismo punto en el que estábamos justo antes del accidente, pero no puede ser. Esto es una carrera de fondo, no es un *sprint*. ¿De qué sirve que mi cuerpo desee besarte si mi corazón aún no te quiere? —Suspiré y le miré bien al centro de sus ojos—. Y, además, quiero que, cuando me beses, me beses a mí y no al recuerdo de Bay.

—Bay, tú sigues siendo tú, aunque no tengas los recuerdos que yo conservo. ¡Y me sigues gustando! Ayer lo pasé genial contigo, hoy lo estábamos pasando genial, y no querría estar en ningún otro lugar ni con nadie más ahora mismo, de verdad. Quiero besarte *a ti*.

—Pues yo aún no.

Scott soltó el aire de sus pulmones rendido y miró al cielo por donde el sol comenzaba a descender atenuando los colores brillantes del día.

—Lo entiendo. —Relajó los hombros rendido—. Lo siento mucho, Bay.

—Yo también lo siento, Scott. —Le puse una mano en el brazo con suavidad, porque no quería seguir sintiendo que se abría un abismo entre nosotros.

Él dio un paso atrás, pero hizo acopio de fuerzas para poner una sonrisa en la cara.

—¿Te enseño a tripular el barco? —Encogió los hombros y torció la boca.

—Me encantaría aprender.

Aunque habría apostado la cabeza a que tenía algo más preparado para aquel día, tras atracar el barco en el club, nos montamos en el coche y me llevó de vuelta al Jalalai. Los dos intentamos comportarnos con normalidad, como si no hubiera pasado nada, pero no lo conseguimos. El silencio ganó a las palabras, los suspiros atenuados a los chistes y las miradas ausentes a la ilusión.

En cuanto cerré la puerta de la casa y me di cuenta de que Adele no estaba allí, fui a calentarme una infusión que me reconfortara por dentro. Tenía un tornado de emociones reprimidas dentro. Mientras zigzagueaba la bolsita de té en el agua, dejé que la frustración se apoderase de mí poco a poco, terminé derramando el agua caliente sobre mi mano y grité de rabia. Al principio fue solo un poco, pero vi tan placentero expulsarlo todo por la boca que volví a gritar y terminé lanzando la taza con furia y rompiéndola en decenas de pedacitos que me representaban por completo. Piezas rotas y dispersas incapaces de contener nada dentro.

Estaba a punto de volver a gritar cuando la puerta se abrió de golpe y apareció Jude con la mirada desencajada.

—¿Qué te ocurre?

Debía de haber subido las escaleras en dos zancadas, porque el pecho se agitaba bajo su camiseta como si acabara de llevarse el mayor susto de su vida. No pude contestarle, tan solo volví a gritar. Él se quedó en la entrada, quieto como una estatua. Yo necesitaba proyectar afuera la furia, desahogarme de nuevo, y busqué por encima de la encimera otra taza o vaso que lanzar. Intuí que se acercaba con paso lento hacia mí, pero le ignoré. Aquello no iba con él y temí que, si se me acercaba mucho en aquel momento, podía incluso llegar a atizarle con mis propios puños como si fuera un saco de boxeo.

—Esa era tu taza —dijo mirando los trozos dispersos a sus pies.

—¡Me da igual! —grité como una loca poseída por un espíritu maligno. Él siguió avanzando hacia mí.

—Ten, esta es la mía. —Me ofreció su taza tras abrir la alacena para cogerla, y con ello consiguió acercarse unos metros más.

Yo le miré confusa, sopesando si quizá él estaba también con la cabeza ida en aquel momento como yo.

—Suelta estrés —volvió a ofrecérmela, acercándose a mí hasta que pude olerle.

Entonces, la acepté y la estampé con todas mis fuerzas contra la pared, y volví a gritar.

—¿Mejor? —me preguntó mientras abría un armario para hacerse con una escoba y un pequeño recogedor.

—¡El día iba genial y Scott ha tenido que fastidiarlo todo! —exclamé indignada.

—Bay, ya te dije que no quiero saber nada de tus problemas sentimentales. Si quieres estrellar otra taza con la pared, adelante. Yo lo recogeré todo luego, pero no quiero estar en medio de nada.

Vi cómo sorteaba la mesa para ir hacia la entrada y recoger el resultado de mi ataque de locura. Yo sentía que me salía aire caliente por la nariz, respiraba acelerada y el corazón me humeaba como una central nuclear. Ignoré lo que acababa de decirme y le solté aquella frase llena de irritación:

—¡Ha intentado besarme!

Entonces, Jude se giró hacia mí, con rapidez, con el cuello tenso, como si le hubiese golpeado y tuviera que defenderse; pero, para mí, tener sus ojos alineados con los míos fue suficiente para soltar casi sin respirar todo lo que llevaba dentro.

—Se supone que debemos volver a ser novios porque es el padre de mi hija, pero yo le pedí tiempo, porque una no se enamora de alguien en dos días, y hoy ha intentado besarme. ¡¡Eso no es darme tiempo!! Pero ese no el problema real. Lo que ocurre es que, si él me besa, ¿entonces qué? Nos volvemos a hacer novios, nos casamos y criamos a la niña. Final feliz, ¿verdad?... ¿Pero entonces sus besos serán los únicos que tendré en mi vida? ¡Serán los únicos que pueda recordar! Tengo diecinueve años perdidos, olvidados, con todos sus besos incluidos. Y ahora se supone que nunca jamás habrá otros que no sean los suyos y eso es horrible. ¡Y es horrible pensar eso! ¡Y me siento horrible en general! —Tras mi atropellado discurso, terminé gritando de nuevo, con las manos agarrando con fuerza la mesa de madera y con todo el cuerpo en tensión.

Jude tenía la boca apretada, su expresión era de un tremendo enfado, las venas de su cuello se marcaban como si fuesen cables de alta tensión. Se acercó con los restos de taza que había recogido y dejó el recogedor sobre la mesa para acercarse a mí. Me miró aún con esa expresión aterradora. Pensé que iba a regañarme por ignorar su petición, por soltarle todo lo que no quería oír, por forzarle a ser la clase de amigo que no deseaba ser para mí. Entonces, antes de que pudiera pestañear, sentí cómo me agarraba la cara con ambas manos y me besaba con furia.

No fue un beso único cargado de rabia, fueron infinidad de besos rápidos, intensos y abrasadores, en los que se apoderó de mi boca, por fuera y por dentro, llenándose de mi aliento y apoderándose del control de mi cuerpo.

—Ya tienes con qué comparar sus besos.

Jude me soltó, aún con la mirada furiosa, se giró y cruzó el salón en dos zancadas antes de salir por la puerta abierta machacando el resto de trozos de taza con la suela de sus zapatillas.

Me sentí como un globo tras el impacto de un alfiler y tuve que agarrarme a la mesa de nuevo, porque sentí que las rodillas me flaqueaban, y sostuve la mirada al frente incapaz de procesar aquello.

—¿Qué narices ha sido eso?

Al instante, Kata asomó sus ojos rasgados por el umbral de la puerta, con la boca abierta en una sonrisa alucinada y con los ojos todo lo abiertos de lo que era capaz.

18

KATA

Para ser la amiga de una estrella tienes que tener la capacidad de ser inmune al fuego, porque su destello te abrasa si intentas ponerte a su misma altura, pero te ilumina convirtiéndote en algo más bello si respetas el espacio de seguridad.

Yo era de las pocas que sabía a cuántos metros era necesario permanecer de Bay. Quizá porque nunca he querido ser una estrella; verla a ella serlo ya era demasiado agotador. Muchas veces he pensado en lo que habría ocurrido si mi amiga hubiera sido consciente de todo su poder, y creo que habría consumido toda su energía hasta convertirse en un agujero negro.

No soy una persona extrovertida ni muy habladora, y tampoco se me da bien hablar de sentimientos. Yo era el yin, Bay era el yang. Hay quien necesita hablar y ser escuchado, como ella, y luego estamos las que escuchamos. No quiero decir que ella nunca me escuchara; es que, en realidad, yo sentía que no tenía muchas cosas que decir tan interesantes como las suyas.

Tampoco es que Bay y yo estuviésemos todo el día pegando carteles reivindicativos, buceando o recogiendo basura de las playas. Nos gustaba juntarnos en mi casa para ver series, maquillarnos la una a la otra siguiendo tutoriales de YouTube y ver todos los vídeos de Shawn Mendes (porque ambas sabíamos que él era mi alma gemela).

Era la mejor amiga si la necesitabas, pero el problema llegaba cuando había que priorizar:

—¡Odio a Mae! Me ha cogido el bikini amarillo, el que pedimos tú y yo de rebajas. ¡El que hace que parezca que tenga tetas! Justo hoy que he quedado con Wade. ¡La odio!

—Kata, eso no tiene importancia. Yo te presto el mío naranja, son iguales. Pero tienes que ver esto... —solucionó Bay.

—¡No son iguales! —la interrumpí—. El tuyo es naranja, el amarillo es mi color. Y tú le quitaste el relleno.

Wade me había pedido que le acompañara a ver las estrellas con el grupo de astronomía del instituto. Iban a llevarse el telescopio a la playa, las neveras con comida y bebidas con cafeína, que para ellos era de lo más atrevido. A mí ese chico me parecía encantador, un sabelotodo de sonrisa temblorosa que me prometía una noche de ciencia. Mi intención era terminar viendo otro tipo de fenómenos cósmicos con los ojos cerrados. Sentía que era la noche, que era el chico y que ya era el momento.

—Quité el relleno, pero no lo tiré, lo vuelves a meter y punto. Aunque yo no lo haría, porque, cuando te lo quites, Wade se dará cuenta de que todo era un engaño. ¡¿Quieres atenderme ahora?! Esto es importante. ¡Quieren instalar un oleoducto de diez kilómetros que atravesará el arrecife!

¿Cómo va a ser importante que tu hermana te haya cogido el bikini que mejor te queda justo el día que has quedado con el chico que te gusta cuando el planeta está en peligro? Era imposible competir con la importancia de los temas que Bay siempre tenía entre manos. Conseguir su atención era difícil; era más fácil dejarse arrastrar por su magnetismo y unirte a sus luchas inspiradoras, que te hacían sentir mejor persona. Aquella noche dejé plantado a Wade, pospuse la pérdida de mi virginidad y me dediqué a diseñar panfletos junto a mi amiga en contra de la compañía de construcciones subacuáticas.

Los demás, sin embargo, no eran como yo; los demás iban y venían. Como digo, era demasiado agotador permanecer a su lado. Para ella no se trataba de huelgas, protestas, ni levantamientos, era una forma de vida. Yo era su constante, mientras que los demás cambiaban como las estaciones y volvían cuando se había cumplido el ciclo. Hasta que llegó Scott.

¿Por qué él se fijó en ella? Obviamente, porque todos lo hacían. ¿Por qué ella se enamoró de él? Quizá porque el muchacho no desistió hasta conseguirla, porque luchó, y ese era el idioma que Bay entendía.

Dejamos de ser dos, para ser tres. Y luego pasamos de ser tres, para ser dos más una. Mentiría si negara que me sentí celosa, desplazada y perdida. Envidié lo que tenían porque yo también quería mi historia de amor en el instituto, y la suya era tan comercial que todo el mundo la compró. Eran como las patatas fritas y el kétchup, como el cine y las palomitas de maíz, como los nachos y la salsa de queso. Pero, a pesar de mis celos, quería y comprendía a Bay más que nadie, así que me uní a su club de fans conjunto y acepté la nueva situación.

Lo que ocurrió después fue de lo más previsible: la lucha de Scott terminó en cuanto consiguió a Bay, pues, como ocurría con todos, terminó resultándole un premio demasiado pesado.

Yo había sido testigo del cortejo, de todas las payasadas y muestras ridículas que Scott había hecho para conseguirla; y había sido la primera en notar que él la hacía reír como nadie, incluso antes de que ella se diera cuenta. Por desgracia, también fui la primera que intuyó el comienzo del final, la que se dio cuenta de que la estrella había carbonizado al conquistador:

—No quiero salir hasta que se hayan ido todos. No puedo parar de llorar, soy patética —me dijo a través de la puerta del baño.

—No eres patética. Te acaban de romper el corazón y eso duele. Cuando algo duele, se llora.

—Sí, pero no hace falta que me vea todo el instituto hacerlo. El sufrimiento ajeno es carnaza para los tiburones con dos piernas.

—Pues convierte las lágrimas en odio y sal de ahí. Scott ha sido un cobarde cortando contigo en el instituto, en un lugar lleno de gente donde sabía que no le montarías el numerito que merece. Maldito *hueviencogido*, yo ya le odio.

—No hables así de él, Kata —rogó Bay con la voz gangosa.

—¿No irás a defenderlo encima?

—Claro que no, pero hasta hace una hora le habría donado un riñón si lo hubiese necesitado. Me duele si hablas mal de él... Porque no lo entiendo. ¿Viste alguna señal, Kata? ¿Tan tonta he estado que lo tenía delante de mis narices y no me di cuenta?

—Bay, no has sido tonta. Nadie podía imaginar que Scott haría algo así... —mentí.

Lo hice porque hay veces que la verdad duele y no soluciona nada el contarla. Aunque yo le hubiese dicho a Bay que había visto tontear a Scott con otras de forma totalmente «inocente», aunque le hubiese dicho que era ella la que últimamente mandaba siempre el primer mensaje para contactar con él, aunque le hubiese abierto los ojos relatándole cómo dejó un día que Sophie le acariciara el trasero consiguiendo un rechazo meloso por su parte... No habría cambiado nada, porque no estaba en manos de Bay cambiar el desenlace.

Todo ocurrió unos días antes de la Schoolies Week, con el viaje organizado. No se puede ser peor persona. Bueno, quizá eso es demasiado fuerte, pero desde luego no se puede ser más egoísta e inmaduro, porque el grupo del viaje ya estaba hecho desde hacía meses; y, aunque Scott había cortado con ella prometiéndole amistad eterna, viajar todos juntos era una opción impensable para Bay.

—No pienso ir a Bali, Kata —me dijo rotunda.

—¡No puedes dejarme tirada a mí! ¿Qué demonios voy a hacer yo allí sin ti?

—Disfrutar con Paula, Hanna, Louise y Gaby.

—Sí... Sobre todo con Gaby —ironicé.

—Me ha salvado el culo con lo del dinero. —Sus ojos transmitían tal pena que me dieron ganas de darle una bofetada por no ser capaz de ver la intención egoísta de esa mala pécora.

—Lo ha hecho porque va a por Scott, y lo sabes.

—Pues ahora tiene libre el terreno.

Bay se irguió en el intento de fingir que ya no le importaba, pero le duró un par de segundos. Sus hombros volvieron a caer y su mirada a perderse.

—¡No me dejes, Bay! Iremos por nuestra cuenta, ligaremos con extraños, haremos turismo, nos meteremos en la piscina del hotel hasta arrugarnos con un cóctel en la mano...

—¿No entiendes que no puedo ir y ver cómo él se pone a ligar con otras delante de mí? La sola idea de verlo borracho disfrutando de la vida cuando yo siento que la mía se desmorona a pedazos consigue que me falte el aire. Esto es una mierda mierdosa, grande y asquerosa.

Siempre me reía cuando decía aquello, porque era infantil, pero lo decía con tanta pasión que eras capaz de imaginarte la cagada de gaviota más desagradable de la historia de las cacas. Aquella vez, sin embargo, no sonreí.

—Pues sí. Es una puñetera mierda.

Bay la «intensa», la «dramas», la de «esto es lo peor que me podía pasar en la vida» eran nuevas facetas que nacían en ella tras esa experiencia. Por primera vez no se trataba del mundo; *ella* era el mundo. Pero la conocía y sabía que, por mucho que le dijera, no había vuelta atrás; y, efectivamente, ella se quedó y yo me marché de viaje. Yo fui quien vio a Scott cumplir los presagios de Bay y los míos, y quise incinerar mis ojos cuando le pillé montándoselo con Gaby en la piscina cubierta. ¡Con Gaby! Me resultó tan predecible y patético... En cierto modo, yo también le había cogido cariño a Scott, le había aceptado como parte de mi vida y me reía con su comportamiento siempre desenfadado y alegre, pero, tras aquello, me convertí en su *hater* oficial; porque así son los sentimientos de volubles, que pueden llevarte de un extremo al otro en un pestañeo. Al fin y al cabo, yo no era la que había estado enamorada de él; yo solo era la amiga vengadora de Bay.

La sorpresa fue que, a mi regreso del viaje, ella estaba diferente. Supe que ocultaba algo, pero ella me lo negó repetidamente y fue la primera vez que me sentí lejos de mi amiga. Cuando Scott volvió a revolotear sobre ella, Bay le dio la oportunidad de aclararse. Yo esperaba que lo mandase al cuerno, pero ella quiso entenderle y decidió eliminar la Schoolies Week de su vida, como si no hubiera existido. Se había puesto una careta y no podía comprender por qué la mantenía puesta incluso cuando estábamos las dos solas. Era como si no hubiera ocurrido nada, e ignoró todas las aventuras que le conté de Scott en Bali porque en realidad «habían cortado y no había hecho nada mal». No podía creerme ese cambio de actitud tan radical en el que fingía todo el rato no sentir dolor, ni miedo, ni siquiera confusión.... Luego llegaron los días de desconcierto, en los que estaba esquiva o de mal humor, callada o hiperactiva, centrada en sus planes de boicot contra la empresa de proyección subacuática como si no quisiera hablar de nada más. Estar junto a ella se convirtió en un viaje gratuito para una montaña rusa:

—Te juro que no te entiendo, Bay. ¿Dónde está tu amor propio? —Aquella tarde estallé de rabia.

—¿De qué sirve el orgullo, Kata?

—¡Para proteger tu corazón! Volverá a hacerlo. Scott volverá a cansarse, y romper un corazón remendado con tiritas es mucho más fácil y mortal.

—Kata, creo en las segundas oportunidades, en el perdón, en nuestra historia de amor. —Mi amiga intentaba mantener la calma, pero su mirada era esquiva, como si necesitara encontrar la fuerza necesaria para pronunciar las palabras que salían de su boca.

—¡Que se enrolló con Gaby! —grité—. ¿De verdad puedes soportar eso e ir juntos a su fiesta como si nada?

—No te mentiré diciéndote que va a ser fácil, pero este pueblo es pequeño. No pienso estar el resto de mi vida evitándola. Los dos eran libres en la Schoolies. Ahora ella tiene que aceptar que Scott ya no lo está.

—Y él… Él también tiene que aceptarlo —me reí con amargura.

—Jolines, Kata, me estás agotando. Tengo que intentar que la relación funcione, nuestra historia de amor lo merece. ¿No puedes simplemente alegrarte por mí? Confía en mi decisión. —Bay se apretaba las sienes con las palmas de las manos, unas manos que le temblaban.

—Lo haría si te viera convencida a ti, pero lo único que veo es a alguien con miedo al cambio. Lo que es curioso en alguien que lucha con uñas y dientes por que ocurra un cambio en la humanidad.

—¿Me estás llamando hipócrita? —me preguntó ofendida.

—Estoy diciendo que ya no te conozco.

En aquel momento decidí, con todo el dolor de mi corazón, que era el momento de dejar de orbitar a su alrededor. Bay era alguien a quien yo ya no reconocía, alguien que parecía a punto de estallar para arrasar con todo, incluyéndome a mí. Al menos, así me sentí yo. Para el resto, Bay seguía siendo Bay. Y ellos volvían a ser el *pack* indivisible: Scott y Bay.

Mi amiga había evolucionado a supernova, brillaba errática, pero más fuerte que nunca, y lo que le sucedió después, el accidente, no hizo más que confirmar el destino que le esperaba a una estrella moribunda. Me marché de Exmouth cargada de una culpabilidad que no ha hecho más que crecer con el paso del tiempo, porque quizá, si no me hubiese alejado, Bay no habría tenido el accidente. Porque durante semanas pensé que ella moriría en aquel hospital y mi último recuerdo sería el de nuestra pelea. Porque, cuando despertó y me enteré de que había perdido la memoria, no tuve el valor de llamarla.

Ahora es Bay, a medias. Lo parece por fuera, incluso su mirada parece la misma, curiosa e intensa. Pero la verdad es que no la conozco, ni ella me conoce a mí. Sigo enfadada con la que era mi amiga, furiosa con la chica que me ocultó que se había quedado embarazada. Me importa un cuerno que nos hubiésemos peleado, soy incapaz de comprender qué le ocurrió para que no acudiera a mí ante semejante situación. Eso es lo que me hace sentir que perdí a Bay mucho antes del accidente.

Solo me queda su polvo de estrella en la palma de la mano y siento que se me escurre entre los dedos por culpa de la distancia. Tengo que lograr que vuelva a brillar, porque un mundo sin su luz es un lugar terriblemente más oscuro, sin esperanza.

19

—No es lo que se te está pasando por la cabeza —le dije a Kata en cuanto recuperé el control de mis labios.

—¡No fastidies! Me encantaría que fuera lo que se me está pasando por la cabeza.

Kata cruzó el salón y se sentó en una de las sillas de la mesa del comedor sobre la que yo me había apoyado.

—Ha sido por culpa mía... Creo. —El movimiento negativo de mi cabeza me contradecía.

—Pues cuéntame el pecado, porque yo también quiero cometerlo. —Kata mantenía aún la boca abierta.

Yo no era capaz de entender lo que había sucedido, ni siquiera estaba del todo segura de haberlo provocado en realidad, pero lo más desconcertante era lo que me había hecho sentir aquel arrebato de Jude: energía. Había sido como si me conectaran durante unos segundos a la fuente de la vida para desconectarme después sin piedad.

—Madre mía, Kata... —solté con los ojos muy abiertos, expulsando aire y agitando los brazos como si estuviesen cubiertos de electricidad que me cosquilleaba de arriba abajo.

—Ya te digo.

Nos miramos y rompimos a reír. Era todo tan surrealista, tan inesperado, tan alucinante. Acababa de recibir mi primer beso, el que a partir de entonces sería para mí el primero. Y sentía que aquello no podía ser superado por nada ni nadie, lo cual era bastante frustrante, confuso y fastidioso en realidad, porque no eran sus besos los que debía anhelar, sino los de Scott. Darme cuenta de que en aquel instante no quería probar los labios del padre de mi hija porque todo mi cuerpo se había electrocutado con los de Jude, era terrible.

—¿Me lo vas a contar? —preguntó Kata.

—Yo solo quería saber cómo sería besar a otro chico. Otro que no fuera Scott.

—¿Le has pedido al hijo de Adele que te bese para tener currículum? —bromeó sin piedad Kata.

—En realidad, no. Creo que él solo quería que me callara porque no quería escucharme.

—¿Con ese beso? Sí... claro. —Su carcajada fue pura ironía.

—¿Qué quieres decir?

—Te ha tocado hasta la campanilla, Bay. Jude se moría por ese beso.

—¿Eso te ha parecido? ¿Conoces bien a Jude? ¿Cómo se sabe eso? —Por un segundo deseé que lo afirmara, quería escuchar que él estaba loco por mí, aunque fuera ridículo e inadecuado.

—No nos hemos tratado mucho, es el hijo de Adele —repitió como si no hiciesen falta más referencias—, pero esas cosas se saben, por ejemplo, ¡por las películas! —exclamó mi amiga levantándose de la silla y dando una palmada al aire—. Tenía otro tipo de planes para hoy, pero creo que lo que tú necesitas es una clase exprés de adolescencia. Mete el pijama en una bolsa con tus cosas que esta noche duermes conmigo.

—¿Crees que lo que necesito ahora es una fiesta de pijamas? —Alcé las manos al cielo sin comprenderla.

—Creo firmemente que es exactamente lo que necesitas.

Obedecí porque en aquel momento no me fiaba de mis propias decisiones, deseos o impulsos. Me temblaron las rodillas al bajar las escaleras hacia la entrada del Jalalai por si me cruzaba con Jude, pero no estaba allí y tampoco en la cafetería. Le informé a Adele de mis planes nocturnos y ella asintió contenta por mí. Tener una amiga era bueno. Si había oído el estruendo que yo había organizado arriba minutos antes, hizo gala de su prudencia y no lo mencionó.

Cuando salimos a la calle, miré hacia el apartamento de Jude y comprobé que tenía la luz apagada. Me pregunté a dónde habría ido, qué estaría haciendo y con quién.

—Por cierto, ¿qué hacías aquí? —le pregunté a Kata.

—Vine a ver qué había ocurrido entre tú y Scott. Fui a recoger a mis padres al cierre de la joyería y de vuelta vi a Scott sentado solo en la barra del Froth con una cerveza y cabizbajo. Pensé que podía haber pasado algo entre vosotros en vuestro día de «reencuentro» y sentí que me necesitarías.

—Pues tienes unos poderes «ultrasensoriales» magníficos.

—Lo sé —afirmó estirando el cuello con suficiencia.

Los padres de Kata vivían frente al parque Johnson, por lo que me dio tiempo a contarle todo lo ocurrido con Scott antes de llegar. No me interrumpió ni una sola vez, se notaba que sabía escuchar, que estaba acostumbrada a hacerlo.

—No sé qué decirte, Bay. Te comprendo a ti y, de alguna forma, aunque me fastidie, comprendo a Scott. Sin embargo... —Kata apretó los labios.

—¿Qué?

—Pienso que Scott está confundido. No creo que sepa bien lo que quiere, creo que simplemente se está esforzando por ser quien debe de ser. No es un mal tío, pero dudo que haya cambiado en un par de meses.

—¿Quieres decir que Scott ya estaba confundido sobre nuestra relación antes de mi accidente? —le pregunté embarullada.

—¿Habéis hablado tú y él de cómo era lo vuestro antes de todo esto?

—Sí, y, por lo que cuenta, éramos el uno para el otro. Pero también insinuó que en algún momento no se portó bien conmigo. Le dije que no quería saberlo, pero ahora sí que quiero. ¿Éramos o no la pareja perfecta?

Kata se encogió de hombros y balanceó la cabeza.

—Es cierto que lo fuisteis, hasta que todo se torció un poco, pero... No creo que sea algo que te tenga que contar yo. Debería ser Scott quien lo hiciera, porque, si te muestro la cara oculta de esa historia tan bonita que te ha contado él, y más aún después de ese beso con Jude que he presenciado, puede que todo se enmarañe más en tu cabeza.

—¿Más confusión es posible? ¡Soy un puñetero caos!

—Pues dejemos esta noche todo eso aparcado y comencemos con algo más sencillo.

—¡Fiesta de pijamas! —quise sonar entusiasmada, pero con mis mandíbulas alineadas, los agujeros de mi nariz abiertos y con las pupilas dilatadas, no resulté convincente.

—Vaya si es necesaria...

Reímos, en mi caso porque era sanador, liberador, fácil. Kata había caído del cielo para sacarme de las arenas movedizas sobre las que andaba y, aunque todo mi ser era una lista interminable de preguntas, me dejé llevar por ella, por su seguridad en cuanto a lo que yo necesitaba en aquel momento.

Al poco rato llegamos a la casa de Kata, que estaba rodeada de palmeras y vallada por cercas metálicas al igual que lo estaban el resto de las casas de la calle. No era una gran parcela, pero, en cuanto puse un pie dentro, me di cuenta de toda la energía que contenía, y es que, nada más abrir la puerta, un par de niños pasaron corriendo por delante de nosotras como si fueran dos gatos peleándose.

—¡Hola, Bay! —exclamó una chica parecida a Kata que corría detrás de los niños amenazándolos armada con una zapatilla en la mano.

—Es Mae, mi hermana, y esos dos demonios de Tasmania son mis sobrinos. El mayor se hizo pis encima de ti el verano pasado. —Kata saltó por encima de dos camiones de remolque de juguete que había en la entrada y yo la imité—. ¡Estoy en casa y vengo con Bay!

Kata anunció nuestra llegada en voz alta al entrar en la casa y de pronto un montón de cabezas asomaron en el pequeño recibidor.

—Querida Bay, bienvenida. —Una señora que supuse que sería la madre de Kata se acercó a mí con pasitos cortos y muy sonriente. Miró a su hija un segundo antes de volverse hacia mí—. Soy Marie, la madre de Kata.

—Yo soy Jason. —Siguió el turno de presentaciones el marido de Mae, un chico muy rubio y muy alto que desentonaba tanto ahí dentro como unos tacones en un triatlón.

—Soy el padre de Kata, Bruce.

—Y yo soy Emiko.

—Pasa, te presentaré a la abuela —me dijo mi amiga, que estaba visiblemente ansiosa por deshacerse de su familia de una vez. Me condujo hasta el salón central de la casa, hasta una butaca donde una anciana dormía.

—No la despiertes por mí —le pedí.

—Si no te hubieses golpeado la cabeza, sabrías que la abuela nunca duerme, solo cierra los ojos para que los demás pensemos que está dormida y así poder enterarse de nuestras conversaciones que luego juzga sin piedad.

Me reí, me presentó a su abuela y finalmente le advirtió a Emiko que íbamos a encerrarnos en su habitación y que solo saldríamos para abrir al repartidor de pizza.

—¿No piensas dejar que tu hermana entre a dormir? —le pregunté apurada cuando entramos en la habitación.

—Emiko puede dormir con la abuela esta noche.

—¿Nos va a odiar mucho por eso?

—Mucho, pero no nos importa en absoluto; nunca nos ha importado. Ahora tienes que elegir.

Kata vació una caja llena de DVDs sobre su cama. La mayoría parecían películas románticas por las carátulas y tuve que reír al verlas.

—¿Cómo quieres que elija? Si las he visto antes, no las recuerdo.

—Precisamente por eso las vamos a ver. Necesitas aprender tantas cosas de estas películas... Veamos, tenemos la de las cartas del muerto[7], la del tetrapléjico[8], la de los chicos con cáncer[9], la de la abuela con alzhéimer[10]... ¡Oh, la de la amnésica[11]!

—¡Me niego a ver una peli de una amnésica! —exclamé rotunda—. ¿No hay ninguna que no protagonice un enfermo o un moribundo?

—Hummm... ¡Tengo la perfecta!

---

7. Posdata: Te quiero.

8. Yo antes de ti.

9. Bajo la misma estrella.

10. El diario de Noa.

11. Todos los días de mi vida.

Kata fue directa a por aquel DVD y me lo mostró triunfal:

—Veremos *Titanic.*

—¿Sin enfermos?

—Sin enfermos, solo un maldito iceberg que no tiene nada que ver con el calentamiento global, lo juro. —Su mano en el pecho fue gesto suficiente para que yo la creyese.

Dos horas después, tras zamparnos una pizza de verduras tamaño familiar y de dejar que Kata me volviese a tintar el mechón rosa de mi pelo mientras veíamos la película, pude decir que ya sabía lo que era llorar de amor. Me había enamorado hasta el tuétano de Jack Dawson, me planteé la idea de fotografiarme desnuda con una caracola sobre el corazón y hasta me imaginé con Jude dentro de un coche antiguo. No debería haber pensado en Jude, lo sé, pero supongo que en mis hormonas estaba demasiado reciente mi primer beso.

Aunque era bastante tarde, continuamos con *Dirty Dancing* hasta que deseé que un Johnny Castle me hiciese sentir que volaba sobre el agua para luego sacarme a bailar, y terminamos la sesión cinematográfica con *La la land* y los sentimientos encontrados.

Kata se quedó dormida a las cuatro de la madrugada tras explicarme que las películas son un arma de doble filo, porque hacen que te enamores de los protagonistas, que sientas esas historias de amor y las quieras conseguir, y que eso no suele suceder en la vida real, al menos no en Exmouth; pero que era necesario verlas, sentirlas y desearlas porque la esperanza es lo último que se pierde.

Yo, sin embargo, no pude pegar ojos en toda la noche. Las escenas de aquellas películas acudían como flashes a mi cabeza y se mezclaban con la única experiencia real guardada en mi disco duro, con imaginaciones imposibles de cómo debería ser mi vida romántica en realidad y con fantasías inalcanzables que no logré apartar de la mente.

Me levanté temprano para ir a trabajar, agradeciendo que los sábados fueran el día libre de Jude, porque aún no sabía cómo gestionar el momento en que volviéramos a vernos, pues no tenía claro si lo sucedido había sido algo bueno o algo terrible, ni si debía estar enfadada con él o si lo que sentía por dentro no tenía por qué estar mal.

Desayuné en la cafetería de enfrente del Wildlife Dive, cansada de no haber dormido y nerviosa. Se suponía que aquel día lo había reservado para estar con Kata, pero las cosas se habían quedado tan frías entre Scott y yo que pensé que debía quedar con él. Además, necesitaba aclarar el motivo por el que nuestra pasada relación no había sido toda de color de rosa, pues me había dado cuenta de que era mejor no comenzar una relación sobre verdades a medias. Así que le envié un mensaje pidiéndole que viniera a verme al trabajo a la hora del almuerzo y no tardó ni dos minutos en responderme con un «ok» lleno de exclamaciones.

La mañana se me pasó lenta y agónica, porque, si quería comenzar algo con él desde la sinceridad, me parecía necesario contarle el beso de Jude... el problema era que ¡yo no quería contárselo!, principalmente porque no sabía lo que había significado ni entendía lo que me había hecho sentir, y porque aún no sentía esa unión entre Scott y yo que me impulsara a contárselo todo. Me agobió el apremio de la situación, que el hecho de estar embarazada condicionase el ritmo y el rumbo de las cosas.

Leí la carta de mi padre varias veces, entre reservas y llamadas de teléfono, porque se había convertido en mi credo, un folio en el que encontrar las respuestas, un espejo en el que mirarme. Me pregunté qué me habría dicho él en aquel instante.

—¿Qué hacemos, Aguacate?

Había empezado a hablar con mi compañera de viaje, a la que sentía cada vez con más claridad y fuerza. A veces, un aleteo suyo parecía un soplido de aire, uno suficiente para impulsarme adelante.

—¿Te contesta?

Scott había entrado silencioso en la oficina y me había sorprendido conversando con mi ombligo.

—Burbujea, pero aún estamos perfeccionando nuestro código morse —le contesté nerviosa, sin sostenerle la mirada.

—Esto está tranquilo. —Scott cogió una silla y se sentó frente a mí al otro lado de mi escritorio.

—Sí, bueno. Los clientes están ahora en alta mar nadando con los tiburones ballena, y no sabes la envidia que me dan.

—¿Y por qué no has ido? ¡Te encantaba hacerlo!

Me señalé la barriga y me encogí de hombros:

—Jude es un jefe muy estricto. No le hace gracia la idea.

—Jude no es tu jefe. —Scott de pronto se acomodó en el asiento y cruzó los pies sobre mi mesa.

Decidí imitarle. Alcé los pies y me relajé.

—Solo intenta cuidarme.

—Pues se nota que no te conoce bien. Tú sabes cuidar de ti perfectamente.

Le sonreí, aunque no sentí que tuviera razón. Quizá antes era fuerte, segura e independiente; pero desde que había abierto los ojos me sentía una persona insegura, expuesta y perdida.

—¿Te invito a tomar algo enfrente? —Scott le dio un golpecito a la visera de su gorra para echarla levemente hacia arriba y bajó los pies de la mesa.

Acepté porque sabía que mi cuerpo necesitaba su dosis de hidratos. Puse el cartel de «VUELVO EN CINCO MINUTOS» y cerré la puerta. Cruzamos la calle y nos sentamos en una mesa desde la que podía ver la entrada del Wildlife Dive, por si llegaba algún turista interesado.

Me pedí una ensalada de arroz y Scott un enorme taco de pollo. Los dos estábamos tensos, por lo que arrancamos la conversación haciendo mención a la bajada sutil de la temperatura, comentando lo rica que estaba la comida allí y cotilleando sobre la variada vida amorosa de Katie, una de las camareras, hasta que terminé contándole mi noche en casa de Kata, sin entrar en los detalles previos que nos habían llevado a la necesaria sesión de cine.

—*¿Dirty Dancing?* —Scott se rio por fin y pareció que la tensión entre nosotros se había disipado.

—Oh, sí... Y a partir de ahora quiero que me llames Baby —bromeé.

—Bueno, la verdad es que ahora mismo es como si cargaras con una enorme sandía.

—¡Scott! —exclamé falsamente ofendida, porque aquello era una broma tan poco apropiada que solo podía salir de su boca sin que me dieran ganas de estrangularle con las dos manos.

—Por cierto, me sé...

—¡Ni se te ocurra contarme un chiste de sandías! —le amenacé agarrando el salero de la mesa y preparando mi mano para lanzárselo.

Él se atragantó con el agua que estaba bebiendo, comenzó a toser y le salió líquido por los orificios de la nariz. Nos reímos, mucho, y aquello me hizo sentir culpable.

—Scott, hay algo de lo que quiero hablar.

—Oh, vaya... Qué seria te has puesto de pronto.

Scott resbaló el trasero hasta ponerse derecho en el respaldo de su asiento, se limpió la cara con una servilleta y luego cruzó los brazos sobre el pecho.

—¿Qué ocurrió entre nosotros? —le pregunté casi rogándole una contestación.

—No sé a qué te refieres —me contestó a la defensiva.

—Quiero que leas esto. Lo encontré en mi casa, hace un tiempo.

Saqué la carta de mi padre de mi bolso, la desdoblé y se la entregué. Él la cogió con inseguridad y me miró varias veces antes de comenzar a leer en silencio. Le estuve observando mientras la leía, pero su cara permaneció imperturbable, prácticamente aguantó la respiración hasta el final. Cuando terminó, apretó los labios, dobló por los pliegues marcados el folio y me lo devolvió, mudo. Por eso, hablé yo.

—¿Por qué te mentí? ¿Por qué me fui a Perth con mi padre para abortar sin contarte nada? No tiene sentido hacer algo así si nuestra relación era algo estable, real y feliz. Porque, no lo sabías, ¿verdad?

Scott negó antes de hablar:

—Me enteré en el hospital, tras el accidente.

—¿Por qué te ocultaría algo así si estábamos enamorados?

Se lo pregunté con verdadero dolor en las palabras. Scott se quitó la gorra para dejarla sobre la mesa, se puso las manos con los dedos cruzados sobre el pelo a la vez que se estiraba hacia atrás sacando pecho e inspiró profundo con la mirada fija en la ventana.

—Porque no confiabas en mí —arrugué la frente y él adoptó una mirada cargada de culpa—. Porque hice que perdieras la confianza en mí.

Scott se sinceró mientras retorcía una servilleta de papel con los dedos. Me habló de los sentimientos de asfixia que sintió cuando el curso se acercaba a su fin, me contó nuestra ruptura, lo que sucedió en la Schoolies Week, me habló de Gaby y de cómo se arrepintió en cuanto regresó de Bali. Me habló de la noche de nuestra reconciliación en la fiesta de su vecina, me contó cuánto bebimos y que, como consecuencia de aquella borrachera, pasamos juntos la noche.

—¿Por qué no me dijiste nada cuando te pregunté quién era Gaby?

—¿Y empezar así, mostrándote lo peor de mí?

Aparté los restos de ensalada que tenía enfrente, el hambre había desaparecido. No sabía cómo gestionar aquella información. Lo cierto es que no me parecía tan grave. Se había agobiado, se fue de viaje y se lio con otras chicas, entre ellas, esa chica antipática que parecía odiarme; pero, en realidad, no me había engañado, porque en aquel momento habíamos roto. Aquello no me hacía odiarle. Mientras me lo contaba me cuestioné si aquella información no me hacía daño porque aún no estaba enamorada de él ni recordaba haberlo estado.

—Así que Aguacate es fruto de una noche loca de borrachera y reconciliación —dije decepcionada.

—Algo así.

—Esperaba una historia de la concepción más romántica —bromeé nerviosa, porque era incómodo hablar con él de la noche en la que nos habíamos acostado cuando mi cuerpo no aceptaba en aquel momento ni siquiera un beso suyo.

—Estaba enamorado de ti, Bay. Eso es verdad. Y lo sigo estando. —Sus últimas palabras sonaron más tenues e hicieron que volviera a separarse de la mesa un poco.

Scott temía mi reacción, se notaba que esperaba otro rechazo a sus sentimientos por mi parte.

—Te creo, Scott. Pero sigo sin comprender por qué te ocultaría lo del embarazo si volvíamos a estar juntos. Había decidido darte una segunda oportunidad, aunque hubiese perdido la confianza en ti, eso no es razón suficiente para tomar semejante decisión y ocultártela.

—Quizá te entró miedo.

—¿Miedo? —No comprendí y le pedí ayuda con la mirada.

—De volver a perderme. Me conocías y sabías que yo no habría querido tener un hijo. Quizá pensaste que el debate nos separaría, aunque yo te habría acompañado a la clínica, Bay. Lo habría hecho porque jamás habría permitido que pasaras por algo así sola. Yo tampoco entiendo que me dejaras a un lado. Supongo que ambos nos equivocamos, tomamos malas decisiones.

—Y ahora estamos pagando por ello. —Sentí que los ojos se me humedecían, porque era demasiado frustrante vivir el pasado únicamente a través de sus recuerdos.

—O simplemente somos juguetes en manos del destino. Pero, Bay, todo eso ha quedado atrás. —Scott se acercó y buscó mi mano para agarrármela—. Tú me perdonaste, y yo te perdono a ti.

No me gustó la versión de Bay que sacaba tras aquella charla, una que me confirmaba como una mentirosa capaz de ocultarle al amor de su vida algo tan importante como un embarazo. Y lo grave fue que, tras despedirme de él para seguir trabajando, comprobé la facilidad con la que aún era capaz de ocultarle cosas, porque no había sido capaz de contarle lo ocurrido la noche anterior con Jude; a pesar de saber lo peligrosas que eran las verdades a medias y de conocer ya sus consecuencias.

Kata me recogió a la salida del trabajo, agarramos el *quad* y fuimos a la playa de Turquoise para bañarnos y hacer un poco de *snorkel* cerca de la orilla. Estuvimos nadando casi dos horas que se me pasaron increíblemente rápidas. Era imposible parar cuando había tanto que descubrir ahí abajo; cada metro era diferente al siguiente, los colores, el movimiento, las formas, la vida que daba ritmo a todo. Dejar el mundo real en la superficie hizo que también dejara flotando sobre ella toda la desesperación, frustración y carga que me ha había producido la conversación con Scott.

Cuando salimos fuera, todo parecía un poco mejor. El pasado, era pasado. El presente, lo tenía que dibujar más optimista.

—Ha sido genial volver a hacer esto contigo —dijo mi amiga tumbada al sol sobre su toalla de playa.

—No hay nada de lo que haya hecho desde que desperté que se pueda comparar con esto. Estar ahí abajo es insuperable.

—¿Seguro? ¿Nada de nada? —Kata elevó una ceja y puso en su cara una sonrisa maliciosa—. ¿Ni siquiera el beso de Jude? Porque yo solo fui espectadora y aún me tiemblan las rodillas al recordarlo.

Resoplé y sonreí. Volví a revivirlo durante unos segundos y sentí que la sangre se me convertía en cocacola burbujeante.

—Si dijera que no, te mentiría; pero es que reconocerlo me hace sentir tan mal...

—¿Por qué? Ya te dije que no debías sentirte así. Tú y Scott no estáis juntos. Que vayáis a tener una hija no quiere decir que por narices tengáis que volver a salir para casaros y ser felices por siempre jamás.

—Pero es lo que más sentido tiene. Me quiere, yo le quería... Debería ser fácil volver a amarle.

—¿Y si no lo es? No tienes por qué forzar algo que no estás sintiendo, o apresurarlo... Que sea lo más conveniente no quiere decir que sea la única opción. Si no llegas a sentir nada por él, no pasa nada. —Kata se sentó sobre la toalla para hablarme más directa aún—. De hecho, si empiezas a sentir algo por otra persona, no pasa nada tampoco. No está mal.

—No creo que sienta algo por Jude.

—¿Y por Scott?

—¡No! —exclamé rotunda.

—Pues al menos con Jude tienes dudas. Con Scott te veo más segura al afirmarlo —me lanzó las palabras sin anestesia y me provocaron un agujero en el pecho.

Tenía razón, eso no podía negárselo. Pero tampoco estaba segura de que mis sentimientos hacia Jude fueran algo significativo.

—Pero yo creo que el enganche que pueda estar generando hacia Jude es más bien fruto del roce. —Vi el gesto obsceno que puso mi amiga y puse los ojos en blanco—. ¡Quiero decir que es la única persona con la que he estado en estos meses! Jude ha sido mi muleta, mi hombro, mi apoyo. Ha sido casi el centro de mi universo.

—Quizá sea eso —dijo nada convencida—. Vas a tener unos días de prueba para poner a Scott como tu Sol, y ya veremos qué ocurre dentro de ese corazón amnésico.

Una semana. Contaba con siete días antes de que Scott se marchara a su campeonato de surf, para volver a conectar con él y para poder centrarme. Pero antes necesitaba aclarar las cosas con Jude, así que, aquella misma tarde, cuando me despedí de Kata, fui directa al apartamento de mi compañero de trabajo para hablar con él.

Tras llamar a su puerta con los nudillos, sentí cómo el corazón se me aceleraba hasta sentir que me traspasaba el polo del uniforme del Wildlife Dive. Rogué que Jude estuviera allí, porque no estaba segura de volver a reunir ni el valor ni la decisión necesaria para hacer aquello de nuevo; por eso, cuando él abrió la puerta, solté un «genial». No supe descifrar la expresión que puso al verme, al oírme, al percatarse de mi breve bloqueo al darme cuenta de que me había abierto la puerta medio desnudo, con un bañador como única prenda de vestir, y cómo de pronto eso me alteraba la concentración.

—¿Bay? —me preguntó manteniendo la puerta abierta.

—Sí, Jude, hola. Quería decirte que lamento mucho lo que sucedió ayer, porque... —vi que abría la boca y levanté mi dedo índice pidiéndole continuar—, porque no debí soltarte todos mis problemas como si fueran cosa tuya. Y ya sé que no era la primera vez que lo hacía, ni la primera vez que me pedías que no lo hiciera, pero te aseguro que va a ser la última porque... —volví a levantar el dedo para frenar sus palabras—, porque lo que ocurrió entre nosotros no puede volver a repetirse. Y no es que insinúe que tú quieras que se repita, porque eso es absurdo, pero tenía que dejarlo claro; porque, como bien sabes, estoy embarazada. De Scott. Y eso no estuvo bien. Y vamos a hacer como que lo de ayer no ocurrió. ¿Estás de acuerdo?

El muchacho cerró la boca y echó el aire contenido por la nariz, alzó las cejas, deslizó la mano por el costado de la puerta hasta la altura de su cadera y afirmó con la cabeza.

—No hay nada que recordar.

Aquellas palabras me atravesaron, aunque fueran las adecuadas, las correctas, las que le estaba pidiendo que dijera; pero le sonreí, le di las gracias y me giré para ir hacia la entrada del Jalalai esperando oír una puerta cerrarse tras de mí, cosa que no ocurrió hasta pasado un largo e infinito minuto que me hizo plantearme la posibilidad de girarme de nuevo y preguntarle si de verdad sentía lo que había dicho. Pero, tras el portazo, oí el motor de un coche y, desde la recepción del hostal, vi cómo Jude se marchaba.

20

Durante los siguientes días me sumergí en un ajetreo alocado que me hizo disfrutar de la misma despreocupación de la que todos los de mi edad gozaban en sus vacaciones de otoño. Y, por primera vez, me sentí casi normal.

Durante las horas de trabajo no me daba tiempo a pensar en tonterías porque las reservas se habían duplicado. Tenía mucho papeleo que organizar y muchas llamadas que atender. Kata venía cada día a hacerme compañía a la hora de almorzar y, durante esos ratos, pude ir rellenando huecos de mi pasado con los recuerdos de nuestra amistad que ella me proporcionaba. Fotos de toda una vida juntas, fotos en las que me vi crecer junto a ella y que me hacían sentir triste y alegre al mismo tiempo. Me pude ver a través de sus ojos, quizá con una perspectiva benevolente, llena de cariño, con un punto de recochineo como si por el hecho de no recordar, ella pudiera decirme a la cara todo lo que en su momento no se atrevió a decir por mi forma inflexible de ver las cosas. También repetimos varias noches de sesión de cine en su casa, así Kata se quedó satisfecha con mi curso intensivo de aprendizaje romántico.

Al término de mis jornadas laborales, Scott me recogía para ir a la playa, al cine o para tomar un refresco en el Front junto a sus amigos. No volvió a intentar besarme, pero podía notar cómo se deshacía en esfuerzos por despertar mi atracción. Era atento, alegre, con unas ganas inagotables de hacerme reír. Cada día aparecía con un obsequio: una gorra para proteger mi preciosa cabecita del sol, una maceta con un cactus para absorber las radiaciones malignas del ordenador de mi escritorio en el Wildlife Dive, tarrinas de helado, un llavero con forma de sandía para poner las llaves del *quad*, e incluso unos auriculares inalámbricos para escuchar música con el móvil. Ese regalo venía envuelto en unos celos que no pudo camuflar del todo porque llegaron al día siguiente de haberle comentado cómo solía compartir los de Jude cuando hacíamos los ejercicios. Saber que durante aquel par de meses él me había abrazado, apoyado, consolado y protegido, todo lo que debía haber hecho él, hizo que de pronto mirase a mi compañero de trabajo con otros ojos. Unos ojos sospechosos, y aquello me ponía muy nerviosa, como si de algún modo en mi cara pudiera ver lo que había pasado entre los dos, lo que yo le había ocultado. Scott se había empeñado en suplantarle en mis sesiones de rehabilitación los días que estuviera allí. Y, aunque yo prefería tomarme también unas vacaciones y retomar los ejercicios con Jude después, Scott se impuso tras ver cómo yo perdía el equilibrio de forma fugaz un par de veces y no tuve opción a negarme.

Dos noches antes de que las vacaciones de otoño terminasen, cené en casa de Kata como despedida.

—Te voy a llamar todos los días a la hora de tu almuerzo. Necesito que me cuentes todo lo que ocurra. Cosas como si Jude te vuelve a besar, si consigues averiguar dónde está tu madre, si explotas el botón de algún pantalón con esa panza...

—Cállate ya y dame un abrazo, idiota. No sabes cuánto te voy a echar en falta ahora.

Me aferré a su cuerpo diminuto con aflicción. Aquellos días habían sido tan intensos junto a ella, tan llenos de vida y alegría. Habían sido como un paréntesis dentro de la realidad oscura, caótica e incierta en la que me había despertado.

—Y ve pensando un nombre para la niña. ¿O pretendes llamarla eternamente Aguacate?

—En realidad, ahora es más bien un mango.

Kata puso los ojos en blanco y se inclinó para hablarle a mi tripa.

—Bueno, pequeño Mango. Ten paciencia con tu madre. —Puso su mano junto a mi ombligo y me acarició con ternura—. Es la persona más valiente que conozco.

La despedida con Scott fue un desastre. Aunque sus intenciones siempre eran las mejores, había descubierto que no siempre eran precisamente las más acertadas, y esa vez no fue diferente. Él había querido demostrarme hasta qué punto estaba comprometido conmigo y «con la situación actual», que así era como se refería al hecho de que íbamos a ser padres. Pero la verdad era que no solía sacar el tema a conversación y, si lo hacía, era para bromear sobre él. Además, tan solo una vez se había interesado por los movimientos que yo sentía cuando la niña daba golpecitos desde dentro, y había visto más terror en sus ojos que emoción con la experiencia. A pesar de todo, él lo intentaba, y yo no le exigía nada, porque en ningún momento él había querido aquello en su vida y yo se lo había impuesto. Fuera como fuera, Scott pensó que la mejor forma de dejarme con la seguridad de que nada cambiaría entre nosotros, aunque se fuera, era cenar con sus padres. Una presentación formal, hacer inmersión en los Longley; al fin y al cabo, de algún modo u otro, íbamos a ser familia. Ir a cenar a su casa me apetecía tanto como la idea de ponerme tacones de aguja en mis pies hinchados; sin embargo, no pude negarme.

Era más que consciente del concepto negativo que tenían los señores Longley de mí, aunque, en realidad, esa Bay ya no existiera. Quise ponerme en su lugar, ver esa antigua versión mía desde sus ojos, y no pude más que reconocerles que no debía de ser el mejor partido del mundo para alguien como Scott. Mi forma de actuar a veces conflictiva, mi vestuario provocativo, mi estilo de vida liberal y apartado de todos bajo la protección de un padre bohemio...

Me puse un peto vaquero ancho que me disimulaba un poco la barriga de cinco meses que ya tenía y, debajo, una camiseta de flores con el cuello redondo y las mangas anchas; era la más recatada que tenía dentro de toda una colección de camisetas ajustadas o escotadas que llenaban el pequeño armario de la caseta de playa. Sin duda, aquel conjunto me proporcionaba un aspecto mucho más inocente del que la Bay preaccidente solía tener, y lo escogí conscientemente. Solo quería pasar una noche tranquila.

Al final los padres de Scott decidieron reservar una mesa en la terraza del club náutico. Sentarme en una mesa, expuesta al resto de la gente que allí estuviera cenando aquella noche, no me apetecía; además, al llegar me di cuenta de que ellos iban bastante arreglados y yo me sentí totalmente fuera de lugar.

—Hola, Bay. ¿Cómo lo llevas? —me preguntó el señor Longley levantándose de la mesa para saludarme.

Ellos debían de llevar allí algún rato, porque sobre la mesa había ya dos copas de vino usadas y vacías.

«¿Cómo lo llevas?», repetí en mi cabeza con retintín. «De pena», me contesté.

—Muy bien, me encuentro genial —respondí en voz alta.

—Estás bonita y se te ve bien. Scott me ha dicho que estás trabajando en el negocio de tu padre —añadió la señora Longley.

Nos sentamos los cuatro a una mesa iluminada de forma tenue con una vela central, el rumor del mar al otro lado de la terraza y una brisa que debería haberme resultado agradable. Rompimos el hielo hablando sobre mis funciones en la empresa, pero aquello duró poco y, en seguida, los padres de Scott sacaron las competiciones de su hijo a la palestra y ya no se habló de nada más.

—Este año tiene programadas ya más de veinte. Va a competir en seis países diferentes y tiene a varios patrocinadores detrás de él. Habrá que ver quién le ofrece un mejor contrato.

—O simplemente, con quién estoy más cómodo yo —replicó Scott.

—Hay que ser práctico, Scott. Tienes que darte cuenta de que estás ya a un nivel muy alto, uno que exige profesionalidad. Para divertirte ya tienes suficiente con la universidad.

—Oh, sí, mamá. No sabes tú cuánto me divierto en mis ratos libres entre las competiciones y los exámenes.

Me limité a beber agua mientras la conversación se tensaba. Sentí lástima por él y quise entenderle. Desde luego, meter un bebé en aquel momento de su vida era lo último que debía querer. Bastante tenía con aguantar la exigencia de sus padres, la presión de las competiciones, el esfuerzo por sacar adelante la universidad...

—¿Y cómo pensáis coordinaros tras el nacimiento del bebé? —me preguntó de pronto la madre.

—No lo hemos hablado aún, pero yo no quiero que Scott tenga que renunciar a nada por mí.

—Por ti quizá no, pero ¿y por el bebé? —Levantó una ceja y me miró como si fuera una irresponsable—. Teniendo en cuenta que estás sola y que tienes un negocio que sacar adelante, llegará un momento en el que le exigirás ayuda, presencia... y Scott no puede ir y venir cuando le plazca. Tiene un compromiso con las ligas, con los patrocinadores, con su futuro.

—Mamá, ya está bien. Bay no me está exigiendo nada. Si la culpa es mía, tendré que asumir las consecuencias.

—¿Vas a renunciar al surf? —elevó un poco la voz, hizo que las miradas de las mesas cercanas se centraran en nosotros y yo sentí que empequeñecía por momentos.

—Haré lo que deba hacer.

—No tendrás que renunciar a nada. Esta decisión ha sido mía y solo mía. No tiene por qué preocuparse, señora Longley, no voy a pedirle a su hijo que lo deje todo. Soy muy capaz de llevar todo adelante. Sola.

Hablé con calma y le sostuve la mirada, aunque por dentro sentía que mi cuerpo daba botes y sentí cómo Scott me agarraba la mano por debajo del mantel.

—Vosotros sabréis. Pero, Scott, ten muy presente que tu padre y yo hemos invertido mucho tiempo y dinero para llegues a donde estás ahora. No vamos a poner ni una sola moneda más, ni más tiempo ni esfuerzo.

De pronto, Scott se levantó de la mesa con la cara desencajada y me reclamó con la mano.

—Se me han quitado las ganas de cenar, Bay. ¿Nos vamos?

Le miré confusa, luego miré a sus padres que permanecieron impasibles, no tenían la más mínima intención de retenerle, de calmar la situación, de reconducir aquello... Así que me levanté, les di las gracias por el agua y agarré la mano de Scott para salir de allí. No se la solté porque sentí que le debía al menos eso, por su firmeza, por no culparme de todo, porque, después de todo, me seguía queriendo.

De vuelta al hostal, me encerré en el cuarto y lloré, por lo que había sentido, por cómo había salido todo, por no poder controlar los sentimientos de mi corazón, por saber que se iba y que todo volvería a ser frío, distante... Imposible. Sentía asfixia por el paso inexorable del tiempo, porque jugaba en mi contra, porque mis planes no saldrían, porque mi futuro se me hacía más incierto. No tenía pasado, no veía un futuro seguro, tan solo tenía un presente sumido en el caos.

Tras la irrealidad de las vacaciones de otoño, regresé a las aburridas horas de oficina, al almuerzo en solitario que disimulé con un libro entre las manos, al estudio de cetáceos y tortugas marinas, y a la relación distante con Jude.

Se suponía que él y yo habíamos comenzado una amistad justo cuando yo misma le di de lado para pasar todo mi tiempo con Scott, y ahora debía partir casi de cero con él, y no sabía cómo ni si debía siquiera pedirle que volviera a ayudarme con los ejercicios en la playa.

Aquel primer día tras las vacaciones, él se despidió de mí en la puerta de la oficina con un «hasta luego», que me dejó totalmente desconcertada. ¿Hasta luego? ¿Cuántas interpretaciones podían llegar a tener aquellas dos palabras en mi cabeza? Podía ser un «hasta luego» en plan «nos vemos mañana»; «hasta luego, te veo en la playa»; «hasta luego», por si nos cruzábamos por el Jalalai; «hasta luego», como un adiós cortés...

Cuando terminé de limpiar el equipo de buceo, atendí dos llamadas telefónicas que se hicieron eternas y, tras cerrar la última reserva del día, cerré la oficina apresurada y me fui andando hasta la playa todo lo rápido que pude. Llegaba tarde a una cita a la que no estaba segura de que Jude acudiera, pero, en cuanto le vi corriendo por la orilla, la sonrisa se dibujó en mi cara y el corazón se me descontroló.

Me acerqué y comencé a calentar. Él dejó de trotar y se dirigió hasta donde yo estaba a un ritmo más pausado. No sonreía, pero tampoco parecía disgustado; era Jude y su cara de póker.

—No sabía si vendrías —dijo él, verbalizando mis propias dudas. Su pecho subía y bajaba al son de su respiración jadeante.

Yo me encogí de hombros y le sonreí:

—Este era el trato, ¿no? Poder trabajar en la oficina siempre que siguiera con la rehabilitación.

Jude intentó reprimir una sonrisa, pero lo consiguió solo a medias, miró fugazmente al mar y luego me tendió uno de sus auriculares. Yo tenía los que Scott me había regalado en el bolsillo del pantalón, pero acepté el suyo, rozando la palma de su mano con la punta de mis dedos; electrocutándome, cuestionándome de nuevo si aquello era buena idea, arrastrada por la marea hacia él.

—Hoy toca escuchar un poco de Trent Dabbs. Suave, con reminiscencias de los Beatles, apropiado para una sesión tranquila de regreso a la rutina.

Levanté el pulgar en cuanto escuché los primeros acordes de *The one who stays* e iniciamos una suave carrera sobre sus huellas difuminadas.

Corrimos, hicimos los ejercicios en el agua y estiramos para relajar los músculos bajo el sol crepuscular. Al terminar, Jude se tumbó en la arena sin la menor intención de marcharse de allí.

—¿No te vienes al Jalalai?

—Ve tú si quieres, yo voy a quedarme aquí un rato.

—¿Quieres estar solo?

—No tengo problema con que te quedes, si es lo que me estás preguntando. Solo es que me apetece quedarme un rato más aquí. Esto está hoy diferente. Se está bien.

—Aquí siempre se está bien —repliqué tumbándome a su lado.

Él giró la cara hacia mí y me corrigió:

—Pues yo creo que hoy se está muchísimo mejor.

Sin añadir nada más, volvió a mirar hacia un cielo que ya no dañaba a la vista, que se había pintado con tonos naranjas y violeta.

—¿Puedo preguntarte algo? —Me giré hacia él apoyando la cabeza en mi mano. Tomé su silencio como un sí y continué—: ¿Por qué regresaste a Exmouth? ¿Trabajar en el Wildlife Dive es por lo que estudiaste Biología marina?

—Sí, y no. Crecí a la sombra de tu padre, ¿sabes? Para mí era un ídolo, y no solo porque mi madre hablara de él continuamente, sino porque sabía absolutamente todo sobre lo que más me gustaba a mí, el mar. Siempre me ha parecido mucho más interesante lo que había dentro de él que lo que hay fuera. Y trabajar junto al mejor era un buen plan.

—Pero él ya no está —dije con dolor, porque sentí que quizá estar allí ya no tenía sentido para él.

—No, él ya no está... Pero Ningaloo, sí.

—¿Dónde está enterrado mi padre? —De pronto me di cuenta de que no me lo había preguntado, quizá porque no había sentido la necesidad de llorar a alguien que no recordaba.

La pregunta hizo que Jude soltase el aire por la nariz con fuerza y tragase saliva.

—Lo incineramos.

—¿Y qué hicisteis con sus cenizas?

—Nada, siguen en tu casa. Pensamos que quizá, si recordabas, querrías hacer tú algo con ellas.

—¿Y no se os ha ocurrido decirme en ningún momento que mi padre estaba dentro en un bote en mi casa?

—Bueno... No preguntaste, y esperábamos a que...

—¿A que recordara? —pregunté exasperada.

—A que estuvieses preparada.

Le miraba perpleja, pero entonces solté el aire con un bufido y miré al frente. Tenían razón, si me lo hubieran dicho antes, no habría sabido qué hacer; de hecho, ni siquiera tenía claro que lo supiera ahora.

—¿Y dónde está exactamente en casa?

—Junto a su ordenador, sobre la repisa de la ventana. Has debido de verlo.

—Supongo que sí. Ya pensaré qué hago... —Él afirmó y se relajó al igual que yo—. ¿Entonces te gustan más los peces que los seres humanos?

—le pregunté reconduciendo el tema a uno que no me pellizcase tanto por dentro.

—Me siento infinitamente más cómodo con ellos.

—¿Porque no te hacen preguntas? Seguro que es por el silencio que hay ahí abajo —dije burlona.

Cruzó las manos sobre su pecho y me miró con la sonrisa ladeada.

—Si crees que ahí dentro hay silencio es porque no has escuchado bien.

—¡Pues llévame contigo! Prometo respetar los tiempos. Quiero aprender, ver con mis ojos lo que vendo cada día a decenas de personas. ¿Cómo puedo vender algo que no he experimentado?

—Solo te quedan unos meses para dar a luz, tendrás el resto de tu vida para hacerlo. Merece la pena esperar y que a ella no le pase nada, ¿no crees?

A Jude no le costaba ya hablar de ella, la tenía muy presente, como una prioridad.

—¿Y si no me meto en el agua? Si lo veo solo desde arriba...

Jude se incorporó con fastidio y me miró arrugando el ceño.

—Sabes cómo fastidiar una buena puesta de sol.

—Por favor, llévame.

Jude negó con la cabeza con resignación y me miró de reojo.

—Está bien. Vente conmigo mañana.

No lo pensé, me puse tan contenta que me incorporé hacia él y lo abracé. No esperaba que cediera y la emoción se apoderó de mí, pero, cuando sentí su cuerpo pegado al mío, su mano posándose sobre mi espalda para sujetarme antes de que pudiéramos caer ambos de espaldas sobre la arena, me di cuenta de que no tenía que haberlo hecho. Recordé su beso, la piel se me encendió y me separé de él acelerada.

—¿Te encuentras bien? —me preguntó al ver mis cejas alzadas llenas de desconcierto.

—¡Sí! Es que se ha movido —mentí mirándome el ombligo. Me puse las manos sobre el vientre fingiendo sentir algo.

—¿Puedo?

No me esperaba aquella pregunta y el corazón se me disparó. Afirmé con la cabeza y vi cómo se limpiaba una mano de arena y la posaba con delicadeza justo al lado de donde yo tenía puestas las mías. Entonces, la niña sí que se movió, como si reaccionara con su contacto, y ambos la sentimos. Mis ojos se abrieron tanto o más que los suyos y los dos soltamos exclamaciones superpuestas.

—Guau...

—Ostras...

Jude no quitó su mano tras aquello, la dejó puesta un rato más mientras todos los músculos de su cara se relajaban y se tensaban al respirar.

—¿Qué se siente? —me preguntó de pronto.

—Al principio eran como pompas de jabón explotando dentro de mí. Ahora son pequeños empujones.

Sonrió y yo me derretí porque, por primera vez, sentí lo especial que era aquello. Verlo a través de sus ojos, de sus expresiones, me hizo darme cuenta de lo extraordinario que era el origen de la vida. Cuando por fin la retiró, ese palmo de piel se me quedó frío. No me atrevía a mirarle a los ojos por si él lograba adivinar al ver los míos lo agitada que todo aquello me había dejado y por ello me limité a sacudirme la arena de encima.

—¿Tienes hambre? —me preguntó.

—Muchísima —volví a mentir.

—Pues vámonos a casa.

Jude se levantó y me ofreció la mano para ayudarme. Paseamos lento hacia ese lugar que él había hecho sonar a hogar, en silencio, lo suficientemente cerca para que nuestras manos se rozasen involuntariamente, o quizá no tanto.

21

Llevaba tiempo viendo cómo Jude bajaba de la furgoneta con los turistas metidos en los bolsillos, cómo ellos imitaban su grito y le chocaban los cinco en despedidas eufóricas. La manera en la que conseguía aquello alguien al que no le había conocido vida social más allá del trabajo, alguien tan parco en palabras, tan poco expresivo y tan cerrado, era un expediente X para mí. Por eso, me enfrenté a aquella experiencia absolutamente emocionada. Era excitante la idea de salir a buscar a los tiburones ballena que visitaban el arrecife en otoño; pero no solo iba a experimentar por primera vez lo que significaba ser un cliente del Wildlife Dive, también iba a descubrir la cara oculta de Jude.

Aquel día teníamos contratado un grupo de americanos de Chicago, tres generaciones de una misma familia numerosa. Aquello hacía que la furgoneta fuera un parloteo entusiasta de todos con todos que Jude acalló en cuanto se puso al volante y activó el micrófono para que le escucharan hablar. Yo iba sentada junto a él, de copiloto, con la carpeta que contenía toda la documentación necesaria para esa salida. Le miré y le sonreí expectante. Estaba tan entusiasmada que él no paraba de sonreír negando con la cabeza, como si fuera una exagerada, como si me comportara como una niña esperando los regalos la mañana de Navidad.

—¡Buenos días, grupo! ¿Estáis preparados para una experiencia inolvidable?

Recibió algunas respuestas atenuadas y los aplausos de los tres niños pequeños de la familia.

—¿Ese es todo el entusiasmo de los de Chicago? —recriminó.

Yo le miré con la boca abierta ante su faceta de animador y él miró al cielo como respuesta.

—Quiero que me contestéis con más ganas con un ¡oi, oi, oi! ¿Estáis preparados para una experiencia inolvidable?

—¡¡¡¡Oi, oi, oi!!!! —gritamos todos.

Jude se rio al verme tan integrada y fue fabuloso ver esa sonrisa tan cara.

—Exmouth es un parque nacional, una cordillera que colinda con un parque marino, el arrecife de Ningaloo. Es patrimonio mundial, por lo que ambos necesitan ser conservados. Por otro lado tenemos el Cape Range, un parque que cuenta con cincuenta mil hectáreas de impresionantes cañones que deberíais visitar. Además, por allí podréis ver emús, *wallaroos*, canguros rojos, dingos, y un montón de aves y reptiles. Nuestros compañeros de Wildlife Yardie Creek organizan excursiones en las que se puede incluso hacer un poco de escalada. Pero nuestro destino hoy es acercarnos a Ningaloo, el arrecife costero más grande de Australia. Allí haremos una primera inmersión para que podáis admirar la belleza de las trescientas especies de corales que lo forman y de la multitud de criaturas marinas que viven en él. Cobija a unas quinientas especies de peces tropicales, tortugas verdes, mantarrayas... Sin hablar de los moluscos que viven en la arena. Quizá nos topemos incluso con algún tiburón del arrecife... —paró, como si supiese que ese comentario produciría algún gritito de terror o excitación—, pero no os preocupéis. Si no les molestáis, ellos no os molestarán.

Le miré con preocupación. ¿En verdad no hacían nada aquellos tiburones? Jude volvió a sonreír y yo sentí que el corazón crecía dentro de mi pecho. Continuó hablando sobre lo que verían allí y luego les dijo que esperaríamos a la información proporcionada por nuestra piloto del avistamiento aéreo de los tiburones ballena para ir a por la segunda inmersión.

Stu nos esperaba con la embarcación preparada en la rampa de Tantabiddi y, tras subir todos a bordo, ayudé a los niños a ponerse los chalecos salvavidas.

—Ni en broma —le dije a Jude cuando se acercó a mí con uno en sus manos.

—Las embarazadas pierden el equilibrio, podrías caerte por la borda.

—¡No voy a caerme por la borda! Y sabes que sé nadar; en el hipotético y dudoso caso de que me cayera por la borda, nadaría. ¿De dónde has sacado esa teoría del equilibrio? —dije poniendo los ojos en blanco.

—Lo he leído por ahí... —Jude se escabulló contrariado, pero yo no pude evitar reírme—. ¿De qué te ríes? —Se giró y vi que se había bajado las gafas de sol de la cabeza para ponérselas correctamente sobre el tabique de la nariz.

Estaba muy atractivo, incluso con aquel gesto torcido. Y yo seguí riéndome sin contestarle, porque me parecía demasiado tierno y sorprendente que él hubiera estado leyendo cosas sobre embarazadas.

Jude me acusó con su índice, como si aquello fuera algo que me tendría en cuenta más adelante y luego se giró hacia el grupo para seguir dándoles detalles previos a la inmersión. Les informó sobre cómo iban a bajar del barco, cómo debían nadar por el arrecife cuidándose de no acercarse demasiado para no sufrir cortes con los corales afilados, y sobre cómo actuar y nadar junto a los tiburones.

Cuando llegamos al arrecife, uno de los niños comenzó a aplaudir.

—¿Tan contesto estás? —le pregunté divertida.

—Es que hemos llegado y cuando se llega al destino, siempre hay que aplaudir —contestó el niño mellado como si fuera la cosa más obvia del mundo.

—Eso se hace cuando aterrizas con los aviones, lelo —dijo su hermana.

—Pues yo quiero aplaudir. —El niño se encaró a ella con determinación.

—Eres un tipo inteligente, claro que sí, ¡todo el mundo a aplaudir a nuestro patrón Stu por traernos hasta aquí! —pidió Jude.

Qué diferente era aquel Jude relajado y divertido. No podía parar de mirarle, de analizar su comportamiento, como si hasta entonces hubiera estado junto a un extraño. Gesto a gesto, se volvía más cercano, más atrayente. Más peligroso para mí.

Repartimos los trajes de neopreno y, mientras yo ayudaba a la gente a ponerse aquella dificultosa vestimenta a los más inexpertos, Jude se lanzó al agua con la cámara para hacer unas fotos. Yo sabía que Jude colaboraba con la universidad, pero había estado tan centrada en informarme sobre los trabajos de Johan y Elle que no había llegado a preguntarle a él por su propia investigación.

—¿Qué es lo que va a fotografiar Jude? —le pregunté a Stu.

—Los corales. Está colaborando en un estudio con la Universidad de Brisbane.

Cuando escuché eso me sorprendí de que él nunca me hubiese mencionado nada, aunque lo cierto es que yo no me había tomado la molestia de intentar conocerle. Me di cuenta de que, entre su tendencia al silencio y mis preocupaciones egocéntricas, había muchísimo que desconocía de él. Me había centrado tanto en mi propia búsqueda que había ignorado a los que tenía al lado. Le miré mientras subía a la embarcación, enfundado en su traje oscuro de neopreno que definía las líneas perfectas de su cuerpo, y debí hacerlo con cara interrogativa, porque él me preguntó con un gesto qué es lo que quería.

—¿Has tomado buenas fotos? —le pregunté con cara inocente, aliviada porque él no pudiera leer mi mente.

—Seguro que no tan buenas como las que habrías hecho tú. —Dejó las gafas de bucear sobre un asiento tras el halago y, sin detener sus ojos sobre mí ni un segundo más del necesario, lanzó un grito de vía libre a los clientes para que se lanzaran al agua.

Mientras los de Chicago nadaban por el arrecife, yo ayudé a Stu a colocar en dos mesas sobre la cubierta el almuerzo que Adele había preparado. Una variedad de sándwiches, fruta cortada y bebidas refrescantes, que la familia de Chicago devoró con avidez tras aquella primera e impactante inmersión que envidié profundamente. De allí nos dirigimos hacia las coordenadas que había recibido Stu desde las alturas. Lori había avistado dos tiburones ballena a unos diez minutos de donde nos encontrábamos y, al escucharlo, la embarcación se llenó de ¡oi, oi, oi! entusiastas.

—No sé cómo de grandes serán estos dos ejemplares, pero el tiburón ballena puede llegar a ser tan grande como un autobús. Aunque no tenéis nada que temer, el ser humano no forma parte de su menú, se alimentan de plancton. —Hubo murmullos tras aquella revelación de Jude a su atento público—. Sí, uno de los seres vivos más grandes del planeta se alimenta de uno de los más pequeños. De hecho, el tiburón ballena ni siquiera tiene dientes; pero lo que sí que tiene es una cola grande y potente, por lo que está absolutamente prohibido ponerse detrás de ellos para evitar posibles golpes. Nadaremos a unos dos metros de la cabeza y a tres de la cola. ¿Entendido?

En cuanto avistamos los ejemplares de piel oscura cubiertos de lunares blancos, hubo un gran revuelto a bordo. Eran bastante grandes, casi duplicaban la eslora de nuestra embarcación, pero nadaban a un ritmo lento y pausado que permitió sin problema alguno que los clientes se lanzaran al agua y pudieran situarse cerca de los tiburones más grandes que existen para nadar juntos, en sintonía. Gracias a aquellas aguas cristalinas pude comprobar desde arriba que eran animales mansos que parecían disfrutar con sus espectadores, que abrían su alargada boca plana de vez en cuando para dar largos tragos de agua llenos de alimento y que iban acompañados de pequeños peces que nadaban casi pegados a sus lomos.

—Voy a meterme, Jude. No pienso quedarme aquí arriba. ¿Has visto eso? —señalé al agua con ojos de auténtica locura.

—Lo veo casi a diario, de marzo a junio. —Jude pasó a mi lado sin hacerme caso.

—¡Por favor! Deja que me meta en el agua, haré las fotos. Me mantendré alejada, tendré muchísimo cuidado. No me trates como a una niña pequeña, ni siquiera tengo tanta tripa aún y...

Jude se giró con un traje de neopreno en la mano que me lanzó a las manos:

—Bajo tu propia responsabilidad.

Le habría abrazado, pero la presencia de Stu mirando divertido hizo que me contuviese.

—Te juro que voy a ser súper cuidadosa y voy a hacer las mejores fotos que hayas visto jamás.

—Confieso que me ha sorprendido que no insistieras en tirarte al agua en el arrecife. Te habría dado el traje antes si lo hubieras hecho.

—¿No hablarás en serio? —le pregunté contrariada mientras intentaba encajar el trasero dentro del neopreno.

Jude se rio como respuesta, pero no me molesté en perder más tiempo maldiciéndole, porque había dos enormes criaturas alejándose de mí con cada coletazo que daban. Le imité y agité mi dedo índice acusador hacia él justo antes de tener la experiencia más alucinante de todas las que mi cerebro retenía por el momento.

Hice muchas fotos, mi dedo disparaba sin descanso ante unas tomas imposiblemente bellas. Era alucinante nadar junto a un gigante oceánico con la luz del sol incidiendo sobre el mar. Olvidé que había turistas, que debía sacarlos a ellos junto a los tiburones, y me sentí como una criatura marina más. No pude imaginar una experiencia más impresionante que poder llevarse de unas vacaciones. Desde aquel día, no hubo otra cosa que deseara hacer más que repetir aquello cada día de mi vida.

—¡¿Pero has visto el tamaño de sus agallas?! —exclamé repetidas veces de camino a la playa junto a Jude ya por la tarde.

—Por ahí filtran el agua y en su boca se queda todo lo que haya entrado al abrirla.

—¡¿Pero has visto cómo abrían esa enorme boca?!

Yo seguía alucinando en bucle, sin poder parar de hablar, provocando la risa de mi compañero que me miraba con condescendencia y me atendía con más paciencia de la que solía hacer gala.

—La joyería de tu amiga Kata, dona un cinco por ciento de sus ventas a la investigación del tiburón ballena. Si no fuera por gente como ellos, no sabríamos nada acerca de sus hábitos alimenticios, de sus áreas de reproducción, de sus patrones de migración ni de su vida más allá de las observaciones que hacemos nosotros cerca de la costa.

—¿Participas tú en esa investigación? Stu me dijo que colaborabas con la Universidad de Brisbane en un estudio.

Jude me miró con cierta sorpresa y temí que no recibiera con gusto mi curiosidad sobre su trabajo, sin embargo, me dedicó una mirada en la que quise descubrir un toque de orgullo.

—No, yo no estudio a los tiburones ballena. A veces los fotografío y comparto las fotos, pero mi objeto de estudio es el arrecife. Estudio el blanqueamiento del coral y hago un seguimiento de determinadas zonas de Ningaloo.

Aquel día, Jude no hizo amago de sacar los auriculares de su bolsillo, de hecho, ni siquiera llegamos a emprender un ritmo suave de carrera sobre la arena. Nos olvidamos del motivo por el que habíamos ido hasta la playa y paseamos con tranquilidad por aquella extensión infinita de arena sin fin mientras dejábamos que las olas nos mojaran los pies descalzos.

—¿Qué es el blanqueamiento del coral?

—Un coral blanqueado es un coral muerto. Seguro que has leído algo sobre los arrecifes en algún artículo de Elle Miller, ella es una de las mayores expertas en el tema. Aún alucino con el hecho de que sea tu madre.

—Los artículos que encontré solo hablaban sobre la repoblación que estaba llevando a cabo, pero no decían nada sobre el blanqueamiento —le contesté, y recordé que aún no habíamos recibido respuesta de ningún colega de Jude sobre mi supuesta madre y que la idea de llegar a ponerme en contacto con ella parecía cada vez más imposible.

—Bien, pues... Los corales viven en simbiosis con unas algas, que son las que le dan la pigmentación. Ambas especies se ayudan mutuamente a sobrevivir, pero, cuando la temperatura del agua aumenta, el coral reacciona igual que cuando nosotros tenemos fiebre: un par de grados de más y nuestro cuerpo se estresa. En este caso, el coral se defiende expulsando a esas algas de su interior y, a medida que se va quedando sin ellas, se deteriora hasta quedarse como un esqueleto blanquecino y sin vida.

—¿Y está ocurriendo eso en Ningaloo?

—El primer blanqueo generalizado se produjo a principios de los años 80, en el 98 se produjo un blanqueo masivo global, en 2010 un segundo blanqueo y, solo cinco años después, se vio un tercer blanqueo. En la Gran Barrera de Coral, al otro lado del continente, ocurrió en 2016 y es un fenómeno que se ha propagado de forma preocupante por todo el planeta. En realidad, siempre ha habido ciclos en los que nuestro planeta se ha calentado en exceso, el problema es la rapidez con la que lo está haciendo ahora. El agua aumenta de temperatura de forma brusca, el coral no tiene tiempo de adaptación a ese cambio y muere, disminuye por tanto la producción de larvas y de plancton, con lo que especies como el precioso tiburón ballena con el que has nadado, se queda sin alimento. Y si desaparecen los peces...

—Se produce la erradicación de todo un ecosistema —concluí.

—Y perdemos al mayor productor de oxígeno del planeta, por encima del que producen los árboles, aunque la gente no lo sabe.

—¿Y no se puede frenar o curar? —Le agarré del brazo con fuerza asustada, pues me estaba presentando un futuro aterrador sin aire que respirar.

Él reaccionó a ese gesto, se lo noté. Miró su antebrazo, justo a la altura donde mi mano lo aprisionaba y terminó por palmeármela con suavidad como ritmo consolador.

—El coral de la costa nororiental del Mar del Coral, por ejemplo, está muerto. Ya no hay coral, no hay peces, no hay tiburones... Pero, claro que sí. Siempre hay esperanza. Los arrecifes pueden repoblarse al igual que un bosque tras un incendio, lo que falta es un poco de reacción general, falta concienciación y respuestas con medidas reales; pero como es algo que ocurre en el fondo del mar y no se ve, no produce tanta alarma social.

Jude se paró y dio dos pasos mar adentro antes de continuar hablando, con la mirada perdida en el horizonte:

—De todos modos, aunque esté muriendo el fondo marino, el mar sigue siendo igual de azul, igual de inmenso y de majestuoso.

—Pero tú sí estás haciendo algo —le dije mirándole con orgullo.

—Tú también lo hacías.

Era la primera vez que Jude hablaba de la Bay que fui y el corazón se me disparó.

—Sí... Bay, «la activista». Esa era yo, al parecer —reí con amargura.

Jude arrugó la frente y me replicó contrariado:

—No veo que haya desaparecido en ti ni un ápice de esas ganas de luchar.

Al ver su mirada ardiente, sentí que habíamos alimentado un sentimiento nuevo entre nosotros con la conversación, y me quedé sin palabras.

—¿Nadamos un poco? —Jude se quitó la camiseta y la lanzó detrás de mí—. Hoy no vamos a salvar el mundo, pero hay que terminar de poner esa pierna a punto.

Sobrecogida por un montón de emociones, me pregunté cuál de todas era la causante real de que el corazón me galopara fuerte, valiente, con verdaderas ganas de vivir. Había algo en él que hacía que quisiera abrazarle de forma casi constante, por sentirme protegida bajo sus brazos, por transmitirle mi emoción piel con piel, por volver a sentir ese calor que tan solo él conseguía hacer brotar dentro de mí.

Fue la primera vez que no pensé en Scott, que su recuerdo no me hizo sentir culpable. Ese día había sido tan especial que nadie más había tenido cabida en mi mente. Nadie de mi pasado, nadie de los que buscaba para mi futuro. Jude, yo y toda la vida que habitaba en el mar habían sido más que suficientes para vivir un día perfecto.

22

Llegó el ANZAC[12], uno de los días nacionales más importantes de Australia, y los chicos del Wildlife Dive habían organizado un día de barbacoa, algo que al parecer era ya una tradición de empresa, porque no había mejor manera de ser fieles al espíritu del día que juntarnos como buenos compañeros.

En aquella ocasión, tocaba hacerla en casa de Lori y Terra. Ambas vivían en una pequeña casa cerca de la de mi amiga Kata, por lo que, antes de ir, me pasé por allí para saludar a su familia. Ellos también estaban preparando una barbacoa en su jardín. Aquella casa era como una jaula de grillos, con los niños corriendo entre sus invitados, pero aun así insistieron en que me quedara con ellos. Tenerme allí era tener un poco a Kata, pero tan solo acepté una bebida, escuché un par de historias de Emiko y me marché para ir junto a los míos, mi pequeña familia.

—Muy bonito llegar cuando ya está casi todo hecho —me recriminó Roger ahumado junto a las brasas mientras volteaba un filete.

—Lo siento mucho, he tenido que pasar a visitar a la familia de una amiga. Pero traigo cervezas —le sonreí esperanzada de que aquello fuera suficiente disculpa.

—Abre una y échasela por la cabeza, a ver si con suerte mi marido deja de protestar un rato. —Una mujer que porteaba un bebé rollizo, con la misma cara redonda y sonrojada de Roger, se dirigió a mí sonriente,

---

12. ANZAC DAY: Australian and New Zealand Army Corps Day. Día conmemorativo de la unión entre las fuerzas militares de Australia y Nueva Zelanda durante la Primera Guerra Mundial.

con confianza; una confianza con la que ya me había acostumbrado que me tratase gente desconocida, y que me hacía asumir que antes formaban parte de mi vida.

—Hola, soy Bay —le dije para recordarle mi estado mental actual.

—Oh, claro... Yo soy Beatrix, la esposa de Roger. Y este es Roger Junior. ¿Puedes cogerlo un momento mientras evito que esos dos se maten a palos con las cucharas de madera de la ensalada?

Miré hacia donde señalaba y vi a otros dos chavales jugando a las espadas con los cubiertos de servir, por lo que acepté con la cabeza y alargué mis brazos para agarrar a ese pequeño gordinflón que no se inmutó con el cambio de portadora.

—¿Todos son tuyos, Roger? —pregunté alarmada cuando conté otros dos más corriendo detrás de Stu.

—¿Por qué crees que estoy siempre de mal humor? —me contestó antes de beberse un botellín de cerveza entero de un solo trago.

—¿Cinco hijos? —le pregunté escandalizada en susurros a Jude que se acercó a mí tras dejar una pila de platos en la larga mesa que había preparado Terra.

—Seis, en realidad. No has visto al que está colgado del árbol.

—Cierra la boca o se te llenará de moscas —me dijo Lori.

Me reí y le entregué los paquetes de cerveza para que los pusiera a enfriar en hielo. Les agradecí tanto lo que estar allí me hacía sentir... Era parte de algo, de ellos, de un grupo de gente con la que no había que demostrar nada, tan solo ser uno mismo, y eso era suficiente.

—¿Adele no ha venido? —le pregunté a Jude.

—Ya sabes que a ella no le gusta salir —me contestó esquivo—. ¿Quieres una salchicha? Te desaconsejo las costillas, las he hecho yo.

Me reí por su gesto serio y sincero al decirlo. Acepté una salchicha y me senté junto a Jude, Beatrix, a la que devolví su hijo, y Donna, quien me enteré que era la novia de Stu. Me sorprendió, pues nuestro joven patrón de barco nunca me había hablado de ella y parecía el tipo más tímido sobre la faz del planeta, pero pronto descubrí que eran novios desde el instituto.

El sol brillaba, la brisa de aquel abril agonizante era fresca y el olor a carne asada destacaba en el aire sobre cualquier otro, porque todas las casas del vecindario celebraban aquel día del mismo modo. Si no hubiera estado embarazada, habría terminado con una barriga del mismo tamaño porque la comida pasaba una y otra vez por delante de mí: costillas de cordero, alitas de pollo, salchichas de cerdo, enormes tacos de ternera, verduras asadas... Llenamos tanto nuestros estómagos que terminamos sentados en el suelo intentado digerirlo todo; mientras, algunos seguían bebiendo y otros se unían a un pequeño partido de *rugby* con la prole de Roger.

—Extraño a tu padre —me confesó Terra—. Él no solo era el mejor al mando de la barbacoa, Roger está achicharrando toda la carne —rio antes de hablar con un tono más melancólico—. Él era nuestro líder, el que consiguió que nos sintiéramos familia.

—Si pudiera recobrar un solo recuerdo de mi vida, elegiría recordarle a él, aunque solo fuera de un momento juntos. Solo tengo algunas fotos, muchos libros y el Wildlife Dive para construir una imagen de él en la cabeza.

—Sé que te resultará insuficiente, pero te aseguro que eso es mejor legado de lo que muchos dejan atrás.

Le sonreí y seguidamente me uní a las apuestas que se estaban organizando alrededor de Roger y Stu para la competición de Two Up[13] que iban a comenzar. Reímos mucho, perdí cuatro dólares demostrando lo mal que se me daban las apuestas y seguimos comiendo hasta que anocheció. La mayoría estaban algo ebrios, excepto Beatrix, Jude y yo. Me fijé en que él no había bebido más que agua y zumos como los niños, y se lo mencioné.

—Si llego a saber que no bebes cerveza, habría traído también alguna caja de mangos para hacer batidos.

—Alguien tiene que ser el capitán del barco.

---

13. Juego que consiste en tirar dos monedas al aire, los jugadores hacen sus apuestas prediciendo si las dos monedas caerán en cara o cruz.

—Oh, lamento decirte que ese legado es mío.

—Hasta hace bien poco, habrías bebido más que Roger...

Se había convertido un gesto habitual en mí el que abriera los ojos llenos de asombro porque mi vida era una revelación constante de mi pasado, uno sorprendente y casi siempre inesperado.

—¿Quieres decir que era una borracha?

—Solías pillar unos pedos tremendos... Llevabas a tu padre por el camino de la amargura —añadió Beatrix que se inmiscuyó en nuestra conversación sin necesidad de permiso.

—¿Me estáis tomando el pelo?

—Para nada. Yo asistí el año pasado por primera vez a las barbacoas del Wildlife y te vi echar una pota descomunal en el patio de su casa —añadió Jude señalando a la mujer de Roger.

—¿Tenía un problema con el alcohol? —pregunté escandalizada.

—Digamos que te gustaba mucho la fiesta, y llegaba un punto en el que descontrolabas.

Me tapé la cara con las manos avergonzada por aquella parte de mi pasado que nadie me había desvelado antes, ni siquiera Kata. Y desde luego, Scott no me lo había resaltado como un problema únicamente mío. Estaba claro que él también descontrolaba con el alcohol, no había más que ver a lo que nos había llevado a ambos.

—No te apures. ¿Quién no ha potado en el patio de algún amigo alguna vez? —dijo Beatrix cambiando de pecho a Roger Junior para que terminara de alimentarse.

—Pues yo. —Jude se tumbó intentando retener una sonrisa de suficiencia en los labios.

—Oh, olvidaba que estábamos con el señor Perfecto, Bay —mi aliada fingió una arcada.

—Oh, sí... Jude, el salvador de los océanos —califiqué con tono reverente.

—No olvides mi título como salvador de amnésicas embarazadas obstinadas y con tendencia al dramatismo —añadió él con el brazo tapando sus ojos, relajado y tumbado entre nosotras dos.

Miré con la boca abierta a Beatrix y ella convino conmigo en la necesidad de vaciar sobre él nuestros vasos de agua inocua y saludable. Jude se incorporó de golpe y nos miró de forma amenazante, con una sonrisa malévola en los labios que hizo que me levantara y comenzase a andar hacia atrás.

—Ha sido idea de Beatrix —dije.

—Estoy amamantando a un bebé —contestó ella como si eso fuera un escudo más poderoso que el del *Capitán América.*

Jude afirmó y agarró un cubo lleno de hielos semiderretidos en el que antes había cervezas y comenzó a andar hacia mí.

—¿Hace falta que te recuerde que estoy de casi cinco meses? —Di otro paso más atrás.

—Oh... Eso es más que evidente, pero, si puedes nadar entre tiburones, no creo que un poco de agua helada te haga daño. Y has comenzado tú.

¿En serio Jude se había puesto juguetón? Yo no quería reírme, pero no podía controlar la situación, que realmente me estaba divirtiendo y que me descubría a un Jude con una sonrisa irresistible que se aproximaba a mí amenazador.

—Eso no es estrictamente cierto —repliqué, pero, al ver que él alzaba un poco el cubo y lo dirigía hacia mí, me di la vuelta y eché a correr.

No llegué muy lejos antes de que Jude me atrapase, tan solo hasta el lateral de la casa, a una zona en la que la luz de las guirnaldas que iluminaban el jardín de Terra y Lori no llegaba. No podía parar de reír, de pedir ayuda, aunque nadie acudió y me encontré prácticamente inmovilizaba entre el pecho de Jude y la pared de la casa.

—Discúlpate o ya sabes lo que te espera. —Jude alzó el cubo de hielos derretidos.

—¡Jamás! —exclamé orgullosa.

Estaba demasiado cerca de mí, demasiado atractivo a la luz de la luna, demasiado autoritario con aquella mirada seria que le conocía tan bien.

Recibí lo esperado, una lluvia congelada por encima de mi cabeza y grité agarrándome a sus brazos con fuerza para soportar la sensación.

Jude reía con los labios pegados, agitando su pecho al hacerlo, mirándome tan solo desviando unos grados sus ojos hasta mí. Entonces, me agaché con agilidad para agarrar unos pocos trozos de pequeños hielos que habían caído a mis pies y, sin que él pudiera detenerme, se los colé por el cuello de su camiseta.

—Ahhh —protestó.

—¿En paz? —pregunté.

Jude me echó hacia atrás un mechón mojado del pelo y afirmó con la cabeza.

—¿Regresamos a casa? —me preguntó.

—Creo que no tengo más remedio que marcharme. Me has empapado. —Le di un pequeño golpe en el pecho para alejarlo y poder escabullirme—. ¿Sin despedirnos?

—Ya has visto que están todos como cubas. No nos van a echar en falta.

Aún había mucho alboroto general flotando en el aire. Aquella noche los pubs se llenarían, las luces de las casas se apagarían más tarde y las calles no eran caminos desolados. Nos cruzamos con varias personas a las que Jude saludó y que probablemente iban camino del Froth.

—Así que has estado antes en casa de Kata. —Jude inició la conversación, lo cual no dejó de sorprenderme a pesar de que aquella versión suya era una caja de sorpresas aquel día.

—Sí, he pasado varias noches allí durante las dos últimas semanas. Kata consideró que necesitaba ponerme al día con algunas películas que me ayudarían a entender la vida.

Dije *vida* en lugar de *amor*, porque me dio vergüenza reconocerle que había sufrido una crisis existencial con ella y que el gran culpable de ello habían sido él y su beso arrollador. Mi único beso.

—¿Y cuáles son las que has visto que más te han ayudado?

—Pues una de ellas, *El lago azul*. Es una bastante antigua.

—Conozco esa película. —Arrugó un poco la nariz—. ¿En serio? ¿Esa?

—Ajá —afirmé con simpleza.

—Veamos, tu historia favorita ha sido la de dos chiquillos que viven desnudos en una playa paradisíaca, y que lo hacen debajo de todas y cada una de las palmeras de la isla o dentro del mar, hasta que ella termina embarazada... —se rio—. Muy revelador, ya lo creo.

—No seas idiota. Me gustó porque sentí su inocencia, su necesidad de entender el mundo, la creación de la vida. Y sí, sentí maravilloso ese amor y esa familia que forman lejos de todo y de todos. Lejos del mal de los hombres en aquel paraíso.

—Está bien, supongo que te entiendo. ¿Y cuál más?

—Oh, lloré a mares con *Juno.* Más allá de lo identificada que me pude sentir de alguna forma por el tema del embarazo, me encantó su personalidad, algo gamberra e independiente, lo suficiente para mantenerse fuerte hasta el final.

—Esa no la he visto —noté que había despertado su interés.

—Todas son recomendaciones de Kata.

—Pues, después de unas semanas limitadas a los géneros cinematográficos del drama y la comedia amorosa, deberías abrir un poco el abanico.

—¿Alguna recomendación?

—¡Miles! *La lista de Schindler, Cantando bajo la lluvia, La vida es bella, Ciudadano Kane... El gran showman...*

—Guau... Me va a llevar tiempo ponerme al día en cuanto a necesidades cinéfilas básicas.

—Bueno, por aquí no hay mucho más que hacer una vez que sales del agua —señaló Jude.

Andaba con las manos metidas en los bolsillos de sus pantalones, con la espalda bien erguida, mirándome de reojo para hablar en lugar de torcer la cabeza. Yo sí que le miraba sin disimulo, con la barbilla alzada hacia él, admirando las sombras que se formaban tras los ángulos de su cara y que escondían sus gestos. Era alto, casi tanto como Scott, y eso significaba que para mí era otro gigante. Sus hombros no eran tan anchos como los de mi ex, ni sus brazos estaban cincelados a golpe de gimnasio; pero su postura, su forma de caminar era mucho más varonil y firme. A veces, parecía la estatua fría de un guerrero romano; pero, si mirabas bien al fondo de sus ojos, en un momento de descuido en el que él se relajaba y retiraba su coraza, se podía vislumbrar un trasfondo diferente, uno tan atrayente como lo era el fondo inexplorado del mar para mí.

—Ya sé que quisiste regresar para aprender de mi padre, pero hay otros muchos como él. ¿Por qué no te marchaste a las Bahamas o a Hawái? ¿Por qué no te quedaste trabajando en la Universidad de Brisbane? —Yo quería saber de él, sumergirme en sus aguas, dejar de ser por fin dos extraños que convivían juntos prácticamente todo el día.

—Bueno, me lo planteé y no creo que sea una puerta que haya cerrado del todo. Tan solo, no era el momento. Aquí estaba tu padre, ya le conocía. Le admiraba, yo quería trabajar y aprender de él. Luego, supe de sus apuros con la empresa y sentí que debía ayudarle.

—Oh...

Mi cara debió reflejar con claridad mis pensamientos, porque en seguida él añadió algo:

—No creas que fue solo un favor. Me encanta el Wildlife Dive, lo que hacemos, lo que me permite hacer. Me gusta mi vida aquí, es fácil y tranquila. Amo el arrecife y no siento que me falte nada ahora mismo, nada que tenga que buscar en las Bahamas o en Hawái.

Reprimí una sonrisa, porque escuchar aquello me hizo sentir bien, como si saber que no tenía intención de ir a ningún sitio me diera seguridad.

—Yo solo conozco esto, y tampoco siento la necesidad de salir. ¿Puede haber algo más bonito en el mundo? —Lancé la pregunta para constatar una realidad, mirando hacia el otro lado de la calle, donde a lo lejos se adivinaba el mar, donde la luna creaba una estela que parecía una escalera ascendente hacia ella.

—Puede que sí, y deberías salir al mundo y verlo; porque así, al volver, entenderás por qué quieres tanto este lugar.

—¿Por qué?

—Porque este es tu hogar.

23

—Mango es ya oficialmente una papaya.

—¿Y a quién se parece Papaya? ¿A mamá o a papá? —me preguntó Kata mientras la veía por el pequeño recuadro del ordenador comerse unos fideos orientales con palillos.

—Ahora mismo, a una beluga —contesté.

—¡Mira, mira! Ahora viene *la frase.*

Habíamos mantenido la costumbre de juntarnos cibernéticamente una noche a la semana para ver una de sus recomendaciones cinematográficas. Yo me bajaba al ordenador que estaba en la entrada del Jalalai y poníamos la película a la vez mientras manteníamos una conversación vía Skype.

Guardé silencio para escuchar a Emma Morley interpretada por Anne Hathaway en *One Day*:

—Te quiero, Dexter, mucho… ¿¡pero has dejado de gustarme!?[14] —repetí las últimas palabras agónica, incrédula.

—Oh, sí… ¿Pueden decirte algo más devastador? —Kata comía y comía sin parar como si el drama le abriera directamente un agujero en el estómago.

—Chsss. Cállate —le rogué y aumenté el sonido de los altavoces para que la música de aquel violonchelo que sonaba de fondo en aquella escena multiplicase mis sentimientos por mil.

—No llores, Bay. Estás en un lugar público.

—¡Pues no me hagas ver este tipo de películas! Además, es por las hormonas. Llevo unos días presa de subidas y bajadas emocionales injustificadas.

---

14. *One Day.*

—¿Está Scott volviéndote loca por teléfono? ¿O quizá es Jude? —soltó la última pregunta con tono musical, divertida, acomodándose sobre la almohada en la cama de su residencia universitaria.

—Chsss... ¡te he dicho mil veces que no le nombres! Podría entrar en cualquier momento.

—Pues entonces, le saludaría. Sería divertido, como ver dos películas por el alquiler de una.

—Muy graciosa —me giré para comprobar que tras de mí estaba la puerta de recepción cerrada y que allí solo me encontraba yo.

—¿Te acompañó él de nuevo al ginecólogo esta semana?

—Sí.

Le contesté de forma escueta porque no tenía mucho más que añadir que tuviese sentido. Era raro que él vinera a las revisiones conmigo, yo lo sabía, él lo sabía y todos lo sabían; pero, a pesar de eso, Jude insistía en ir, yo seguía sin tener el valor de enfrentarme a esas visitas sola y Scott continuaba en Perth estudiando, o en la Costa Sur, o quizá ya estuviese a esas alturas en Bali en la Bali Pro, haciendo lo que fuera que hiciesen los atletas en plena competición de la WSL.

La distancia es peligrosa, más si se instala en el comienzo de una relación. Puede hacer que idealices a la otra persona, que rellenes los huecos, el espacio y el silencio, con lo que tú piensas que él o ella haría. O puede hacer que olvides los pequeños detalles mágicos que compensaban los momentos malos. También puede hacer que te acostumbres al desapego, que te acomodes en tu soledad, que dejes de echarle de menos, que ya no importe tanto el que no esté junto a ti... Puede crear la necesidad de que alguien ocupe un lugar vacío.

Scott no quería agarrar la oportunidad de ser libre que yo le había ofrecido, al menos, no en teoría; porque, en cuanto los días se convirtieron en semanas, las llamadas se distanciaron, la duración de las conversaciones se acortó y el interés por saber del otro... disminuyó. Cuando recordaba el intento de beso de Scott volvía a sentir rechazo en mis entrañas y, a la vez, y por mucho que intentaba evitarlo, el impulsivo beso de Jude acudía a mi mente cada día. Varias veces cada día. Y, sobre todo, cada noche.

Contarle a Kata mi día a día sin pronunciar su nombre era imposible. Al contrario que Scott, Jude estaba instalado en mi vida. Cada vez más, cada vez más fuerte. Yo había cambiado la forma de relacionarme con él tras reconocerme a mí misma los sentimientos que él me provocaba; pero Jude también había cambiado. El muro que había levantado entre nosotros se había desmoronado ladrillo a ladrillo. En la oficina se dirigía a mí incluso cuando no era necesario, se acercaba sin miedo a rozarme, incluso sentía que muchas caricias de sus dedos no eran fruto de lo fortuito, que los toques casi imperceptibles del dorso de su mano contra el de la mía caminando, no eran involuntarios. Parecía esperar la hora de nuestro entrenamiento en la playa con las mismas ganas que yo, y cada vez escuchábamos menos música para, por el contrario, hablar de ella. O del mar. O de sus sueños. O de mis miedos.

—Tú lo que tienes es un calentón hormonal de embarazada, y ese chico —Kata hizo comillas con los dedos para evitar decir su nombre y que así yo no la volviera a amenazar con cortar la videollamada— es tu combustible.

—¿En serio existe eso o te lo estás inventando?

—Estrógenos... Seguro que los tienes por las nubes.

Conseguí cortar aquella conversación a tiempo, antes de hacer partícipes de ella a una pareja que entraba en recepción para sacar unas chocolatinas de la máquina expendedora.

—Hasta la semana que viene —se despidió Kata.

—Hasta la siguiente peli, amiga.

Al ver que cortaba la conexión, los huéspedes, que no parecían estar muy cansados, aprovecharon para preguntarme sobre las distintas agencias de turismo marítimo que había en Exmouth. Obviamente, les desplegué uno de los folletos del Wildlife Dive que había sobre el mostrador de Beef y les expliqué todo con detalle, trabajando fuera de horario, pero consiguiendo unos nuevos clientes.

En cuanto se marcharon a su habitación, volví a sentarme en el ordenador y abrí el navegador en el que tecleé «excitación en embarazadas».

En seguida aparecieron un montón de enlaces sobre la libido en los diferentes trimestres del embarazo o sobre el deseo sexual. Paseé el cursor sobre todos ellos de arriba abajo sin decidirme por cuál abrir hasta que a mi espalda oí una respiración.

—Parece que no soy el único que hoy no puede dormir.

Me giré, levanté los ojos y me topé con el pecho descubierto de Jude. Ascendí la mirada desde ahí con lentitud hasta sus labios, unos que se arqueaban con una sonrisa divertida a la vez que pícara, y de ahí subí hasta sus ojos, unos que se desviaban hacia la pantalla del ordenador con naturalidad. Sentí de forma instantánea cómo comenzaban a abrasarme las mejillas y supe que mi cara era como una bengala en medio de un mar con luna negra.

—Voy a por un poco de leche a la cocina del Jalalai, ¿quieres que te traiga algo? —me preguntó.

No le contesté, sino que me giré, apagué con parsimonia el ordenador y le di simplemente las buenas noches mirándole directo a los ojos, para así evitar volver a mirar la desnudez de su piel, que fuera de la playa ejercía otro efecto en mí, de los que disparaban mi nivel de estrógenos, según Kata. Entonces me encaminé a las escaleras, muy derecha, con paso firme, como si no sintiera que me acababa de desnudar por completo delante de él.

Mis días habían pasado de ser una rutina en la que trabajaba, hacía rehabilitación, leía y me marchaba a la cama, un día tras otro, mientras esperaba unas noticias sobre Elle Miller que nunca llegaban, a ser un hervidero de emociones que no era capaz de controlar.

Volviendo a Elle, seguir adelante sin esa referencia que tanto necesitaba, hacía que de forma inconsciente retrasase el momento de comenzar a sentir el vínculo madre-hija que yo misma debía crear con Papaya. Cada vez era más incómodo dormir; ya no podía hacerlo boca abajo y ella me daba pataditas justo cuando yo decidía descansar. El que la niña insistiera en recordarme que seguía creciendo dentro de mí, como si mi silueta no fuera suficiente, hacía crecer mi miedo a no saber afrontar lo que me esperaba en unos meses. Ese miedo se juntaba con lo frustrante que era para mí el no poder hacer inmersiones junto a Jude, y desembocaba en pura rabia; y me enfadaba con Papaya, y conmigo misma. Él siempre subía a la superficie con increíbles tomas del fondo marino, uno que deseaba ver con mis propios ojos y, aunque sabía que en tan solo unos meses podría bucear con botella de oxígeno, ese tiempo se me hacía una eternidad, una condena, un castigo a mis mentiras.

Pero no solo mi estado de ánimo era una bomba a presión, mi mente también estaba descontrolada y me imaginaba cosas absurdas e inadecuadas. Jude se había convertido en el centro de mis fantasías, y culpaba a las hormonas de ello desde que Kata las había nombrado. Pero, en el fondo de mi corazón, nacía una duda ardiente que ninguna de las películas románticas que había visto hasta entonces podía contestarme: ¿me estaba enamorando de quien no debía?

Si enamorarse era pensar a todas horas en él, soñar despierta con la posibilidad de volver a sentirme entre sus brazos o de besarle hasta que me dolieran los labios, imaginar un futuro junto a él y sentir calidez al hacerlo... entonces, la nueva Bay, yo, estaba enamorándome de Jude y no sabía cómo frenarlo para dejar de sentirme culpable de un grave delito. Y, aunque enamorarme de él me pareciera doloroso e inadecuado, continué nadando a favor de aquella peligrosa corriente, porque era una sensación demasiado poderosa.

—Hoy te vienes conmigo —me dijo un día Lori.

Yo me giré hacia ella sin comprender. ¿Con ella? ¿A la avioneta? Busqué a Jude con la mirada porque volar era algo que en ningún momento se me había ocurrido que podría hacer, y él, que parecía saber que yo le miraría, me devolvió una sonrisa ladeada. Como si hubiera sido idea suya, como si supiese que lo necesitaba, que el aire dentro de la oficina comenzaba a asfixiarme, que mis suspiros y la posición saliente de mis labios mientras miraba la pantalla llena de correos electrónicos y reservas eran una llamada de socorro.

—Hemos pensado que podíamos aprovechar las salidas de Lori, que podríamos incluirlas como otro *tour* llevando a un par de pasajeros para ver el arrecife desde arriba. Y como eres tú quien los va a vender, sería bueno que lo experimentases primero.

—También vendo las inmersiones y no las he hecho —sonó borde, y lo lamenté al instante, porque la idea de montarme en la avioneta me parecía absolutamente fascinante; pero las hormonas tomaban el control de mi boca sacando la rabia acumulada cuando no procedía.

—Pero esto sí que lo puedes hacer ahora. Si quieres.

—¡Sí quiero! —rectifiqué con rapidez el tono de mi voz. Sonreí a Jude, sonreí aún más a Lori, que se colocó sus gafas de piloto, y me giré hacia Terra que aplaudió con las palmas estiradas.

Despegamos de aquella pista de tierra roja con una avioneta tan pequeña que tan solo podría llevar un par de pasajeros en cada *tour*. Yo me senté delante, junto a Lori, que me colocó unos cascos con micrófono para poder comunicarnos porque el ruido de las hélices era ensordecedor. Sentía mariposas dentro de mi cuerpo, Papaya creo que también las sentía, y la mandíbula me dolía de tanto sonreír. Estaba ansiosa, como si fuera un pájaro al que están a punto de abrirle la puerta de su jaula. Cuando las ruedas se separaron del suelo y el aparato lanzó mi cuerpo hacia el asiento supe que aquella experiencia sería inolvidable. Grité, de emoción. Libre. Lori no me reprimió y, aunque era una persona fría, vi que sonreía con satisfacción.

En seguida, toda la inmensidad del terreno escarpado y árido del Cabo quedó a nuestros pies y el horizonte se pintó de azul.

Lori giró haciendo que la avioneta pareciese que iba a caer en picado durante unos segundos para poner rumbo a Yardie Gorge. Me dijo que íbamos a simular el *tour*, por lo que sobrevolaríamos la bahía de Turquoise, pasaríamos sobre el faro de Vlaming Head, Midura Werck, la base naval y un poco sobre la ciudad.

Fue maravilloso ver realmente, en su totalidad y grandeza, cómo el desierto se sumergía en el océano. Era la primera vez que veía así la extensa línea blanca que formaba el arrecife de Ningaloo, pude apreciar cómo la fuerza del océano rompía en él formando olas que morían antes de llegar a la costa. Una costa pintada de agua turquesa y brillante arena blanca.

—Mira allí. Serán unas treinta mantarrayas, ¿verdad? —me indicó Lori.

El agua era tan límpida que se distinguían con claridad desde arriba los ejemplares que nadaban en grupo, como si fueran componentes de un equipo de natación sincronizada, creando belleza con el simple movimiento de sus cuerpos.

—No imaginaba que sería tan increíble desde arriba. Es como si una acuarela cobrase vida.

—Lo es. Este es un buen trabajo, además, colaboro con los programas de identificación y marcado de tiburones ballena y ballenas jorobadas con los científicos del Centro de Conservación Internacional. Todos los que trabajamos en el Wildlife Dive somos mucho más que simples conductores de *tours*. Nosotros somos los gladiadores del mar.

—Los gladiadores del mar —repetí con orgullo, sintiéndome parte de ellos, aunque en realidad yo aún no tuviera una labor destacada.

—¡Allí tenemos a tres! —Lori exclamó triunfal para sí misma. Vi cómo llamaba a Roger para darle las coordenadas que sobrevolábamos y en las que acababa de avistar tres tiburones ballena, cuyos lunares blancos destacaban sobre la superficie del mar.

Desde allí arriba se apreciaba su tamaño de otra forma, se podía abarcar todo su ser con la mirada, apreciar su movimiento lento y el desplazamiento del agua que movía. Era tan hermoso y salvaje al mismo tiempo que entendí sin la más mínima duda que yo también quería cuidar de ellos, que estaba allí por algo y que, viniese de donde viniese, fuera quien fuera antes, el océano estaría en mi futuro.

Regresé a la oficina y comencé a redactar ilusionada la literatura que acompañaría a las fotos en el folleto promocional del nuevo *tour* aéreo.

—¿Te gusta? —le pregunté a Lori tras terminar el montaje.

Ella cogió la prueba impresa y afirmó con la cabeza:

—Buen trabajo.

Entonces, el torbellino llegó a la oficina. Las puertas de la furgoneta se abrieron, los turistas desfilaron por delante de ella despidiéndose de Terra y de Jude, y los biólogos entraron más exultantes de lo acostumbrado. No era algo que esperase porque precisamente aquel día solo había habido clientes para sacar tan solo uno de los barcos, y por ello, los dos biólogos habían hecho juntos el *tour*. Sin embargo, estaba claro que ambos habían disfrutado mucho de su compañía mutua, y nos lo hicieron saber en cuanto llegaron hasta nosotras.

—No te imaginas lo increíble que ha sido hoy, Lori —le dijo Terra agarrándola por los hombros y zarandeándola un poco.

—Para nosotras también ha sido increíble. —Miré a la piloto intentando conseguir su complicidad, pero aquella chica era un témpano de hielo—. Ha sido increíble —repetí mirando a Jude.'

—Me alegro, quiero que me lo cuentes.

Jude se subió las gafas de sol a la cabeza y fue a dejar las llaves de la furgoneta en su cajetín. Se acercó hasta mi mesa y apoyó el trasero en ella esperando que comenzase con el relato entusiasta al que le había acostumbrado a escuchar tras cada experiencia nueva que yo vivía.

—Oh, no dudo que has tenido que flipar con la salida en avioneta, pero antes tienes que ver esto. —Terra sacó la tarjeta de memoria de la cámara de fotos y la insertó en un USB que conectó a mi ordenador—. Ha sido mágico. Sabía que este chico hacía este tipo de cosas, pero nunca las había visto con mis propios ojos, y jamás nadie lo había podido filmar.

Yo quería que todos escucharan mi relato aéreo, pero cedí ante Terra porque no pude evitar sentir una terrible curiosidad por ver la heroicidad de Jude que la tenía tan excitada.

Al momento, aparecieron varios archivos en mi pantalla y la bióloga eligió uno de los primeros. Apareció una grabación bajo el mar en la que se veía a Jude, enfundado en su traje de neopreno, totalmente camuflado e irreconocible para cualquiera que no fuéramos nosotras, nadando sobre el coral hasta que un grupo de tiburones de arrecife comenzaron a acercarse hasta él. Dejé por un segundo de mirar para buscar sus ojos con asombro, pero regresé a la grabación, porque algo me decía que lo que iba a ver era mucho más mágico que ese acercamiento. De pronto, vi cómo Jude alzaba la mano y esperaba paciente a que uno de aquellos tiburones pusiera su morro bajo ella. Entonces, él comenzó a acariciarle, como quien da cariño a un animal doméstico. Abrí tanto la boca que todos se rieron al verme.

—¡Te dije que era insuperable! Este tipo es un encantador de tiburones —halagó Terra.

Era increíble ver a un animal tan descomunal recibiendo cariño de un humano, buscándolo, pidiéndolo.

—Hasta que no ves algo así no te das cuenta de quién es el peligroso ahí abajo. Hoy le he quitado a uno otro anzuelo que llevaba enganchado en la mandíbula —dijo él mirando la grabación con ternura.

—¿Y esto lo han visto los turistas? —pregunté anonadada.

—¡No! Esto lo hemos grabado antes de la inmersión del grupo, mientras ellos se ponían los trajes y Roger los entretenía con historias de sirenas. Esto no puedo hacerlo con la gente dentro, querrían imitarme y lleva mucho tiempo ganarse la confianza de un tiburón para que te deje acariciarle como a un perrito. —Asentí impresionada al escucharle y seguí observando la grabación de Terra, que revoloteaba detrás de mi silla muy orgullosa de su compañero.

—¿No temías que alguno pudiera morderte? —Viendo aquello, Jude me parecía valiente e imprudente a partes iguales.

—Los tiburones son unos incomprendidos, Bay. No son devoradores insaciables. Mira cuántos peces nadan junto a ellos. No se los están comiendo, y yo no soy un bocado apetecible para ellos. —Consiguió que le sonriera y pensara lo apetecible que sí me resultaba a mí, por lo que le retiré la mirada y seguí disfrutando de la grabación y de su voz—. Son criaturas hermosas, sensibles y muy inteligentes. Son mis amigos.

Dijo aquello encogiéndose de hombros, destilando tanto amor que sentí envidia de aquellos escualos, porque se notaba que aquella era su compañía favorita. Quizá por eso fuera de allí parecía no tener vida social, porque los seres con los que disfrutaba, con los que quería pasar el tiempo, estaban bajo el mar. Y le comprendí, y quise que me mirase y que aquella expresión no variase al encontrarse con mis ojos. Quise convertirme en tiburón de arrecife, ponerme bajo la palma de su mano y recibir sus toques de amor.

Al finalizar la grabación, Jude se levantó, sacó de su bolsillo algo envuelto en papel y lo deslió frente a mí.

—Otro para la colección —me dijo mostrándome el anzuelo que acababa de ver cómo le quitaba con destreza y rapidez a uno de los ejemplares.

Se levantó, fue hasta su escritorio, abrió uno de los cajones y sacó un bote de cristal en el que echó el trozo de metal, que tintineó al chocar con los otros que ya había dentro.

—¿Tantos? —pregunté con dolor.

—Cielo, ese bote es solo de este año —me contestó Terra.

Algo se movió dentro de mí, un sentimiento que ardía, que dolía, que me asfixió, y la única forma de aliviarme fue romper a llorar. Mis tres compañeros se giraron desconcertados hacia mí y me preguntaron a la vez qué me ocurría.

—Es que... ¿Por qué? ¡Si lo tiburones son necesarios! Sin ellos la cadena trófica se desequilibra porque entonces proliferan los depredadores de herbívoros y, sin herbívoros, las macroalgas se expanden. Los corales no pueden competir con eso y, entonces, las algas dominan el ecosistema y la supervivencia del arrecife corre peligro. ¿Es que no se dan cuenta de eso? —Había estudiado mucho. Aquel libro escrito por mis padres, en el que aunaban sus respectivos conocimientos de biología y botánica oceanográfica, se había tatuado en mi piel, aquellas palabras heredadas corrían por mis venas.

—Lamentablemente, muy pocos son conscientes de eso. —Lori se colgó su macuto a la espalda y dejó clara su intención de marcharse en breve.

—Pero, pero... ¡Está en los libros! —dije indignada, como si, por estar escrito, demostrado y comprobado fuera algo que debiera formar parte de la conciencia mundial.

—Y como casi nadie los lee, hace falta gente como tú para luchar por ellos. —Terra se acercó a mí con rollo de papel higiénico—. Anda, suénate, controla las hormonas y ven a ayudarme a lavar los equipos.

Miré a Jude, que se había quedado en silencio, en pie, mirándome como quien ve a un fantasma del pasado.

—¿Y cómo se lucha? —le pregunté directa.

—Trabajando. Este trabajo es bueno, Bay. Cuidamos de ellos. —Se dio cuenta de que aquella respuesta no era suficiente para mí en aquel momento, pero me retiró la mirada como si así pudiera apartar los pensamientos que aquella reacción mía tan intensa le habían provocado. Volví a perder la conexión extraña que había surgido entre nosotros y, sentándose frente a su ordenador, me dio una indicación con la que zanjaba la conversación—. Y no pidas nunca de comer sopa de aleta de tiburón.

Me fui junto a Terra para limpiar el material de inmersión mientras ella repasaba las bombonas de oxígeno. Le conté mi vuelo con Lori y ella escuchó receptiva. Aquello era bueno para ella también, más ingresos en casa. Luego regresamos al espectáculo mágico de Jude y los tiburones de arrecife, y me llené de las sensaciones de Terra.

—Ojalá hubiera estado allí, grabándolo yo —le dije al final, antes de regresar a los escritorios donde Jude terminaba el papeleo diario.

—Habría sido una grabación menos temblorosa, eso seguro —se rio y yo la acompañé admitiendo que la imagen parecía víctima de un oleaje traicionero—. Pero, podrás hacerlo en unos meses. Y tú, ahora, tienes entre manos algo maravilloso que cuidar. No podemos tener siempre todo lo que queremos.

Terra se acercó a mí, me acarició la tripa con las dos manos y quise leer en su mirada un deseo secreto. No me atreví a preguntarle si acaso ella deseaba ser madre, pero supe que, cuando Papaya llegara al mundo, tendría muchos brazos dispuestos a sostenerla.

A la hora del cierre, Jude me hizo esperar un par de minutos en la puerta. Al salir lo hizo con dos gafas de bucear con tubo en la mano.

—Creo que hoy, más que rehabilitación, necesitas un poco de esto —me dijo.

Le sonreí y afirmé feliz. ¿Tanto me conocía ya? Jude había llegado hasta mí, a partes que ni yo misma conocía. Y, cuando accedía a estar presente, sabía elegir el lugar perfecto.

Pusimos rumbo a la costa de Jurabi; las playas al sur de Tantabiddi eran zonas espectaculares para hacer *snorkel*. Hasta llegar allí, escuchamos música y noté su nerviosismo. No paraba de darle pequeños golpecitos al volante con la yema de los dedos, la mandíbula apretada le acentuaba los pómulos y soltó el aire retenido durante demasiado tiempo varias veces con un sonido ronco.

—¿Estás bien? —me atreví a preguntarle por fin.

Me miró por el rabillo del ojo y encogió los hombros de forma casi imperceptible:

—Claro.

Pero se recolocó las gafas de sol, esta vez sobre el tabique recto de su nariz, aunque el sol fuera totalmente inofensivo.

No me había preguntado nada y era más que evidente que su mente andaba en un lugar muy lejano al interior de aquel coche, pero comencé a contarle mi paseo por las nubes y, palabra tras palabra, él comenzó a relajarse, a soltar los músculos. Recolocó el brazo sobre la ventanilla bajada del coche y bajó el volumen de la radio para escucharme mejor.

Yo no podía dejar de preguntarme qué habría dentro de aquella cabeza, qué era lo que le atormentaba de esa forma como para levantar muros insalvables en menos de un minuto entre nosotros, para estar presente, pero con la cabeza lejos, para tener esas idas y venidas que yo era incapaz de comprender. Era como un yoyó en mis manos: en cuanto pensaba que ya lo tenía cerca de mí, próximo a mi corazón, se desenrollaba y se alejaba, pero sin separarse del todo, la distancia suficiente para darse cuenta de que debía regresar.

Ya en la playa le dibujé en la arena el diseño del folleto que había ideado para los *tours* aéreos y él prestó atención.

—Habrá que hacer números, pero creo que, como igualmente hay que pagar a Lori cada vez que saca la avioneta para darnos las coordenadas, ajustando el precio del *tour*, podría salir más que rentable.

—Pues no se te ve muy entusiasta —dije descolgando los hombros, algo cansada de intentar recuperar su sonrisa.

—Es que nunca me gustó esta parte del negocio. La de los números, la empresarial.

—Pues enséñame, la llevaré yo.

Jude sonrió, por fin, y negó con la cabeza.

—¡Tú lo quieres todo! Estar aquí, allí, allá...

—Quiero ser útil.

—Bay, ya eres útil. Pero quizá deberías comenzar a pensar qué es lo que realmente quieres.

Jude avanzó hasta la orilla y se ajustó las gafas de bucear en la frente.

—No te comprendo.

—Sí, es que hasta ahora has estado centrada estudiando lo que Johan hacía y sabía, has estado pendiente de lo que hacía falta en la oficina para que todo funcionara bien, te has obsesionado con averiguar lo que hacías antes, quién eras... Pero ¿te has parado a pensar qué es lo que quieres tú, ahora?

—Jude, intento sobrevivir. Recuperar mi vida.

—Llegará el momento en el que tengas que dejar de sobrevivir para comenzar a vivir. La vida no se tiene, se vive.

—¡Pues lo quiero todo! Es lo que siento —exclamé con intensidad y desesperación—. Quiero el cielo y el mar, los tiburones, las ballenas, las tortugas, las fotografías, las grabaciones, las horas insufribles de ordenador con las reservas, los números que no entiendo, los libros de mi padre, las publicaciones de la que creo que es mi madre... Quiero mi pasado. Lo quiero todo en mi futuro... —«A ti», me guardé dentro, aunque quizá se lo dijera con los ojos porque sentía que la mirada me ardía, que las lágrimas amenazaban por brotar de mí otra vez; pero aguanté la respiración y las reprimí.

Jude se mordió el labio inferior y miró al cielo, casi con desesperación.

—Nadie puede tenerlo todo.

Dicho eso, se puso las gafas, se metió el tubo en la boca y se lanzó al mar. Yo le imité unos segundos después, furiosa por escuchar aquello por segunda vez en el mismo día y de dos personas diferentes. Y, como si fuera un bálsamo curativo mágico, el mar nos reconcilió, porque tan solo un par de minutos después, nos colocamos juntos y nadamos acompasados.

24

Todas las tardes de aquella semana hicimos lo mismo, pero en zonas diferentes de la costa, y fue maravilloso ver cómo las criaturas que habitaban esos ecosistemas toleraban nuestra presencia. Tortugas, pequeños tiburones, serpientes, rayas, morenas, estrellas, cangrejos, dragones de mar, moluscos, miles de bandadas de peces multicolores... Si los respetábamos, ellos nos dejaban pasear por su hogar. Nadábamos sin aletas para no dañar los pólipos de los corales y Jude cuidaba de que yo no me acercara demasiado para evitar que pudiera cortarme con su superficie afilada, algo que me resultaba casi imposible porque sus colores me atraían como un imán.

Gracias a los libros, me había aprendido todos los nombres de los diferentes tipos de coral, pero reconocerlos con mis propios ojos hizo que cada día le pidiera a Jude que nos quedáramos un poco más de tiempo, un poquito más cada día. Y él cedía, porque también era feliz allí abajo.

Así fue como aprendí a diferenciar el coral gorgonia, por su forma aplanada de abanico y brillante color que se movía como una tela mecida por las corrientes; a admirar de lejos el coral fuego para evitar la quemazón de su roce; a diferenciar cómo la altura de los corales de cuerno de ciervo dependía del movimiento de las olas; a admirar la grandeza de los corales cerebro, que parecían enormes rocas con surcos pedregosos en su superficie... Cada día, era un escenario diferente, un mundo nuevo; como visitar otro planeta oculto dentro del nuestro. Pero las inmersiones no eran solo eso, también eran compartir miradas cómplices con Jude, ser espectadores silenciosos de aquella vida submarina mientras nadábamos acompasados, sentir su mano dirigir mi cuerpo hacia un lugar específico para mostrarme algo especial... Esas sensaciones eran un extra al que me había acostumbrado, algo que ansiaba cada día un poco más; esas tardes se habían convertido en el mejor momento del día, en una adicción pura.

Luego, cenábamos en casa con Adele y comencé a sentirlos a ambos muy míos; familia. La madre de Jude sonreía cada día un poco más, con más arrugas en los ojos pero más libre. Y supuse que vernos felices era su propia felicidad.

Esa semana dejé de preguntarme tanto quién había sido yo, dejé de pensar en los que formaban parte de mi vida antes del accidente, en lo que había perdido. Había empezado a vivir y sentaba bien, como un baño relajante de burbujas. Quizá fue porque llevaba días sin hablar con Scott y no me importaba, porque ya no había más libros que leer ni más que aprender de quien ya no estaba, o porque los que llenaban mi día a día lo hacían lo suficiente, quién sabe...

En todo caso, la vida no es un mar en calma: las mareas suben y bajan, las tormentas se desatan muchas veces sin previsión o con poco tiempo de antelación como para ponerte a salvo de ellas y, entonces, te quedas a merced de las olas y solo tienes dos opciones: aguantar sus embestidas o saltarlas.

Y así terminó la semana: con algo tan inesperado como esperado, tan deseado como temido. El pasado llamó a mi puerta y, al abrir, dejé que pasara dentro de mí, estuviera o no preparada para conocerlo.

Roger y Stu hacía rato que se habían marchado. Terra acababa de salir por la puerta tras girar el cartel que colgaba de la cristalera y que indicaba que la oficina quedaba oficialmente cerrada hasta el día siguiente, y yo me disponía a apagar la pantalla de mi ordenador cuando Jude se apoyó en mi mesa y reclamó mi atención.

—¿A qué playa vamos hoy? —le pregunté alegre, deseosa de salir de allí junto a él.

—Lo tengo, Bay. —Me mostró un trozo de folio doblado, pero no me lo entregó—. Sé dónde está; tengo su dirección y no va a permanecer allí durante mucho tiempo. Es toda la información de la que dispongo; creo que es lo que querías, aunque...

Sentí cómo de pronto el corazón se me disparaba. No podía dejar de mirar el papel que él sostenía entre dos dedos estirados frente a mí. ¿Elle? Sin saber cómo reaccionar, me llené de un pánico que hacía bailar mis labios de la sonrisa al gesto serio en décimas de segundo.

—¿Estás segura de que quieres esto? Sé que tienes muchas preguntas, pero piensa en si estás preparada para las respuestas que puedas encontrar.

—Prefiero saber la verdad, aunque duela.

Jude movió la boca en una mueca, guardó silencio y me entregó el trozo de papel.

—¿¡Brisbane!? —pregunté desconcertada, porque aquella era la dirección de un hotel al otro lado del país. A tan solo unas horas en avión. Demasiado cerca. Demasiado accesible.

—Hasta el martes. Mi contacto en la universidad me acaba de llamar para decirme que llegó esta mañana, pero que se dirige al mar de Salomón.

—¿Mar de Salomón? ¿Dónde está eso?

—Cerca de Nueva Guinea. En marzo, un petrolero encalló en la bahía de Kangava por un fuerte oleaje y creen que el vertido ha dañado el arrecife de coral. El de allí es el más grande jamás cultivado.

—Claro... Ella se dedica a eso. —Lo dije algo ida, hasta que una idea cruzó mi mente y abrí los ojos—. ¿Y sabe algo de mí?

—Mi contacto no le ha podido decir nada, porque yo no le conté los motivos por los que la buscaba. Creo que es mejor que ese asunto lo trates directamente con ella, si es lo que quieres hacer.

—Brisbane —repetí con la mirada perdida.

La oportunidad de conocerla estaba en la punta de mis dedos, sentía que era ahora o nunca, por lo que volví a encender la pantalla del ordenador y busqué un vuelo para el día siguiente.

Jude se ofreció a acompañarme, pero sabía mejor que nadie que ese fin de semana había contratados unos grupos de turistas bastante numerosos y, además, sentí que era algo a lo que debía enfrentarme sola. Tuve que sacar una noche de hotel por la combinación de vuelos que había disponible, así que no regresaría hasta el sábado, y me resigné pensando que con ello no sometería a mi cuerpo a una fatiga innecesaria. No es que mi cuenta bancaria anduviese muy boyante, pero la barriga comenzaba a pesarme y las piernas se me hinchaban algunos días, sobre todo por los tobillos.

Aquella noche, Adele me preparó un bocadillo y algo de fruta que meter en mi mochila ligera, en la que no eché más que un recambio de ropa y el cepillo de dientes. No tenía grandes expectativas de aquel encuentro, si es que conseguía verla, pero si algo tenía claro era que, después de aquello, regresaría a casa.

Jude me llevó temprano hasta el aeropuerto de Exmouth. Estaba intranquilo, pero no pude apaciguar su espíritu porque el mío era como una marisma pantanosa.

—Llama cuando aterrices en Perth, y cuando estés en el avión hacia Brisbane y...

—...Y cuando aterrice allí. Tranquilo —le aseguré conmovida por su preocupación.

—Es por Adele, ya sabes.

—Lo sé.

No imaginé que despedirme fuera a hacerme sentir todo ese vacío en la boca del estómago. Me abracé a él con un abrazo rápido, fuerte, inesperado; uno en el que a sus brazos no les dio tiempo de rodearme, pero le di las gracias y él me siguió con la mirada hasta que desaparecí de su visión al girar una esquina.

Al montarme en el avión sentí por primera vez el vértigo de la soledad. Me dirigía a un lugar desconocido, sin contactos allí, sin más referencias de la ciudad que la dirección de mi hostal y la dirección del hotel de Elle. La inexistente experiencia almacenada en mi cerebro no me ayudaba a enfrentarme a esa situación con mucha tranquilidad, pero me sujeté la barriga por debajo, imaginé que abrazaba a Papaya, y le hablé en susurros:

—Nos va a ir bien, no te preocupes. Estamos juntas en esto.

Durante unos segundos, me sentí una farsante: era yo la que necesitaba saber que no estaba sola del todo en ese momento. Entonces, con la cabeza apoyada en la ventanilla del avión, comencé a llorar en silencio. Y me di cuenta de que ella, quizá, se había podido sentir sola ahí dentro; yo no siempre le había prestado mucha atención, había tenido muchas dudas, me había enfadado con ella... y era posible que hubiese sentido mi dejadez, mi indecisión, mi rechazo en algunos momentos. Ella contaba solo conmigo, y me di cuenta de que, hasta el momento, ella también se había dedicado simplemente a sobrevivir, a la espera de comenzar una vida.

Tras casi cinco horas de vuelo desde Perth, llegué a Brisbane por la tarde. Cogí un taxi en la salida del aeropuerto y me dirigí directamente al hotel. Aunque aquella ciudad no era muy grande, a mí me pareció inmensa. Los rascacielos le daban el carácter de una gran capital y las calles eran un hervidero de gente entrando y saliendo de todas partes. Me bajé del taxi frente al Metropolitan Spring Hill con el macuto afianzado en mis hombros, y me quedé quieta mirando su fachada gris durante un buen rato. Después de llevar tanto tiempo buscando un origen palpable de mi existencia, un referente real, el estar a unos pasos de una respuesta me hizo sentir vértigo. No sabía bien con qué me iba a encontrar, cuál sería su reacción, y tampoco sabía bien qué esperaba yo realmente de todo aquello; pero creía firmemente que, una vez con la verdad en la mano, vertiendo un poco de luz sobre la oscuridad de mi pasado, estaría más preparada para poder afrontar mi futuro.

Entré en el *hall* y pregunté por Elle Miller a la recepcionista. Mentí, le dije que era una amiga suya, y ella descolgó el teléfono para llamar a su habitación. Tras un rato, la chica me miró resignada.

—Parece que no hay nadie. ¿Quieres que le deje algún mensaje?

—No, gracias. La esperaré aquí sentada —le contesté señalando uno de los sillones de la recepción.

Tras más de siete horas de vuelo y una noche desapacible en la que había rodado inquieta sobre las sábanas, los mullidos cojines de aquellos sillones me parecieron tan acogedores como un abrazo. Aunque la recepción de un hotel es siempre un lugar entretenido por el constante movimiento de gente variopinta, cada vez que se abría la puerta, el estómago me daba un vuelco. A través de las cristaleras que daban a la calle, podía ver a la gente pasear, los que bajaban de la parada de autobús que había enfrente o los que, como yo, llegaban en taxi desde el aeropuerto o el centro de la ciudad. No podía parar de preguntarme qué aspecto tendría; tenía grabada en mi mente la imagen de aquella foto que había encontrado en el artículo de aquella revista en Internet, pero en ella se encontraba en un barco, trabajando, y la imagen era pequeña, por lo que no estaba segura de poder reconocerla cuando cruzara el *hall* para ir a dormir a su habitación.

La tarde caía, las luces se atenuaban fuera y mi capacidad visual disminuía por minutos. Crucé un par de mensajes con Jude en los que le informaba de mi espera, que ya había sobrepasado las dos horas, y comencé a inquietarme: ¿y si Elle Miller no tenía intención de dormir aquella noche allí, aunque tuviese registrada una habitación a su nombre? Me cuestioné si quizá debería haber ido a la universidad a buscarla en lugar de esperarla en el hotel.

Ya era de noche, el sofá se había hecho a la forma de mi cuerpo y los párpados comenzaban a pesarme tanto que no pude evitar dar un par de cabezadas.

—Aquella chica lleva toda la tarde ahí sentada esperándola.

Oí la frase con toda claridad, y toda la neblina del cansancio que se había apoderado de mí desapareció. Reviví como si esas palabras fueran una inyección rápida de adrenalina. Sé que dejé de respirar, que mis ojos se abrieron y que mi cuerpo se quedó petrificado, como un bloque de hielo. No era capaz de girarme hacia el mostrador de recepción. ¿Cuándo había llegado? ¿Había pasado por delante de mí y no la había visto? ¿Era la última mujer que había bajado del autobús, la que había mirado dentro de su bolso todo el camino hasta la entrada del hotel?

Escuché sus pasos y recuerdo que entonces pensé: «Vaya, lleva tacones». No me esperaba a una Elle Miller con tacones, más bien con un traje de neopreno, unas aletas en los pies y un tubo sobre la frente. Aunque era obvio que no me la iba a encontrar así en la calle, esa era mi imagen y, tras conseguir girarme, comprobé que aquella mujer era una intimidante imagen femenina, enfundada en un traje de chaqueta, con un collar de perlas al cuello y el pelo flotando a ambos lados de su cara con unos rizos idénticos a los míos, rubios y salvajes.

Cuando nuestros ojos se encontraron, ella ralentizó el paso. Me miró por partes, en conjunto, a mi alrededor, con la respiración cortada y los ojos tan desconcertados como lo estaban los míos. No esperaba aquella mirada incrédula, reprobatoria, indignada.

—Soy... —intenté decir mientras me levantaba del sillón y comprobaba que no era mucho más alta que yo.

—Ya sé quién eres —miró a su alrededor, buscando a alguien más, hasta que por fin preguntó con voz seria—. ¿Está Johan por aquí?

¡Sabía quién era! No supe si alegrarme por ello, porque el hecho de que lo supiera desechaba muchas de mis teorías. Además, el gesto de su cara era tan indescifrable que cuando preguntó por mi padre sentí que comenzaba a sudar.

—Johan... —tragué saliva—. Mi padre murió hace unos meses en un accidente de tráfico.

—¿Cómo?

Fue la forma de preguntarlo lo que me hizo sentir insignificante. Allí estaba yo, dispuesta a entregarme, a abrirme, a descubrir la verdad, mientras que ella no parecía ver a quien tenía delante. Movió negativamente la cabeza con rapidez, se puso la mano en la frente y otra sobre la boca del estómago.

—Johan... ha... ¿muerto? —dijo incrédula.

—Me ha costado mucho dar contigo —le dije.

Elle Miller me miraba sin mirarme. La noticia de la muerte de mi padre parecía haberle afectado profundamente. Su mirada bailaba por toda la estancia, como si buscase oxígeno con desesperación, reparaba en mí unos segundos y volvía a negar antes de perderse en sus pensamientos rápidos y confusos.

Entonces, se centró, me miró sin pestañear y tensó la mandíbula:

—No deberías haber venido.

—¡Quiero saber! —le pedí intentando retener sus pasos que tomaban dirección hacia el ascensor.

—No hay nada que saber —me contestó fría, evitándome de pronto la mirada.

—¡Todo! Tengo todo pendiente por saber. Concédeme una conversación, tan solo unos segundos. He viajado nueve horas para venir y llevo toda la tarde aquí sentada esperándote. Necesito hablar contigo, porque en el accidente en el que murió mi padre yo le acompañaba y perdí la memoria. No sé quién soy, no le recuerdo a él y no sé quién eres exactamente tú. Necesito saber vuestra historia, la mía.

La puerta del ascensor se abrió y ella puso la mano en las puertas. Tardó un par de segundos en levantar la cabeza para mirarme.

—Si no sabes quién soy, todo es como debe ser. Lo siento, no puedo ayudarte.

Tuve que dar un paso atrás para que las puertas del ascensor no me golpearan en la tripa. No sé si ella se llegó a dar cuenta o no de que estaba embarazada, apenas me había mirado, aunque había sido suficiente en realidad para reconocerme. ¿Cuánto sabía ella de mí? ¿Cómo había podido saber quién era yo con un solo pestañeo? ¿Por qué no me concedía ni unas palabras y huía despavorida?

Un intenso calor comenzó a recorrerme el cuerpo y me fijé en los números del ascensor mientras ella ascendía. Se paró en la segunda planta y me quedé mirando aquel número dos como si allí estuvieran todas mis respuestas.

Pulsé el botón y esperé a que el ascensor bajase de nuevo. Al abrirse las puertas me vi reflejada en el espejo; era el reflejo de alguien con gesto dolido, tembloroso, sin sombra y con mucha oscuridad. Avancé para meterme dentro y pulsé el número dos en el panel lateral del elevador.

No tenía ni idea de a qué habitación dirigirme, por lo que me acerqué a la primera que vi tras salir y golpeé la puerta con fuerza. La buscaría detrás de cada una de las habitaciones de aquella planta, porque no pensaba volver a Exmouth sin obtener lo que buscaba con desesperación.

Me abrió un hombre de mediana edad y le pedí disculpas. Llamé a la siguiente puerta y no contestaron. En la siguiente tampoco hubo respuesta. En la de enfrente abrió una chica con una mascarilla de lodo en la cara y en la siguiente no abrió nadie.

Escuché pasos aproximarse en la sexta habitación a la que llamaba, pasos de tacones, y supe que allí estaba ella. Se aproximó, pero no abrió. Volví a golpear la puerta y le rogué que me abriera. El silencio fue tan dañino que temí arrancar a llorar allí mismo, pero, segundos después, el pomo giró.

—Sé que te dedicas al cultivo de los corales y que mi padre era un experto en ballenas jorobadas, que escribisteis un libro juntos, uno que me sé de memoria. Sé que le escribiste una despedida en un folio que él guardó dentro de uno de sus libros y que él te escribió una carta que dudo que llegara a enviarte, porque estaba sin terminar en su ordenador. Sé que mi padre me quería, porque me lo han contado, por las fotos que he visto, porque me dejó la habitación más grande de la casa... Pero no sé nada más de ti. Y no sé nada de mí.

Elle seguía en *shock* y yo no sabía si era por la noticia de la muerte de mi padre o si era más bien mi presencia allí la que la tenía absolutamente descolocada. Vi que se había quitado la chaqueta, que ahora lucía una camisa blanca, de las finas y suaves que marcaban un pecho pequeño y redondo; vi que no lucía más joyas en su cuerpo que su collar y unos pendientes diminutos que podían ser circonitas; vi que el rímel se le había corrido un poco...

—Hay un restaurante abajo. Estaré allí en diez minutos.

Cerró la puerta de su habitación con lentitud y yo intenté controlar los latidos de mi corazón mientras me dirigía de nuevo al ascensor. Me frustró que no me dejase entrar. Habría sido más fácil haber aclarado las cosas allí dentro, en su habitación, de forma rápida; y aquellos diez minutos se me hacían demasiado tiempo: era tiempo suficiente para que se arrepintiera, para escapar por otra puerta, para volver a desaparecer, y en diez minutos yo podía sufrir un fallo cardíaco si mi corazón no bajaba el ritmo.

Elegí una mesa junto a la cristalera desde la que veía circular los coches y, cuando el camarero se acercó, pedí un poco de agua y un sándwich César. No tenía hambre, pero todo el mundo allí estaba sentado y cenando, y no tenía sentido sentarte en el restaurante simplemente para beber agua.

Elle Miller no huyó, apareció a los diez minutos exactos, de nuevo enchaquetada, con el pelo arreglado y los labios con carmín repasado. Yo sentía mi ropa arrugada y algo sudada, el pelo pegado y despeinado, y la cara demacrada por el cansancio y el estrés. Se sentó frente a mí, seria pero más tranquila.

—¿Has pedido algo de comer?

Yo afirmé con la cabeza y ella llamó al camarero. La observé mientras leía el menú, aparentando tranquilidad, aunque no podía controlar el temblor de sus manos.

—Un agua con limón y una ensalada de espinacas, por favor.

La miraba fijamente, esperando que ella decidiera hacer lo mismo, que sacara el valor para hacerlo.

—¿Sufrió? —me preguntó de pronto.

Volvió a dolerme que centrara aquel encuentro en mi padre, que me relegara a un segundo plano; pero, en cuanto levantó la mirada, descubrí unos ojos rojizos y supe que la muerte de Johan era algo que le había dolido profundamente.

—No lo sé. Creo que no. Yo no desperté hasta un mes después.

—Yo amaba a tu padre. Muchísimo. Me cuesta creer que él ha... —desvió la mirada al cristal y se tragó las lágrimas. Estiró el cuello e inspiró profundamente.

—Yo no le recuerdo. Ni a él, ni a mí misma. He venido aquí con la esperanza de que tú pudieras explicarme lo que los demás no pueden, que pudieras rellenar un vacío en mi pasado.

—¿De cuánto estás? —me preguntó ignorando mis palabras.

—De casi seis meses. Desperté así, embarazada.

Ella alzó las cejas y aguantó la respiración.

—Oh, lo siento.

—Yo no —le contesté algo ofendida y me removí en el asiento—. Es una niña y creo que es lo único cien por cien auténtico en mi vida ahora mismo.

—Lo siento, yo no quería decir... Me alegro si es bueno para ti.

—¿Te alegras? ¿En serio? No entiendo que existas, que estés ahí delante de mí en carne y hueso, que me digas que amabas a mi padre y que nadie de los que lo conocían sepa de ti. No entiendo que no hayas formado parte de mi vida. Aunque, después de lo que acabas de decir, creo que es porque yo no era buena para ti. ¿Es eso?

El camarero llegó con nuestra cena e interrumpió la conversación susurrada, una que era tan fría como real en aquella sala extraña rodeada de desconocidos.

—Conocí a tu padre en Broome cuando tenía veinte años, en una protesta contra el sacrificio japonés anual de delfines y ballenas. —Volvía a desviar la conversación hacia mi padre, pero callé y escuché porque quería conocer aquella historia—. Me enamoré de él en cinco minutos, fue como si hubiese encontrado al único ser humano del planeta que hablaba mi idioma. Compartíamos una misma pasión, una misma forma de entender la vida, una misma creencia de cómo pasar por ella. Hicimos muchos planes, el mundo se convirtió en un lugar pequeño y accesible para nosotros.

Elle hizo una pausa para beber agua y yo aproveché para darle un bocado a mi sándwich, porque no sabía qué hacer, porque no quería hablar e interrumpirla, porque estaba muy nerviosa y aquel emparedado estaba al alcance de mis manos.

—La vida es injusta, ¿sabes? Te hace elegir. Si tomas un camino, irremediablemente estás desechando otro. No puedes vivir dos vidas en una, no puedes tomar dos direcciones a la vez, ni las oportunidades esperan al momento adecuado.

—¿Quieres decir que Johan y yo fuimos un camino eliminado?

—Quiero decir que tuve que elegir qué vida quería vivir. Me enamoré, me dejé llevar y durante un tiempo fue maravilloso. Fue la etapa más feliz, completa y llena de mi vida; pero esa vida que Johan y yo habíamos ensoñado no era compatible contigo. Él intentó convencerme de que sí, que juntos podríamos con todo, pero siempre fue más romántico con la realidad que yo.

Sentí aquella quemazón en el pecho que no esperaba, la de la tremenda decepción, la del rechazo, la de la verdad dolorosa.

—Nunca debí tenerte —continuó, asestándome una estocada final en el centro de mi corazón—. No era mi deseo, me sentí presionada por Johan a seguir adelante, porque le amaba, porque no quería renunciar a él, a nuestro mundo. Pero él sí quería ser padre, así que tomé una decisión muy dura con la que he tenido que convivir cada día desde entonces.

—Nos abandonaste.

—Luché por mi libertad, por mi vida.

—Pero yo era tu hija...

—Yo te di la vida, pero siempre has sido la hija de Johan. Y le he amado y odiado cada día desde entonces, porque él seguía siendo él, pero me condenó a sentirme culpable hasta el día de mi muerte por dejaros atrás, por instigarme a tenerte, por convertirme en alguien que abandona a su familia. Yo solo quería... No... —rectificó imprimiéndoles a sus palabras una tremenda vehemencia—: Yo *sabía* que estaba en este mundo para cumplir una misión, algo que estaba por encima de mí misma, de él. De ti.

—¿Los corales? —pregunté atónita.

—Sí —contestó con absoluto convencimiento y determinación.

Tomé aire porque sentía que me asfixiaba y me agarré a mi barriga porque necesitaba sentirla.

—Johan no dejó de escribirme, de buscarme, de ponerse en contacto conmigo por tierra, mar o aire. Me mandaba fotos de ti y yo le odiaba tanto por ello... Llegaban las cartas, las leía porque eran suyas y oh... Jamás he dejado de amarle, pero luego me hacía odiarle. —Su gesto era duro, lo que me hacía pensar que el odio pesaba más en la balanza que su amor por mi padre.

—¿No querías siquiera saber de mí?

—No. Saber de ti es lo que me hacía sentir miserable, pero jamás me he arrepentido de mi decisión. Mi trabajo, mi lucha, mis logros... Tenía que ser yo. Y sé que esto no es lo que querías oír. Lo lamento.

—Guau... —desvié la mirada, la paseé por todo el salón y sentí cómo las mejillas se me humedecían.

Entonces ella se levantó de la mesa, con la ensalada intacta, con su traje azul mar oscurecido sin una arruga, con la cabeza erguida, y salió del restaurante sin volver a mirarme. Y yo no pude hablar porque tenía un nudo en la garganta, porque había intentado retener tantas lágrimas dentro que se me habían cristalizado y me asfixiaban. No pude detenerla, porque ella se quería ir. Me quería dejar allí, lejos, recuperar la distancia segura que siempre nos había separado. No tenía la más mínima intención de sumarme a su vida, de darme una oportunidad, de conocerme. No pude decirle que yo no quería nada de ella, que yo no sería motivo de la elección de un camino diferente al que había tomado. Simplemente, desapareció y me dejó su verdad.

Pedí un taxi y le di la dirección de mi hostal. Hice el recorrido con la mirada perdida en las calles, mirando sin ver nada en realidad, repitiendo en mi cabeza cada palabra suya, creando mil respuestas posibles a cada una de ellas.

Jude me llamó por teléfono tres veces, pero no podía cogérselo y finalmente le mandé un mensaje en el que le informaba de que estaba en la cama, cansada y de que no debía preocuparse por mí. Scott también me llamó, aunque él no sabía nada de dónde estaba y ni siquiera le contesté; llevábamos días sin saber el uno del otro y me llamaba en el peor momento, haciendo muy evidente lo poco que formaba parte de mi vida y lo poco que le quería en ella, y aquello que me enfadaba, porque estaba atada a él.

Fue fácil comenzar a llorar, explotar para soltar toda mi frustración acumulada. Lo difícil fue parar.

25

Fue Terra la que me recogió del aeropuerto, porque mi vuelo llegaba antes de que Jude hubiese vuelto de su *tour*, y le pedí que me llevara a mi casa en lugar de al Jalalai. Sentía que necesitaba estar allí, en el sitio que había sido mi hogar, donde había crecido bajo el cuidado de un padre que había sacrificado su amor y una vida diferente por criarme.

Durante la noche había llorado todas las lágrimas posibles por una madre a la que, sin llegar nunca a tener en verdad, había perdido para siempre. Y había llorado también por la pérdida de la única oportunidad que me quedaba de recuperar un pasado, un origen. Me había desahogado, tanto que dentro de mí se había instalado una sensación de profundo vacío.

Le pedí a Terra que le dijera a Jude que pasaría allí la noche, y ella se comprometió a recogerme a la mañana siguiente para ir a trabajar. En ese momento, me di cuenta de la necesidad urgente que tenía de hacerme con un coche, de obtener la independencia de todos.

Quizá fuera porque el otoño estaba tocando a su fin, porque se acercaba junio y, con él, el invierno australiano, pero el frío se apoderó de mi cuerpo. Hice una ronda por dentro de la pequeña casa, haciendo un barrido visual de los testigos materiales de mi pasado. Miré las fotos de mi padre y reparé en sus ojos azules de mirada tierna, despistada e inteligente, en su barba que se adivinaba suave, en su pelo oscuro alborotado, en su altura media que se antojaba enorme a mi lado en las fotos de mi infancia. Sin recordarle, sin conocerle, supe que mi corazón le quería por lo que había hecho, por lo que me había dado, por lo que me habían contado de él, por su legado. Por mis latidos.

Me tumbé en la cama y me tapé con la manta, perdiendo la vista en el mar embravecido de aquel día que había tornado su color celeste en un gris perla centelleante mientras el sol se escondía por el horizonte con lentitud. Volví a llorar, porque estaba rodeada de un pasado que no sentía mío y que jamás recuperaría, de unas fotos en las que no me reconocía y con momentos que jamás recordaría. Tras un buen rato de frustración asfixiante, decidí levantarme y arrancarlas. Las eché todas, a excepción de las fotos en las que aparecía mi padre, en la pequeña papelera de mi escritorio y fui a la cocina a por un mechero. Envuelta en la manta de punto de mi cama, con el cubo colgando del asa en una mano y la urna con las cenizas de mi padre en la otra, salí de la casa y anduve hasta pisar la arena. Me senté con las dos cosas al lado durante un rato. Las olas golpeaban con fuerza las formaciones rocosas desperdigadas por la orilla y el viento era de los que prometía muy buenas olas unos kilómetros más al norte.

—Tengo que despedirme de ti. No vas a volver y quizá ahora me dé cuenta de que no quiero ni necesito que lo hagas. Para mí vas a ser siempre una sombra y, para los demás, un recuerdo. Tengo tu cuerpo, tus consecuencias, tus cosas..., pero estos momentos deben irse contigo.

Prendí fuego a una foto y la eché en el cubo junto al resto. Entonces me levanté y dejé que ardiera allí. Agarré la urna y me adentré unos pasos de la orilla.

—Me habría encantado conocerte. Ojalá vengas alguna vez a mí aunque sea en sueños, pero no puedo aferrarme más a ti. Tú tienes que descansar y este es el lugar correcto.

Eché las cenizas al mar y pronto sedimentaron junto con el resto de la arena tras bailar en el agua. Me fui directa a la ducha y volví a llorar, pero aquella vez lo hacía por mí, por mi propia pérdida.

—¡Bay! ¿Estás ahí?

Oí la voz de Jude y, al hacerlo, me derrumbé porque sentí cuánto lo necesitaba en aquel momento. Y allí estaba él, haciendo caso omiso a mi petición de estar sola, quizá porque me conocía más que yo a mí misma. Me envolví en el albornoz y salí del baño en su busca.

No era la primera vez que me abrazaba a él, que me rendía en sus brazos y me entregaba al llanto en ellos. Y en ese momento me pareció la cosa más natural del mundo hacerlo, porque él era el lugar correcto.

—¿Qué ha pasado, Bay? ¿Qué has quemado? ¿Qué ha ocurrido en Brisbane? ¿Por qué no has ido a casa? —preguntó atropellado.

—Esta es mi casa, Jude —le contesté entre sollozos, abrazándome a él con tanta fuerza que me dolían los brazos.

—Bay, esto son cuatro paredes y un techo. Una casa, sí; pero el hogar es donde están los que te quieren.

Jude comenzó a besarme la coronilla, a acariciarme el pelo, y me sostuvo en pie mientras aguantaba mis sacudidas por el llanto. Yo necesitaba abrazarme aún más a él, no podía parar de llorar, quería sentir su cara contra la mía y alcé los brazos para agarrarme a él por encima de los hombros, de puntillas. Él me sostuvo, me agarró la cabeza con una de sus manos y la mantuvo pegada a la suya mientras intentaba consolarme al oído.

—Me tienes a mí, Bay. Estoy aquí contigo.

—Nunca me quiso, Jude. Nos abandonó a mí y a mi padre. Aunque a él siempre lo quiso, a mí no. Y tampoco me quiere ahora en su vida —conseguí decirle con los puños cerrados aferrándome a su jersey de hilo gris.

—Lo siento, Bay. Cuánto lo siento... Tranquila, yo estoy aquí.

Sentí que me abrazaba con más fuerza, que volvía a besarme la cabeza y yo necesitaba tanto esos besos que giré la cara y busqué sus labios. Juntamos nuestras bocas mientras mis lágrimas nos mojaban a ambos. Un solo beso, largo, suspendido en el tiempo, con los labios apretados y con sabor a sal. Un beso que era aire, que decía todas las palabras que no podían salir en aquel momento de nuestras bocas por estar pegadas, pero que sonaban claras. Un beso sin censura a unos sentimientos que quedaron evidenciados.

—Maldita sea, Bay. No puedo verte llorar, dime qué puedo hacer por ti.

Le miré a tan solo unos centímetros de distancia, sintiendo su aliento sobre mis labios, y le contesté.

—Esto. Quiero esto. Todo el rato. Siempre. Ahora.

Volví a besarle y esa vez él respondió con fuerza, activo, con ganas de curarme. Abrió mis labios para llegar más profundo, para demostrarme cuánto estaba dispuesto a darme. Consiguió que olvidara el dolor de mi corazón, que todo mi cuerpo se centrara en él, en lo que me hacía sentir. Y por primera vez desde que había abierto los ojos en el hospital, me sentí auténticamente yo.

—Vamos, hay que secarte. —Jude me condujo a mi habitación.

Sin soltarme ni un instante, me ayudó a vestirme, acariciando mi piel desnuda y expuesta a sus ojos, mimándome, cuidándome; sin detener la mirada en mi pecho, evitando que aquello se convirtiera en algo más que un momento vulnerable. Abrió la cama, hizo que me recostara y, tras quitarse su jersey, se puso a mi lado y me colocó entre sus brazos. Había calor en su pecho, uno acogedor y adictivo.

—Voy a abrazarte hasta que dejes de temblar —me anunció.

—Pues creo que tiemblo porque me estás abrazando. Pero está bien, es exactamente lo que quiero. —Agarré su mano, que se había posado sobre mi barriga.

—No pienso soltarte. —Su voz sonó grave, a promesa, a declaración.

Mi corazón latía diferente, dolorido pero desbordado. Sentía encendida cada terminación de mi cuerpo en las que el suyo me rozaba. Y nos besamos hasta perder la noción del tiempo, hasta que mis ojos se olvidaron de que habían estado llorando, hasta que la noche nos envolvió por completo y pudimos ver un cielo estrellado a través de las puertas de cristal de mi habitación.

Cuando nuestros labios comenzaron a estar anestesiados e hinchados, tomamos aire el uno del otro, y mantuvimos el silencio mientras nos mirábamos y el mar sonaba de fondo. Al final me atreví a hablar, le conté la breve conversación con Elle Miller, y él escuchó atento sin interrumpirme, sin dejar de acariciarme el pelo, de besarme, de pasar la yema de sus dedos por mi rostro.

—Es terrible saber que mi madre ha sido infeliz toda su vida por haberme traído al mundo —le dije aún con dolor real dentro de mí.

—Quizá no debería preocuparte lo que ha sentido o siente ella, ya que a ella no le interesa lo que sientas tú. Deberías pensar en lo feliz que fue tu padre, siendo tu padre.

—Sí, pero... ¿y si en realidad ella es la víctima? Me dijo que se dejó llevar por el amor a mi padre, por el miedo a perderle... De otro modo, ella jamás me habría tenido.

—Pues terminó perdiéndole igualmente. Ella eligió su camino y es la única responsable de las consecuencias de todas y cada una de sus decisiones. No dudo que su trabajo ha sido muy valioso, pero el precio a pagar fuiste tú.

—¿Crees entonces que su decisión fue la de alguien valiente?

—No sé, no quiero juzgarla, pero me resulta difícil pensar que yo hubiera hecho lo mismo. No sé si fue valiente o cruel; quizá ambas cosas.

Medité en silencio sobre aquello y cedí a sus palabras, porque era necesario que mi alma se calmase, necesitaba creer que yo no era la culpable de nada. ¡Yo no había pedido venir a este mundo!

—La buscaba porque sentía que necesitaba un origen que usar de guía, pero lo que he encontrado no me vale de nada, sigue existiendo oscuridad... ¿Cómo voy a ser capaz de dibujar un futuro para nosotras ahora?

Jude buscó mi tripa y me la acarició. Entendí que con ello me decía que él también quería ser parte de ese futuro, al menos, así lo sentí.

—Voy a contarte algo de mí. Algo que antes sabías, más o menos, y que has olvidado junto con todo lo demás —dijo Jude de pronto.

Me giré para mirarle bien a la cara y él se puso de lado, frente a mí.

—Cuando mi madre tenía quince años, trabajaba como camarera de habitaciones en el hostal de mi abuela.

—En el Jalalai, lo sé —añadí.

Jude afirmó y continuó:

—Por aquella época, la armada americana tenía una base aquí y Exmouth comenzaba a ser un lugar con mucha vida; se había dado a conocer más allá de Australia y los turistas habían comenzado a venir para ver el arrecife y las ballenas. Tenían muchos huéspedes, más que ahora, porque había menos hostales.

Puse una mano en su corazón y él la acogió en una de las suyas. Quería volver a besarle, pero dejé que continuara hablando, porque era la primera vez que se abría a mí de aquella manera.

—Hubo un grupo de italianos hospedados aquí y, en ese grupo de muchachos, hubo uno que se fijó en mi madre. Una mañana, mientras sus amigos bajaban a la playa para hacer surf tras una noche de juerga, él decidió quedarse en la habitación a esperarla. Cuando mi madre llamó para arreglar el apartamento, él la dejó pasar, le dio conversación, tonteó con ella y consiguió que le diera un beso. Pero él quería más y, como mi madre se negó, él la tomó por la fuerza.

Me llevé las manos a la boca para reprimir un grito.

—Bay, soy el hijo de un violador y de una mujer buena y maravillosa.

—Oh, Jude... —La voz se me quebró y cerré el puño estrujando su camiseta dentro.

Me imaginé a Adele con quince años, sufriendo aquel episodio y todo lo que había debido soportar como consecuencia de él. Jude continuó hablando con el ceño fruncido.

—Jamás he fumado, Bay. En mi vida he tenido una chaqueta de cuero negra, ni he besado a una chica hasta que ella ha dejado claro que lo deseaba. Bueno, excepto a ti en la cocina cuando estrellabas tazas contra la pared, para ser sincero... —Forzó una sonrisa—. Pero el tema es que ni siquiera sé cómo es el sabor de la cerveza. Me he pasado la vida intentado no dar el perfil de chico problemático, pero, de todas formas, todo el mundo aquí me ha visto siempre como el hijo del violador. Mi abuela se encargó de que todo el pueblo supiera lo que le había ocurrido a mi madre cuando se atrevió a contarlo porque ya no podía esconder el embarazo. Esa mujer era capaz de cualquier cosa con tal de no arruinar la reputación de mi madre o, más bien, de no arruinar la suya propia. Sé que en las cabezas de la gente siempre ha rondado la pregunta de «¿será como él?» Incluso sé que mi madre pone a veces esa mirada vacía cuando reconoce en mí algún gesto de ese malnacido. —Le acaricié la cara y le besé porque tenía necesidad de calmar el dolor que esas palabras llevaban cargado—. Lo que quiero decirte, Bay, es que tu origen no dice nada de ti en verdad. Tu futuro no depende de las personas que te engendraron, ni de las que te rodeaban de pequeña, ni de las que estamos ahora a tu alrededor. Tú eres la única dueña de tu destino, serás quien quieras ser, irás donde quieras ir, y serás la única responsable de todas tus malas o buenas decisiones. No necesitas a Elle Miller como espejo en el que mirarte.

—Pero es que, cuando me miro al espejo, aún no soy capaz de reconocerme, de perfilar la personalidad de ese rostro, sus deseos, sus sueños de futuro. Es como si viviera tan solo por el segundo siguiente que está por venir. Soy incapaz de ver más allá. ¿Cómo voy a ser una buena madre así?, ¿cómo voy a guiarla en la vida si no sé hacia dónde voy yo?

—Yo creo que un niño tan solo necesita amor, una madre que se preocupe por él. La vida son momentos, Bay. Son segundos. No hay que tener una misión, ni un propósito elevado como Elle Miller. Si lo tienes, genial; pero, si no lo tienes, si no lo has encontrado, puedes simplemente respirar, y estará bien. Puedes trabajar en la empresa y disfrutarlo, y si un día descubres que algo te apasiona más, solo tendrás que ir a por ello. Puedes pasear por la playa, disfrutar del atardecer, puedes coleccionar momentos, risas...

—Colores, olores, sabores...

—Exacto. Puedes llenarte de ellos. Eso es vivir. Crecerás, con ella. Lo haréis las dos juntas, y os irá bien.

Estuve a punto de replicarle con rapidez que lo haríamos los tres, pero sentí que era apresurado soltar aquello, porque no sabía hasta qué punto él querría algo así también. Sin embargo, le miré al fondo de sus ojos oscuros y le di las gracias, porque sus palabras eran un bálsamo para mi alma, eran un canto de esperanza, de confianza y de paciencia.

—¿Tú nunca has intentado buscar a ese hombre?

Me había tumbado de lado junto a él. Jude tenía un brazo detrás de la cabeza, una pierna doblada sobre la cama y la mirada puesta en mí.

—No... Porque, si le hubiese encontrado, le habría matado, y eso habría arruinado mi vida. Es mucho mejor vivir sin saber quién es.

Lo afirmó con tal seguridad que supe que era totalmente cierto, que sería capaz de hacerlo; y entendí lo que había dicho de que la gente lo miraba cuestionándose si el niño habría heredado la maldad de su padre. Tenía una mirada fría, segura, impasible..., pero no me produjo temor. Pensé en Adele, volví a recrear en mi mente lo que debió sucederle y un escalofrío recorrió mi cuerpo. Quizá yo también fuera capaz de matar a alguien por amor, quizá yo también tuviera un lado terriblemente oscuro en mi interior. No me sentí con derecho a juzgarle porque pensé que nadie sabe de lo que es capaz hasta que se ve en una situación límite.

—¿Por qué no lo denunció tu madre?

—Ella tenía quince años; era una niña asustada, avergonzada y que se sentía culpable. Y eran otros tiempos, Bay. ¡Su propia madre la trató como si aquello lo hubiera provocado ella! Era una mujer horrible.

—Cuánto lo siento, Jude. No puedo ni imaginar lo que ha debido ser crecer así.

—Tenía una madre maravillosa. Igual que tú tenías un padre increíble.

Le sonreí y afirmé.

—No quiero pensar más en quién fui, en lo que he perdido. Quiero ser yo, la que soy ahora. Mi vida empieza ahora, Jude. He salido ahí fuera y he quemado todas sus fotos, las de la Bay que no volverá jamás. A partir de hoy, soy solo yo... y ella. —Me miré instintivamente la barriga que se interponía entre nuestros cuerpos, pero a la que ambos dábamos calor en aquel momento.

—Lo harás bien. No me cabe la menor duda.

Le sonreí de nuevo y vi cómo le pesaban los ojos.

—Gracias por estar aquí —le susurré.

—¿Gracias? ¿Tanto te cuesta darte cuenta de que es justo donde quiero estar?

—Bueno... —me reí—. No has sido muy claro al respecto, en realidad, todo lo contrario. Casi siempre estabas refunfuñando y...

Jude me interrumpió, no me dejó terminar la frase porque se lanzó sobre mi cara para besarme con pasión, haciendo que mi cuerpo se convirtiera en un caldero de hormonas en ebullición. Sin embargo, ni siquiera metió la mano por debajo de mi camiseta, simplemente me besó hasta que nuestras bocas agotaron todos los besos que se pueden dar en una noche y sentí el calor de las palmas de sus manos aferrándose a mi espalda. Aquello era todo lo que estaba dispuesto a entregarme, y era muchísimo más de lo que había esperado de aquel día. Muchísimo más de lo que creía que tendría en aquella nueva vida.

26

Decidí mudarme a mi casa porque necesitaba sentir que podía comenzar una vida sola, por mí misma. Al principio, Adele se preocupó, pero dejó pronto de insistir en que me quedara junto a ella porque, de alguna manera, sabía que no estaría sola. Jude y yo no dijimos nada a nadie, pero cada noche nos metíamos en la misma cama y nos dormíamos abrazados tras haber agotado todos los besos del día. No podíamos hablar de algo que crecía en nuestros corazones mientras evitábamos que el nombre de Scott apareciera en cualquier conversación. Era algo tabú, algo que dejamos fuera de nuestra burbuja. Yo me entregué a Jude y él se entregó a mí. Cada noche, lejos de cualquiera, alimentamos un amor que crecía imparable. Vivíamos un presente, y sentaba bien.

No todos los días eran buenos, sobre todo cuando mi mente me traicionaba y me llevaba de vuelta a la conversación con Elle, al momento en que se había levantado de aquella silla y se había marchado sin mirar atrás. Pero Jude abría sus brazos, secaba mis lágrimas y me convencía de que, con el tiempo, sería capaz de superarlo.

Los días que sí eran buenos, con Jude a mi lado, se convertían en extraordinarios, llenos de inmersiones en las que descubría nuevas especies y nuevas tonalidades de un mundo cada vez más grande para mí. Eran días de charlas en el porche liados en una manta mirando un espectacular cielo despejado en el que se dibujaba la Vía Láctea; de desayunos con él guardando silencio, con cara de pocos amigos mientras yo parloteaba y hacía huevos revueltos para dos; de discusiones absurdas y reconciliaciones abrasadoras, de paseos compartiendo música. Con él me sentía plena, feliz, segura y completa.

—¿Entonces vivís juntos? ¿Juntos de juntos? —me preguntó Kata cuando le informé más o menos de mi situación. Necesitaba una cómplice y ella estaba suficientemente lejos como para no meter la pata delante de alguien del pueblo. Contaba con su lealtad y silencio.

—Casi todos los días. Se queda algunos en su apartamento, pero... En realidad, solo se ha ido dos noches. Sí, se podría decir que vivimos juntos.

—¿En la misma cama?

—Sí, dormimos en la misma cama.

—¿Dormir? ¿Solo dormir?

—¡Kata! Estoy preñada de seis meses. —Miré al techo de la oficina y di gracias de que a la hora del almuerzo aquello estuviera desierto.

—Chica, que yo sepa eso no es un problema.

—¿No crees que sería raro de narices perder la virginidad estando embarazada?

—Ostras, es verdad. No recuerdas tu primera vez. Y estás embarazada... No recuerdas haberlo hecho nunca y ¡estás preñadísima! Eres como *Jane, the virgin*. —Kata comenzó a reír y yo puse los ojos en blanco.

—¿Quién?

—Nada, a esa no hace falta que la conozcas. ¿Y qué piensas hacer con Scott?

Suspiré profundo y, nerviosa, tiré el bolígrafo que había hecho circular entre dos dedos durante toda la conversación.

—Sé que es horrible lo que estoy haciendo, pero la verdad es que intento no pensar en él.

Aquel día no fue de los buenos. Tras colgar con Kata, como si el hecho de haber dicho su nombre en voz alta hubiese sido suficiente como para invocarlo, recibí tres llamadas de Scott y un mensaje en el que me decía que debíamos hablar de una vez. Se disculpaba por haber estado ausente y distanciado, parecía sentirse culpable de la situación de incomunicación a la que habíamos llegado, y aquello me hizo sentir terriblemente mal.

—¿Qué estamos haciendo? ¿A dónde vamos? —le pregunté a Jude, que se había tumbado a mi lado sobre la toalla.

—No vamos a ningún sitio, Bay. En realidad, hace tiempo que llegamos aquí, aunque ahora mismo no sepamos qué lugar es este —me contestó mientras nos secábamos tras haber nadado entre los corales.

Le miré y me mordí el labio inferior. Su pelo oscuro brillaba al sol, las gotas saladas aún resbalaban por su pecho hasta un ombligo perfecto y rodeado por una musculatura lo suficientemente definida como para que a mis dedos les tentara surcar sus límites, pero más que acogedora cuando posaba mi cabeza sobre ella.

Tenía razón, llevaba tiempo enamorándome de él a fuego lento y, aunque no sabía el momento exacto en que habían nacido sus sentimientos por mí, lo nuestro había crecido antes de que fuéramos capaces de frenarlo.

Me puse sobre él, con el trasero elevado para obtener el espacio que mi tripa necesitaba entre nuestros cuerpos y le besé.

—Ahora mismo, solo sé que quiero un día como este mañana, y pasado mañana otro igual, y al siguiente de ese, otro...

Jude volvió a impedirme que terminara la frase capturando mi boca con determinación, me hizo rodar con cuidado y se colocó a mi lado, cubriendo mi pecho con su cuerpo. Me besó rápido, rugiendo, descendiendo por mi cuello, perdiéndose entre mi pecho, terminado con un ataque de besos para una niña a la que se negaba a llamar con el nombre de una fruta.

Durante los tres últimos días de mayo se celebraba en Exmouth el Festival del Tiburón Ballena. Para el viernes se había programado el acto de apertura junto a la piscina del Mantarays Hotel y todos en el Wildlife Dive habíamos comprado la entrada para asistir a la cena, porque la recaudación iría destinada al estudio de la especie y porque no había muchas ocasiones en el pueblo para pasar una noche de fiesta. Era una cena de gala y, cuando busqué dentro de mi armario algo que ponerme, no encontré nada apropiado donde entrase mi barriga. Exmouth no era un lugar lleno de *boutiques* con ropa para embarazadas precisamente, pero

Kata me dijo que fuera a su casa, que abrir la puerta de los armarios allí era como abrir la puerta de un bazar. Se había reído al recordar los embarazos de su hermana y me aseguró que ella me prestaría alguno encantada.

—Este te hace los brazos gordos —dijo la madre de Kata cuando me probé un vestido verde sin mangas que se anudaba bajo el pecho.

—Pareces una bola de discoteca —analizó su hermana al probarme uno de lentejuelas azul marino demasiado corto.

—Con eso puesto y tu pelo, pareces *Simba* —dijo Kata desde la pantalla del ordenador portátil que habían colocado sobre una cómoda cuando me probé uno de tela tigresa.

—Con este pareces una ramera de Osaka.

—¡Abuela! —Todas nos giramos sorprendidas hacia la anciana que aparentaba estar falsamente dormida en su sillón. Me había probado uno rojo con demasiado escote, que probablemente a Mae no le quedaba así de provocativo porque era plana como una tabla de surf.

—Definitivamente tienes que llevar este —convinieron las cuatro con un vestido amarillo abotonado por delante que tenía el cuello redondo y las mangas de gasa.

—¡Gracias a Neptuno! Estaba a punto de salir corriendo de aquí —les dije agotada.

—Llévate este otro para la comida del domingo en el club. Es informal y fluido, te sentará bien.

Cogí aquel otro vestido a rayas, azul y blanco, les di las gracias con rapidez y salí de aquella casa de locos antes de que los dos hijos de Mae volvieran a usar mi barriga como si fuera una bola mágica que predecía el futuro.

Estaba nerviosa con el evento, quería sentirme guapa y que Jude también me viera así. De alguna forma, aquella noche era lo más parecido a una cita para ambos.

Como los viernes era mi día de descanso decidí dedicarlo a mi cuerpo, así que pedí cita en la peluquería para hacer algo con mis rizos salvajes, repasé mi piel en busca de cualquier rastro de vello inadecuado y volví a verme algunos de los tutoriales que Kata me había recomendado sobre maquillaje mientras me hacían la manicura y la pedicura.

Cuando salí del establecimiento de belleza, sentí que aún me faltaba algo y, en lugar de subirme al *quad* para regresar a casa, me dirigí al Jalalai.

—Quiero hacer esto contigo, aunque no sé si se te dan bien las brochas y los polvos iluminadores. —Adele negó con la cabeza en una disculpa. Estábamos en las cocinas del hostal y ella sostenía perpleja una cuchara de madera—. No importa. Al menos, podrás aportar una opinión del resultado.

—Me encantará estar contigo mientras te arreglas —respondió con la sonrisa más explícita que jamás le había visto.

Subí a mi antigua habitación con el silbido adulador de Beef a mis espaldas que me hizo reír.

—Aún no me he arreglado —le contesté.

—Solo se arregla lo que no funciona, y tú, chica, siempre has funcionado.

Le envié un mensaje a Jude para decirle que nos veíamos en el Jalalai directamente y me tumbé un rato sobre la cama para descansar hasta que llegase la hora de meterme en aquel traje amarillo que había colgado del pomo del armario y que parecía la promesa de una gran noche. Sin embargo, algo me pellizcaba por dentro; además, la niña estaba agitada e insistía en estirarse dentro de mí. Finalmente, cogí el teléfono y marqué su número.

—Ya creía que tendría que volar a Exmouth para poder hablar contigo antes de las vacaciones de invierno —dijo al descolgar.

—Hola, Scott, ¿cómo estás?

—¿Que cómo estoy? Pues estoy lejos y con la sensación de que ya no formo parte de tu vida. Estoy angustiado pensando cuánta culpa debo cargar en esta historia y si merece la pena seguir luchando por ella.

Guardé silencio un par de segundos porque sonaba dolido y arrepentido a la vez.

—Lo siento. Debí haberte cogido el teléfono antes, pero no sabía qué decir en realidad. Rompimos la frecuencia, ambos, y entonces comencé a sentir que así es como debía ser. —Miré al frente, buscando un horizonte azul que me insuflara ánimos para afrontar esa conversación.

—Bay, el tiempo pasa rápido aquí. El ritmo de las competiciones es frenético. Los viajes, las entrevistas, las sesiones fotográficas para cumplir con los patrocinadores. Además de todo lo que tengo que estudiar, me surgen muchas ocasiones para pasarlo bien, esa es la verdad. Y, sinceramente, el hecho de llamarte para mantener una conversación fría, sin fondo, carente de entusiasmo por escucharnos la voz, se convirtió en algo que podía esperar. Dejé de llamar, lo reconozco. Y lo lamento, porque hemos llegado a este punto de... ¿De qué, Bay?

—De espera. Somos un algo en espera mientras la vida sucede.

—Te juro que lo he intentado, seguramente podía haber hecho más y mejor, y no quiero pensar que esta conversación es algo definitivo.

—A veces no importa cuánto lo intentes. La vida es injusta, Scott. Sé que, cuando me miras, la ves a ella, y esa ya no soy yo. Has intentado que sintiese lo mismo que ella en vuestros momentos más especiales, pero eso no va a ocurrir. Sé que has intentado darme una oportunidad, pero es imposible hacerlo a distancia.

—No me eches en cara el haberme ido, tú me empujaste a hacerlo. —Quise decirle que eso no era cierto, eran más que evidentes sus deseos de seguir con su plan de vida, pero no le contesté porque yo misma tenía mis motivos para querer que no regresara.

—No quise atarte y sigo pensando que era lo mejor. Si quieres hablar conmigo, que no sea por obligación, por mantener una rutina, por salvar algo que murió en el taxi.

—Entonces, ¿quieres que te llame algún día? —preguntó disminuyendo el tono de la voz.

—Yo te llamaré cada vez que vaya al ginecólogo si quieres.

—Claro... ¿Cómo está?

—Bien, en la última revisión ya mide veintinueve centímetros y pesa medio kilo. Es como una mazorca de maíz.

—¿Ahora la llamas así? —preguntó recobrando un tono más distendido.

—¿Acaso lo dudas? —me reí.

Continuamos hablando durante un buen rato, y lo hicimos curiosamente sin tensión, como dos amigos que se cuentan su vida sin esperar nada a cambio tras colgar. Obviamente, no le conté que vivía con Jude ni que habíamos iniciado algo, no hacía falta echar sal sobre una herida abierta. Pero hablamos de sus resultados y posiciones en las listas, de mis descubrimientos submarinos, de las sensaciones nuevas que experimentaba mi cuerpo cada semana, de sus contrincantes y de sus compañeros de clase que le estaban ayudando mucho enviándole los apuntes. Cuando volví a tumbarme en la cama, la luz del sol ya no era suficiente y, en cuanto oí la puerta de la casa abrirse, salí del cuarto con entusiasmo.

—¿Comenzamos? —dije ofreciéndole la mano a Adele.

Embadurné mis piernas con crema hidratante mientras admiraba el esmalte rojo que brillaba en los pequeños y redondos dedos de mis pies y comencé a maquillarme con ella a mi lado, sonriendo mientras le contaba cómo había sucedido la elección del vestido en casa de Kata. Adele me ayudó a hacerme la raya en el ojo, porque su pulso era más firme que el mío, y finalmente me aconsejó usar un poco más de color en mis mejillas.

—¿No pareceré un payaso?

—Es de noche, no hay luz. Los colores se atenúan y tienes unos pómulos preciosos que resaltar —me dijo tomando la iniciativa, acariciando con la brocha la polvera y pincelando mi cara con suavidad.

Entonces me subió la cremallera de la espalda y aseguró que nunca me había visto más bonita.

—Aunque mi perfil ahora mismo se acerque más al de Papá Noel que al de una supermodelo... Tienes razón, me siento realmente guapa. —Me abracé a ella y la mantuve entre mis brazos mientras le daba las gracias. Desde que Jude me había contado su historia, sentía a menudo la necesidad de abrazarla, de demostrarle mi amor.

—Gracias a ti por compartir este rato conmigo.

—Te quiero, Adele —le dije sacando las palabras del centro de mi corazón.

—Y yo a ti, mi niña. —Ella se deshizo del abrazo antes de que las lágrimas brotaran de sus ojos—. Hay que hacerte alguna foto. Vamos, déjame tu teléfono. Ponte en el ventanal, con suerte saldrá de fondo esa preciosa luna.

Adele me hizo todo un reportaje y, cuando las dos oímos abrirse la puerta, nos miramos y sonreímos cómplices.

—Jude, ven aquí. Quiero tomaros una foto a los dos —dijo su madre sacando la cabeza por la puerta de la habitación.

Primero sentí que me pellizcaban en la boca del estómago; sin embargo, cuando él pasó dentro y le vi, creí que mi corazón explotaba y que de él salían al exterior decenas de mariposas cursis. Llevaba un traje de chaqueta oscuro y una camisa blanca con los botones superiores abiertos, y no podía estar más irresistible.

—¿No vas a llevar pajarita? —le preguntó contrariada Adele.

Jude abrió la mano y desplegó la tela antes sus ojos. Puso aquella expresión chulesca de labios apretados hacia fuera que me volvía loca y luego sonrió a un lado.

—Sigo necesitando que me salves —le dijo a su madre.

Entonces Adele se puso manos a la obra y él, por fin, miró al frente, hacia el lugar en el que yo me había quedado quieta y aguantando la respiración.

«Guau.» Sus labios se movieron sin sonido y las arrugas de su frente imprimieron énfasis en la exclamación.

«Lo sé», le contesté de igual forma, pero con una expresión de suficiencia que le hizo reír.

—Si te mueves me saldrá torcida —protestó Adele.

Jude se disculpó y yo cogí mi teléfono para hacerles una foto a ellos. Cuando ella terminó, nos colocó de nuevo en el ventanal. Entonces sentí cómo Jude posaba su mano en mi cintura y, aunque no sonrió, porque no era algo que le saliera con facilidad, vi que su expresión era alegre; la mía era de entusiasmo. Adele nos hizo varias fotos y en seguida nos apremió a marcharnos.

Estaba a punto de subirme al *jeep* cuando Jude me cogió de la mano, la elevó por encima de la cabeza y, con un pequeño empuje en mi cintura, me hizo girar sobre mí misma, levantando el vuelo de la falda del vestido y enrollándolo durante un segundo.

—¿Qué haces? —le pregunté riendo.

—Ya no podrás decir que Jude Kelly no bailó contigo. —Me guiñó un ojo y estiró algo su sonrisa.

—¿Esto ha sido bailar? —Alcé incrédula las cejas, pero consciente de que aún tenía mis dedos entre los suyos, a las puertas del Jalalai. Demasiado arriesgado, demasiado romántico.

No me contestó, abrió la puerta y me ayudó a subir.

—Si no llevaras los labios pintados, atravesaría ahora mismo esta carretera hasta llegar a la playa solo para besarte hasta quedarme sin aliento —soltó al dejar atrás el hostal como si las palabras fueran aire comprimido dentro de sus pulmones.

—¿Tienes algo en contra de mi carmín? Porque es de un laboratorio ecológico que respeta el planeta —le dije con sorna y nervios, sin saber cómo encajar la declaración de intenciones de alguien que solía ser tan parco en palabras.

—Estás preciosa, Bay.

—Me he maquillado usando un tutorial de YouTube —me reí de mí misma.

—No es por el maquillaje. Es que hoy, no sé... Es especial. ¿No te parece?

—Sin duda —convine sonriéndole cómplice—. Y tú vas muy elegante.

Aparcamos fuera y Jude se apresuró a dar la vuelta para ayudarme a bajar de aquel vehículo tan alto.

—Vaya, vaya, Bay... ¿Ahora dejas que te rescaten? ¿Ya no eres capaz de abrirte solita la puerta y de bajarte sin la ayuda de un príncipe? Cómo has cambiado y qué rápido has encontrado un sustituto mientras Scott está fuera.

Ambos nos giramos hacia una voz que salía de la oscuridad. Al acercarse vi que era Gaby y, aunque estuve a punto de abrir la boca para contestarle, Jude se me adelantó.

—¿Buscas a alguien?

—No, gracias, guapo. Vengo sola a la fiesta —dijo con suficiencia estirando el cuello.

—Sí, eso lo explica todo —le contestó Jude asestándole un golpe magistral.

Gaby ya no le replicó y continuó caminando hacia la entrada del hotel efectivamente sola.

—¡Será imbécil! ¿Con qué derecho se cree para juzgarte o juzgarme a mí? ¿Qué sabrá ella de si tengo la pierna bien del todo como para moverme por mí misma o no? Desde luego, está claro que no tiene ni idea de que esta barriga hace que mi centro de gravedad sea tan estable como el de una peonza. ¿¡Y qué sabrá ella de si me gusta o no que me abran la puñetera puerta!?

—Estás preciosa cuando te enfadas, pero prefiero que sonrías.

Jude consiguió que callara porque se lanzó a mi cuello y me besó con determinación estremeciéndome de pies a cabeza.

—Tenía que besarte a pesar de tus labios —se excusó.

—Mi cuello no se ha quejado —contesté ahogada.

—Genial. Salgamos ahora de esta oscuridad.

Entramos y pronto vimos a nuestros compañeros del Wildlife Dive: Terra y Lori iban muy guapas, una con un vestido corto y la otra con uno largo; Stu y su chica estaban bailando junto a la piscina sobre la que flotaban bolas luminosas, y Roger tenía el gesto torcido mientras Beatrix se reía.

—No voy a dejar que este gruñón arruine mi noche con niñera hasta las doce —me aseguró tras darme un abrazo y admirar mi vestido.

—Desde luego, no dejes que lo haga —la animé.

—Si no bailas conmigo, lo haré con el primero que se me cruce. —Beatrix se giró hacia su marido, que se había apostado en una silla con una copa de cerveza en la mano.

—¡Pues hazlo! —bramó él.

—Todos lo habéis oído. Me ha dado carta blanca.

Vi cómo Beatrix, resuelta, se iba directa al centro de la zona de baile y se unía a los que bailaban sin complejos.

—¿Quieres beber algo? —me preguntó Jude.

—Un refresco estaría genial.

Me quedé con las chicas. La gente no paraba de llegar y muchos me miraban sin disimulo.

—Estaría genial que, si los conocía antes, se acercaran a mí y me dijeran algo —dije desesperada.

—Cariño, aquí nos conocemos todos. Claro que saben quién eres, pero no saben enfrentarse a tu situación.

—Pues tendré que acercarme a saludar yo entonces —dije con determinación.

En ese momento llegó Jude con un vaso de naranjada, me bebí el zumo de un tirón y me disculpé dejándolos a un lado. Me acerqué a los primeros desconocidos que tenía al lado y me presenté.

—Hola, soy Bay, supongo que antes nos conocíamos, pero, como sabréis, sufrí un accidente y ya no recuerdo a nadie, así que he pensado que hoy es el día perfecto para conocer de nuevo a mi comunidad. ¿Quiénes sois?

Repetí la presentación más de una decena de veces ante las miradas atónitas de todos y así conocí a los dueños de las dos lavanderías que había en la ciudad y a los que trabajaban en la tienda de alquiler de coches, saludé a las chicas de la cafetería de enfrente de mi local que me presentaron a las chicas de la clínica quiropráctica, me acerqué a un grupo de hombres que resultaron ser los gestores de la Marina y conocí a los dueños de los hoteles que colocaban los panfletos publicitarios de nuestros *tours* en sus recepciones. Jude se unió a mí y me presentó a los dueños de otras dos empresas de turismo marítimo, y por fin supe quiénes eran lo que nos habían ayudado mientras yo había estado en el hospital.

Entonces ocurrió lo que no esperaba, simplemente porque pensar en ellos habría significado que formaban parte de mi vida de algún modo. Junto a los promotores de la nueva urbanización que se estaba construyendo cerca de la casa de Kata, estaban los padres de Scott.

—Oh, no esperaba verte por aquí, Bay. —La señora Longley me saludó con una amabilidad tan forzada que pensé que su inyección de bótox nunca se había visto tan a prueba.

—Bueno, es una cena benéfica a la que no podía faltar.

En ese momento, reparó en Jude que permanecía un paso detrás de mí; le sentí como una presencia protectora y podía adivinar su cara de pocos amigos.

—Por supuesto, todo sea por nuestros queridos tiburones. ¿Y cómo te encuentras? Iba a llamarte precisamente esta semana, he estado viendo ropita preciosa para el bebé. Se lo dije a Scott, seguro que te lo habrá comentado.

Escuché varios *oh* maternales a nuestro alrededor y yo sentí náuseas, aunque conseguí mantener la sonrisa en el rostro. Ni siquiera estaba segura de si aquella mujer sabía que Mazorca era una niña, pero aseguraba que estaba viendo ropita para ella. Yo solo sentía que ella no tenía nada que ver conmigo, con mi hija, ni siquiera con Scott. Y, gracias al cielo, antes de que pudiera contestar, ella se dirigió a Jude sacándolo de la retaguardia.

—Eres su compañero de trabajo, ¿verdad?

—Jude Kelly, señora —dijo él dándose a conocer.

—Oh, sí. Scott también me ha hablado mucho de ti. Gracias por cuidar de nuestra Bay.

¿Nuestra Bay? Había hablado dos veces en mi vida con ella, no me había llamado jamás y estaba más que segura que no hablaba siquiera con su hijo de nosotros. Podía reconocer que me había ofrecido su casa y cuidados al salir del hospital; sin embargo, después de eso, no había vuelto a saber nada de ella. Tampoco había hecho yo mucho por tener relación con los padres de Scott, pero no me sentía culpable por ello. De todos modos, que escenificara aquel papel delante de sus amigos, me molestó profundamente.

—¡Oh, los fuegos artificiales! —exclamó ella tras el primer estallido de pólvora.

No hizo falta despedirnos. Todo el mundo dirigió su mirada al cielo, menos Jude y yo.

—Respira —me susurró él al oído.

—Necesito otro vaso de naranjada. Ojalá pudiera ser de vodka —refunfuñé de vuelta al lugar donde estaban mis compañeros disfrutando del espectáculo pirotécnico—. ¿Cómo se atreve a tratarme así? ¡No somos amigas! ¡No somos nada!

—Te guste o no, va a ser la abuela de tu hija.

—¡No! Quiero decir, sí. Pero, no... Ni siquiera sé si Scott va a saber ejercer de padre real en algún momento. Esa mujer no forma parte de mi vida. Según su hijo, ni siquiera formaba parte de mi pasado. ¿Pero has visto qué forma de hablar delante de todos? Como si fuera a ser la abuela del año...

—Tranquilízate, Bay.

—¡No puedo! ¡Y no quiero! —le espeté.

—Está bien, pues desahógate todo lo que quieras.

—¡Lo estoy haciendo! No necesito tu permiso.

—¿Me vas a acusar tú también de machista ahora?

Vi entonces de lejos a Gaby, que nos miraba, y cambié el gesto. Relajé los hombros y respiré.

—Lo siento, Jude. Pero es que me ha puesto de muy mal humor.

—No hace falta que lo jures —me dijo ofreciéndome otro vaso de naranjada.

En aquella ocasión le di un pequeño sorbo, me acerqué a él y rocé con disimulo mi mano con la suya. Él acarició mis dedos también de forma rápida, fugaz pero significativa. Ambos nos unimos a los que miraban al cielo mientras nuestras caras se iluminaban de tonalidades verdes, rojizas, amarillas...

—Esa mujer vive pendiente de lo que digan los demás. Simplemente quería quedar bien con los que estaban allí delante, no conmigo. Scott me dijo que fue todo un trauma para ella cuando se enteró de lo del embarazo, que dejó incluso de hablarle durante varios días. Supongo que, como ya no tiene remedio, debe aparentar que es algo maravilloso, que está implicada, que está encantada —hablé con más calma.

—¿Quién en su sano juicio elige vivir pendiente de lo que dicen u opinan los demás de ti? La gente tiene el poder de encumbrarte con su admiración porque un día hayas conseguido algo especial, algo que casi siempre es público, por supuesto; pero tiene el mismo poder para tirarte al fango con un simple cotilleo de corrillo, sea cierto o no. Si vives pendiente de ese rumor, estás a su merced. Esa mujer no debe ponerte furiosa, le darías poder; en realidad, debe darte pena.

—Reconozco que a la salida del hospital también me preocupaba lo que pensaría de mí la gente. Luego me di cuenta de que toda esa gente no forma parte de mi vida.

—No tienen poder sobre ti.

—No les he dejado tenerlo. —Elevé la barbilla orgullosa.

Nos miramos durante un buen rato y tuve que inhibir mis ganas de besarle allí en medio.

—Creo que hoy he cortado con Scott definitivamente —le solté de pronto.

—¿Crees?

—No. Lo he hecho. He cortado con él. —Intenté buscar sus ojos en la oscuridad para que viera la verdad en los míos.

—¿Y le has contado lo nuestro?

—No, eso no. Creo que esa información debe esperar un tiempo. No quiero hacerle daño. Él cree que sigue enamorado de mí, pero en realidad sigue enamorado de un recuerdo.

—Entonces, tendré que seguir aguantando mis ganas de besarte a cualquier hora, en cualquier lugar, delante de quien esté... Lo veo bien. Me parece justo para con Scott.

—Pero podemos bailar —dije al notar que tras los fuegos el volumen de la música había subido.

—No, yo no bailo. Ya te lo dije antes. Te he dado ya todo lo que podía darte.

—¿Otro como Roger? Anda ya... —Su gesto evasivo me hizo reír.

—Que no, que no bailo. Mi cuerpo no está hecho para eso.

—Pero si te he visto bucear, tu cuerpo se mueve muy bien.

—Bajo el agua, al ritmo de las olas, no de la música. Me relaciono con ella con los oídos, no con los pies.

—Pues entonces quédate quieto mientras yo bailo, pero acompáñame.

Tiré de su brazo para atraerlo al centro de la pista, donde él se quedó estático y comencé a bailar a su alrededor, moviéndole de vez en cuando los brazos, dando vueltas sujetándome a él para no caer, consiguiendo que al menos él sonriera y llevara el ritmo con la cabeza.

Aquella noche me acosté entre sus brazos, con dolor de pies, pero con el corazón en calma.

27

Había llegado a un acuerdo con Jude, le contaría lo nuestro a Scott cuando este regresara a Exmouth por las vacaciones de invierno. Solo quedaba un mes para eso. Mientras, seguiríamos viviendo nuestro amor en secreto, lo que aportaba a nuestra relación un toque muy *sexy* y divertido.

Cada vez que queríamos sentir el roce del otro buscábamos maneras inocentes de conseguirlo delante de los demás. Una mano apoyada en el hombro que se despedía con una caricia aparentemente inocente en la espalda, la entrega en mano de unas llaves que escondía un apretón dulce en los dedos, un susurro al oído con el que acariciabas el cuello cuando los motores impedían comunicarse bien en el barco… Viví cada segundo de ese mes con la piel encendida, el corazón desbordado y la sonrisa instalada en la cara.

Según iban pasando los días, era más difícil ver a un tiburón ballena surcando las aguas, pero la inminente llegada de las ballenas jorobadas me tenía todo el día releyendo los libros de mi padre. Me había aficionado a salir un día a la semana en el *tour* junto a Jude o Terra, y pronto me dieron la oportunidad de hablarles a los turistas sobre las ballenas. Haber releído hasta la saciedad los libros de mi padre me había convertido en una experta sobre aquellos enormes animales marinos.

—Las ballenas jorobadas pasan su verano en la Antártida o el Ártico porque sus aguas son ricas en alimentos, pero en invierno migran a los trópicos para reproducirse y aparearse. Cuando llegan a nuestras aguas tropicales del golfo de Exmouth, se quedan durante un tiempo porque las crías deben ganar tanto peso como sea posible antes de enfrentarse a su primera gran migración.

Alzaba la voz lo suficiente para captar la atención de los turistas, aunque muchas veces notaba que la mitad no llegaba a entenderme bien, y terminaba gesticulando quizá en exceso.

—Algo que seguro que no sabéis es que los machos de las ballenas jorobadas son auténticas estrellas del rock. Cada año conquistan a sus parejas con una pegadiza melodía, y no es siempre la misma, de hecho, siempre hay algún macho que decide cambiar algunas partes creando una nueva melodía, entonces, los otros machos que la escuchan, deciden copiarle y así crean el nuevo éxito musical del mundo ballenero. —La gente se rio aquel día en el barco con aquello—. Son machos listos porque, si yo fuera una hembra ballena y estuviera nadando con otras quince mil y todos los machos comenzaran a cantar la misma melodía, lo más seguro es que me volviera loca y seguramente pensaría, «¡que alguno cante algo diferente! Algo nuevo, algo *sexy*».

—¿Y podemos oír esos cantos en el mar?

—Ojalá, pero son casi imperceptibles por el oído humano y necesitamos un modulador. De hecho, cuando en 1967 Roger Payne grabó y compartió su canto con el público, se produjo todo un cambio: en aquel momento, *Moby Dick* dejó de ser un monstruo para convertirse en un ser inteligente, noble y enternecedor. Fue entonces cuando comenzó el movimiento para el cuidado y conservación de la especie.

Desvié un momento la mirada hacia Jude que estaba cruzado de brazos escuchándome hablar junto al grupo. Afirmó sutilmente con la cabeza, sacó sus morritos sonrientes y yo me sentí orgullosa de mí misma.

De pronto, un aviso en la radio alertó a Stu, que, con gran entusiasmo, recibió la noticia.

—¡Avistamiento positivo! Tenemos el primer ejemplar de la temporada localizado a unos diez minutos de aquí —dijo subiéndose las gafas por el tabique nasal.

Los ojos se me abrieron tanto como al resto de turistas y me fui directa hacia Jude suplicante.

—Tengo que bajar.

En realidad, fue más bien una aclaración que una súplica, y él se encogió de hombros.

—Siempre haces lo que te da la gana. No sé por qué vienes a pedirme permiso.

—Solo te lo decía para que me dejes la cámara a mí esta vez —le sonreí aguantando las ganas de besarle, controlando mi enorme emoción.

Cuando alcanzamos las coordenadas, Stu apagó el motor, el ecosonda e incluso la radio, y un silencio mágico se instaló en el barco; ni siquiera se oía el sonido del agua golpear el casco del barco. Todos nos mirábamos expectantes y buscábamos alguna señal en la superficie sedosa del mar. Tras unos minutos, hubo una explosión gutural, un profundo gemido que emergió hasta romper la superficie azul. La ballena salió algo inclinada, descubriéndonos su vientre blanco y levantando su aleta pectoral llena de percebes pegados. Volvió a sumergirse y, al rato, sacó únicamente su cabeza demostrando curiosidad por nosotros. Miraba, se acercaba, retrocedía y regresaba de nuevo otorgándonos confianza.

Busqué la mano de Jude y se la apreté con mucha fuerza, quería gritar de emoción. ¡Aquel era el ser más majestuoso que habían visto mis ojos! Hubo un momento en que se acercó tanto al barco que hasta pude contarle las ondulaciones en su vientre, y volvió a alejarse sin intención de marcharse del todo. Entonces, Jude se metió en el agua y guio al grupo detrás de él. Yo fui la última en bajar y lo hice sintiendo el corazón a mil por hora. El grupo de turistas flotaba a su alrededor, se grababan con cámaras subacuáticas y la ballena parecía consciente de estar posando para ellos. Era un ejemplar viejo, quizá se había acostumbrado a presenciar situaciones como aquella a lo largo de sus viajes migratorios; nos leía con su sonar sintiendo nuestros cuerpos y decidió bailar un poco inclinándose, alzándose y retrocediendo, con movimientos pausados. Intenté hacer algunas tomas partidas, la luz se filtraba clara y cristalina, por lo que logré conseguir unas imágenes absolutamente sobrecogedoras de una criatura cuyo corazón era varias veces más grande que mi propio cuerpo.

Pasado un rato, vi que Jude nadaba hacia mí y por señas me indicó que le pasara la cámara. Me ofreció la oportunidad de nadar como el resto de los turistas y acepté agradecida. Por emocionante que hubiese sido ver todo aquello a través del objetivo, deseaba nadar libre y sentirme una criatura del mar más. Aquello era fascinante, y el menor sentimiento de superioridad como ser vivo que pudiera haber en mí quedó absolutamente eclipsado por aquella vieja y colosal ballena jorobada.

Aquella tarde, mientras paseábamos por la playa frente a casa cogidos de la mano, porque no teníamos testigos, pensé en lo afortunada que había sido a pesar de la desgracia que había sufrido y de los durísimos meses que había pasado perdida. Imaginaba cómo podría haber sido mi vida si nada hubiera sucedido: mi padre seguiría vivo, yo no estaría embarazada, Scott y yo seríamos felices quién sabe dónde... Pero la idea de esa otra vida no llenaba mi corazón como aquel momento de amor pleno pisando la arena tibia, junto a aquel chico de humor cambiante, transportando aquella Mazorca a la que ansiaba poner cara ya. No había muerto, había renacido.

—Un deseo por lo que piensas ahora mismo. —Jude me habló ladeando la mirada, sin mover la cabeza.

—Pensaba que no somos polvo de estrellas.

—¿Cómo?

—A Kata, le encanta lo astronómico, el origen del universo, el espacio sideral y esas cosas, y me dijo un día que todos éramos polvo de estrellas. Me relató con detalle todo ese proceso de reacciones de fusión, estallidos estelares y condensación de materia que verificaba la teoría. Y, aunque la verdad es que sonaba lógico, incluso romántico —le miré y él sonrió—, lo que yo creo es que somos agua.

—Sí, se podría decir que somos vapor de agua condensada. Nuestros cerebros son un 75% agua, más de un 70% de nuestro peso corporal es agua y no podemos sobrevivir más de cuarenta y ocho horas sin beber agua... Como definición, yo también diría que somos agua antes que polvo de estrellas. Además, yo siempre preferí ser buzo a astronauta —añadió.

Negué con la cabeza entre una risa suave por su razonamiento científico, pero aquello me llevó directa a una pregunta.

—¿Qué es lo que esperaba yo del futuro antes? ¿Qué quería hacer con mi vida?

—Eras un hervidero de ideas sin paciencia. Obtener un título universitario te parecía sacrificar demasiado tiempo de vida, y te debatías entre lo que se supone que debías hacer y lo que realmente querías hacer... Supongo que ser hija de un científico eminente no te facilitaba la elección. Él quería que estudiaras, no deseaba que te convirtieras en una imagen sensacionalista sin preparación, como uno de esos presentadores de televisión que no han estudiado periodismo, pero que están ahí porque antes se hicieron populares. Tú sabías que tu carisma te llevaría lejos, que moverías a la gente porque despertabas sus conciencias, y creías que ya sabías lo suficiente.

Me detuve en seco, sorprendida y confusa.

—Si se supone que nosotros apenas nos tratábamos, ¿cómo sabes tanto de lo que yo quería, de lo que sentía?

—Bueno, comenzaste a trabajar en la empresa haciendo fotos. Tú no te escondías para hablar con tu padre de estas cosas precisamente, y yo nunca he estado sordo. —Alzó las cejas de forma aclaratoria.

—Así que era una niña pedante.

—Eras una chica apasionada. Creías firmemente en tus posibilidades, en lo que creías que era tu deber.

—¡Y creía que lo sabía todo! —repliqué nada convencida.

—Nadie es perfecto. Tenías grandes aspiraciones y un gran padre con buenos consejos.

Me senté en la arena, miré al horizonte y metí las manos dentro de la sudadera, una que Jude me había prestado, que olía a él y que me hacía sentir su abrazo cálido.

—Pero así es como me recuerdas. Bueno, como la recuerdas a ella. Tengo tantas versiones de cómo era como personas me han hablado de ella. Es imposible lograr una imagen clara de quién era, de quién fui. Para unos soy el rojo, para otros el amarillo, el azul, el naranja... Es como vivir a la sombra de un puñetero arcoíris.

—Los recuerdos tienen los bordes difuminados, Bay. Despídete de ella de una vez, pero hazlo de verdad. Todo el tiempo que inviertes intentando recuperar el pasado, lo pierdes de vivir el presente.

—Pero ¿soy ahora suficiente? ¿Cuándo desaparecerá la sensación de estar incompleta? —Me agarré la cabeza con las manos y la hundí entre las rodillas.

Escuchaba las olas romper a un par de metros de mis pies, sentía el frío al que el sol cedía el sitio, notaba cómo el aire revolvía mis rizos, olía la piel de Jude en los puños de la sudadera. Entonces, él me hizo erguir la cabeza manteniéndola alzada por la barbilla, mirándolo.

—Ojalá te vieras a través de mis ojos. Mi versión de ti es suficiente, si entiendes que suficiente significa inconmensurable.

—¿Cuándo dejaste de ser un huraño insoportable para transformarte en el chico con las respuestas adecuadas? —le pregunté maravillada, acariciando su mejilla algo rasposa.

Jude me echó el brazo por encima de los hombros y me atrajo hacia su pecho. No contestó porque quizá pensó que yo no esperaba una respuesta, pero sí que la quería. Quería saber cuándo se había enamorado de mí, cómo y por qué.

El invierno en Exmouth era suave, pero trajo días lluviosos y algún ciclón tardío que por aquella zona eran más dados a formarse durante el otoño. Eso conllevó algunas cancelaciones de *tours*, mucho papeleo y horas muertas en la oficina junto a Jude en las que nos aficionamos a jugar al Scrabble.

Dejé de nadar porque la barriga de siete meses era un gran problema para los trajes de neopreno y la temperatura del agua había bajado considerablemente, y me tuve que conformar con los largos paseos por la playa junto a Jude para poder mojarme los pies en la orilla del mar. Seguíamos compartiendo auriculares para escuchar su música y cada vez era más difícil detener los besos a tiempo. Yo sentía que ardía por dentro, quería que su boca barriera cada centímetro de mi piel, que sus manos memorizasen las zonas en las que yo quería que presionase más, que su aliento se entrecortara con el mío. Reconozco que él tenía más autocontrol que yo, y muchas veces me pedía agónico que lo soltara antes de hacer una locura.

—El momento llegará, y haré que tiembles, que toques el cielo..., pero me niego a que nuestra primera vez sea un trío —me dijo una noche con su frente apoyada sobre la mía.

Yo resoplé, pero le di la razón. Cada día tenía más claros mis sentimientos, cada día era más obvio lo que quería en mi vida, a quién quería en mi vida. Sería un escándalo, haría daño y por ello me convertiría en la mala de la película para muchos. Se hablaría de mí, de nosotros, y debería asumir todas y cada una de mis decisiones tal y como me había dicho Jude; sin embargo, como también me había dicho, ¿qué demonios me importaba a mí lo que opinaran los demás?

Como era de esperar, la madre de Scott no me había llamado para ir a comprar ropita de bebé, cosa que agradecí en el alma, así que le pedí a Adele que me acompañara una tarde a Frankie's Boutique para elegir algunas prendas con las que preparar la llegada de Mazorca de maíz.

—Oh... Claro, hay que ir preparando su ropita. Pero, hoy no puedo. Ve tú y luego me lo enseñas —me respondió evasiva, mirándose los pies y liando en su dedo índice un trozo de hilo suelto de su delantal.

Me mordí el labio inferior con frustración. No quería ir sola, quería hacerlo con ella. Así que me puse una mano en la espalda y fingiendo cansancio rectifiqué:

—Lo cierto es que hoy estoy cansadísima. Siento que en lugar de pies tengo ladrillos. ¿Te parece si buscamos algo por Internet? Me encantaría que me ayudaras a elegir. Yo no sé ni por dónde empezar...

—Hay ropa muy bonita por Internet también, sí. Aunque otro día también deberías ir a Frankie's y comprarles algo. Son buenos vecinos y hacen ropa inspirada en la playa.

—Sí, por supuesto. Iré otro día, pero ahora ven conmigo al ordenador de recepción —dije más animada, olvidando que supuestamente me dolían los pies y la espalda.

Compramos cuatro *bodys* y tres pijamas en Aster & Oak, un par de vestidos en Boababs y no nos pudimos resistir con algunos bañadores de Oakiebaby, porque la niña nacería en primavera y sabía que en verano podría jugar con ella en el mar. Pasamos una tarde de viernes maravillosa. Vi sonreír tanto a Adele que por primera vez aparentó lo joven que era en realidad y yo volví a abrazarla tanto que ella terminó por compararme con un koala.

Adele sabía que Jude y yo vivíamos juntos. Aunque al principio pensé que él se lo había ocultado, pronto me di cuenta de que su hijo no tenía secretos con ella. Jamás dijo nada, no nos cuestionó, no me censuró ni reprobó. Quise preguntarle varias veces qué le parecía a ella aquella extraña situación, pero no lo hice porque sabía de antemano que no se pronunciaría al respecto. Le pareciese bien o mal, nuestra decisión era nuestra. Ella era un apoyo, contra viento y marea, un lugar seguro al que acudir.

Aquella misma noche, Jude llegó con algo bajo el brazo a la casita de la playa.

—¡Cierra los ojos! —me gritó desde el exterior.

Yo estaba tras la barra de la cocina calentando la sopa de verduras que Adele me había dado en una jarra térmica, demasiado lejos para adivinar qué era el bulto que cargaba, pero le obedecí entre risas y esperé a que me diera la señal para poder mirar. Oí un pequeño golpe sobre el suelo, el sonido de telas que crujían y de unas ruedas que chirriaban.

—¡Venga! Ábrelos.

Jude mantenía la boca apretada, no sonreía, de hecho, creo que ni respiraba. Había cruzado los brazos bajo el pecho y me miraba sin pestañear. Había dejado delante de él una cesta de mimbre colocada sobre un armazón con ruedas. Entonces él se dio cuenta de que había olvidado sacar los encajes de los bordes superiores que iban cosidos a su alrededor y los recolocó.

—Mi madre ha insistido en que te trajera esto. Pero, si ni lo quieres, me lo puedo llevar de vuelta a casa. La verdad es que aún quedan casi tres meses y no es que haya mucho sitio donde colocarlo. Tenía que haberle dicho que no, porque seguro que tú quieres algo nuevo o una de esas cunas que se acoplan a la cama para que el bebé duerma más cerca de...

Aquella vez tuve que ser yo la que lo callara con un beso. Aquel capazo era precioso, sencillo y todo un gesto con el que se me quería hacer sentir parte de la familia.

—¿Era tuyo?

—Sí —respondió aún sin sonreír—. ¿Entonces lo quieres? ¿Te gusta?

—Me encanta.

Aquellas palabras relajaron los hombros de Jude y le arrancaron aquella sonrisa suya que se me hacía tan irresistible.

—La podemos poner en el despacho de Johan por ahora. Y, si quieres, mientras cenamos, podemos hablar sobre eso de la cuna que se pega a la cama y el tipo de lecturas tan constructivas que eliges últimamente. —Le sonreí y adopté una expresión seria con la que intentaba aguantar la risa.

—Puedes reírte de mí todo lo que quieras, pero si quieres sacar el tema del colecho durante la cena, te advierto que hay todo un debate en la red sobre ello.

Me reí y negué con la cabeza mientras le veía andar hacia la nevera para agarrar un bote de leche.

—¡Te quiero!

Lo dije aún con el tono alegre, sin pensarlo, como si hubiera dicho esas palabras antes, como si fuera una obviedad, como si no me acabara de declarar a corazón abierto. Pero vi cómo él se giraba hacia mí con los ojos abiertos. Había vuelto a quedarse sin respiración, sosteniendo el bote de leche al frente. Tras unos segundos de silencio en los que yo sentí que toda la sangre de mi cuerpo ascendía hasta mi cara y la sonrisa me desaparecía, él respondió:

—Te quiero, Bay.

Él no lo había dicho a la ligera como yo. Sus palabras habían salido de muy adentro, liberadas, sinceras, rotundas. Fue una declaración tan contundente y directa que las rodillas me temblaron y el corazón se me disparó. Le sonreí con los labios, con la mirada, con todo el cuerpo. Inspiré hasta llenarme entera del aire cargado de amor que de pronto había inundado la estancia y él afirmó con la cabeza como si ya estuviera todo dicho. Jude se sirvió un vaso de leche y, mientras se lo bebía, puso la mesa para cenar. Yo me había sentado en el sofá para descansar las piernas y, mientras escuchaba el rumor del oleaje que entraba por las rendijas de aquella casa mal sellada, continuaba sonriendo, porque la sensación de felicidad se había apoderado de mí y dejé gustosa que se acomodara en el fondo de mi ser.

28

En julio yo ya llamaba a la niña Piña y Jude me consideraba un caso perdido. Él seguía tan pendiente de mí como el primer día, pero más pesado, más agobiante, más adorable. Yo sabía que estaba enamorado de aquel bebé, que esa vena protectora que me provocaba hasta gritarle algunos días de desesperación era una muestra de amor hacia la niña. Sería un gran padre, si no lo mataba antes.

Aunque al principio era extraño pensar en él como en una figura paterna para Piña, terminé por verlo natural, porque habíamos empezado a construir algo juntos, algo que de alguna forma se le podía llamar «familia»; pero había alguien más en la ecuación, alguien que regresaba con las vacaciones de invierno.

Aquella vez no habíamos concretado un día y no esperaba ni por asomo que Scott apareciera por la puerta de la oficina con un ramo de flores para darme una sorpresa como la vez anterior; no esperaba absolutamente nada, pero el encuentro ocurriría. Lo necesitaba para confesarle mi relación con Jude, para comenzar una diferente con él, para aclarar qué esperaba él de mí, cómo de presente quería estar para la niña... Culpar a mi barriga de siete meses de las noches de insomnio era injusto, los nervios apostados entre los dos latidos que se originaban en el interior de mi cuerpo eran los que me mantenían despierta. Lo quería todo: quería que Scott siguiera en mi vida, tener a la niña, recuperar a la Bay de antes y seguir fiel a ella —porque, a pesar de haber intentado despedirme, en el fondo, quería recuperarla—; pero también quería los nuevos sentimientos que habían surgido en mi nueva vida y quería a Jude, muchísimo. Lo quería todo, absolutamente todo y, aunque era más que consciente de que iba a perder algo, me negaba a aceptar que eso fuera una opción.

Habían pasado tres días desde que supe que Scott andaba ya por Exmouth, pero dejé que fuera él quien decidiera cuándo verme. Sabía que, en algún momento, vendría a mí. Lo que me fue imposible prever fue la manera en la que lo hizo. Aquel día todo mi mundo se puso del revés y vi cómo todo lo que había creído saber se convertía en una mentira.

Terra y Jude se habían despedido de los turistas, habían aparcado las furgonetas en la parte trasera y acababan de llegar a la oficina. Yo había pasado el día resolviendo dudas, organizando grupos para la siguiente semana e intentando darle a la página web un toque invernal, aunque en la calle la temperatura no bajara de los dieciocho grados. Y también había empezado a programar los primeros *tours* aéreos, porque habíamos conseguido la licencia para hacerlos un par de semanas atrás; habían tenido muy buena acogida y, aunque todos decían que era por las imágenes tan buenas que yo había tomado durante mi vuelo, la verdad es que yo ya llevaba tiempo recibiendo preguntas sobre si teníamos ese tipo de oferta en la agencia.

—¡Hoy hemos visto una que debía pesar unas cuarenta toneladas! Brechaba[15] y golpeaba con la aleta como si hubiera sido entrenada en cautividad. Ha sido un espectáculo —entró diciendo Terra.

—Pues ya podías haberlo grabado para que pudiera verlo —protesté frustrada por tener que permanecer en la oficina a causa de mi avanzado estado de gestación.

—Lo he hecho —afirmó Jude detrás de ella. Me guiñó un ojo y me lanzó un beso que nuestra compañera bióloga no pudo ver.

Sonreí y controlé las ganas de devolverle el gesto.

—Sí, hoy nos hemos juntado los dos barcos porque los clientes eran todos amigos y porque esa ballena ha sido el único avistamiento que ha hecho Lori hoy.

—¡Pues quiero verlo ahora mismo!

—Espera que deje el resto del equipo en el almacén y saco la tarjeta de memoria de la cámara.

---

15. Brechar: movimiento que realizan las ballenas al saltar y caer de lado.

Yo no me cansaba de mirarle; me resultaba muy atractivo incluso con el uniforme del trabajo: aquellas bermudas azul marino, el polo celeste con el logo del Wildlife Dive y sus gafas Oakley combinados con su piel morena, su sonrisa chulesca ocasional, su gesto serio de serie, sus caricias disimuladas... Había perdido totalmente la cabeza por él.

—Veamos, también he hecho algunas medio decentes de tortugas por el arrecife. La gente adora a las tortugas.

Jude se había acercado a mi escritorio, se había hecho con el control del ordenador y yo me puse las manos sobre la barriga, relajada, observando cómo él movía el ratón del ordenador y clicaba con soltura. Su brazo estaba demasiado cerca de mí, y aquel hueco entre él y su estómago se me antojaba un camino por el que meter mi cabeza para reposar. Inspiré y respiré su aroma, uno que ya me era familiar, que se había quedado impregnado sobre la almohada de mi cama, en la sudadera que me gustaba quitarle, en mi piel.

—¡Ahora lo comprendo todo!

La puerta de la oficina se había abierto de forma brusca, golpeando contra la pared y asustándonos a los que estábamos dentro. Había reconocido su voz, pero no aquel tono furioso, trabado e irónico.

—Todo cobra sentido —continuó ante nuestra mirada desconcertada—. Gaby me lo ha contado y solo hay que sumar dos y dos para darse cuenta de cuál es la verdad.

Me levanté de la silla y caminé hacia Scott que acababa de tambalearse dejando claro su estado ebrio y descontrolado.

—¿Qué verdad? ¿Qué te ha dicho Gaby para que vengas así?

Scott soltó una carcajada amarga y dirigió su mirada acusadora hacia mí:

—Que la noche de la fiesta no fue contigo con quien me acosté. Me acosté con ella, en el sofá de mis padres, mientras tú dormías plácidamente arriba. —Se agarró de una silla y avanzó un poco más hacia mí—. Nos drogó, ¿sabes? Cogió unas pastillas de dormir de su madre y las echó en nuestras copas. Recuerdo que te llevé a mi casa y supongo que intentamos acostarnos, porque también te recuerdo medio desnuda sobre mi cama a la mañana siguiente, pero no lo hicimos. Te quedaste frita antes.

Scott comenzó a reír, tanto que los ojos se le llenaron de lágrimas. Jude avanzó hacia nosotros, aunque yo le detuve con la mano. Me había quedado muda, intentando procesar aquella información que me resultaba difícil de creer debido a lo borracho que estaba quien la contaba.

—Así que bajé y me encontré con Gaby, que se había colado tras nosotros en mi casa, porque es una puñetera loca que está obsesionada conmigo... y me la tiré. Sí. Me la tiré porque le dije que tú te habías quedado dormida antes de que pudiéramos hacer nada.

De pronto, Scott se derrumbó, sus rodillas se doblaron y cayó al suelo frente a mis pies. Se puso a llorar como un crío mientras se sujetaba la cabeza con las dos manos.

—Pero... Yo estoy embarazada, Scott. Está claro que Gaby te está engañando.

—No, no me está engañando. Recuerdo haberme acostado con ella. Sin embargo, no recuerdo haber llegado hasta el final aquella noche contigo. Y he repasado mil veces esa fiesta en mi cabeza, te lo puedo asegurar.

—¡Pues lo haríamos entonces otro día! ¡Estoy embarazada, Scott! —Me incliné hacia él, le agarré del cuello de la camiseta y tiré de él hacia arriba realmente enfadada.

—Pues no... No lo hicimos, Bay. Y como las matemáticas no fallan, tú te debiste tirar a otro. Otro que yo no fui. Y todo cobra sentido ahora, ¿verdad, Jude?

Scott había conseguido levantarse y salvó los escasos pasos que le separaban de él.

—¿Jude? —pregunté tan confusa que me costaba respirar.

Él me miró sin contestar, aunque tampoco tuvo mucho tiempo para hacerlo porque Scott cerró el puño y lo estampó contra su mejilla logrando que el chico del que estaba enamorada cayese sobre uno de los escritorios y tirase varias revistas al suelo.

29

JUDE

Mi abuela me odiaba. Solía llamarme «semilla del mal» y me encerraba en la despensa del hostal para que no metiera las manos en las tartas que estaban destinadas al mostrador de la cafetería. Pero yo era un niño, uno de los que siempre tienen hambre, y me gustaba estar en la cafetería del Jalalai porque había una vieja gramola con éxitos de los años sesenta y setenta que funcionaba sin monedas, y también aquellas tartas que mi abuela ponía dentro de vitrinas de cristal sobre el mostrador y que resultaban tan tentadoras... A pesar de todo, pronto convertí la despensa en mi palacio, uno donde estaban los paquetes de galletas a los que llegaba fácilmente si me subía por las estanterías.

Mi madre me protegía cuando estaba, me daba amor cuando tenía tiempo... y sonreía cuando no lloraba en silencio. Solíamos ir lejos para pasear, a la otra punta del golfo, donde vivía el señor Shein; aunque dejamos de hacerlo en cuanto entré en el colegio. Fue entonces cuando ella, además de trabajar en el hostal, se iba sola hasta allí tres tardes a la semana para cuidar de aquella otra casa, de aquel hombre barbudo y de su hija.

Odié a esa niña porque pensaba que mi madre prefería estar con ella antes que estar conmigo. Por aquel entonces yo solo era un niño, uno marcado en un pueblo pequeño; un niño solitario que se escapaba a la playa siempre que podía y que echaba de menos a su madre. Sin embargo, cuando crecí, comprendí que mi madre necesitaba ir allí para respirar, para huir de su vida, para imaginar una diferente al otro lado del golfo, una a la que nunca me llevaba, quizá precisamente porque, en esa otra vida, yo no había sucedido. Aprendí que, a veces, necesitaba separarse de mí, pero que, aun así, me quería. Y comprendí que la hija del señor Shein tampoco tenía culpa alguna.

Cuando cumplí diez años, mi abuela murió y mi madre se puso al frente del Jalalai, por lo que ya solo iba a la casa de Jurabi Point de forma puntual y fui yo quien comenzó a tener más relación con Johan. La admiración que sentía mi madre por el científico marino me inspiró y quizá quería que ella me mirase como le miraba a él y que se sintiera orgullosa de mí, o quizá encontré en el mar lo mismo que aquel hombre había encontrado: un lugar mejor. Fuera por el motivo que fuera, empeñé todas mis energías en seguir sus pasos.

Cuando Johan Shein abrió su negocio de turismo marítimo, yo aún estaba en el instituto y eso hizo que me resultara más accesible. Aquel hombre fue generoso conmigo: siempre tuvo un momento para mí cuando se lo pedí y siempre me contestó a cada una de las preguntas que le hice. Recuerdo estar en aquella oficina y ver entrar a su hija, a Bay, con aquel pelo enmarañado y las mejillas quemadas por el sol, con un cubo lleno de algas y se las enseñaba a su padre, que, orgulloso, le indicaba a la especie a la que pertenecían. Bay quería hacer un «diccionario de algas», así lo llamaba. Nunca me prestó atención, su mundo estaba demasiado lleno, y yo tampoco intenté acercarme a ella, porque Bay formaba parte de la otra vida de mi madre, esa a la que yo no pertenecía.

Entonces conseguí una beca para la universidad, una que estaba lejos de Exmouth, en un lugar en el que yo sería tan solo un chico más, uno que no arrastraba el pasado de su madre, y me fui con muchas ansias de aprender: quería estudiar hasta saber más que Johan, quería experimentar hasta conocerme bien a mí mismo, quería vivir libre y sentir sin remordimientos. Pero en aquel plan en el que me marchaba para no volver, para recorrer los mares del mundo una vez terminado los estudios, nunca conté con los sentimientos de deuda.

Mi madre, la que creí que sería más feliz viviendo por fin una vida sin mí, su otra vida de forma plena, entró en depresión por haberme perdido. Mi madre, la que me había defendido con garras delante de todos, la que había trabajado como una esclava por darme todas las oportunidades del mundo, me necesitaba; y solo por eso regresé a Exmouth.

Me sorprendió sentirme bien al hacerlo. No esperaba sonreír de aquella manera al regresar a mi playa, a mis paseos solitarios, a mi vida tranquila bajo el mar. Y, al poco, comencé a trabajar con Johan y me di cuenta de que, por mucho que hubiera estudiado, él tenía toda una vida de experiencias que enseñarme, así que sentí que estaba donde debía estar, que era feliz, que cumplía con mi deber, que vivía disfrutando de lo que más me gustaba, que no necesitaba nada más...

Hasta que, aquella semana, Bay se coló en mi vida. Hasta entonces solo había sido esa niña que entraba y salía de la oficina con poco más de un saludo: la culpable de los desasosiegos de mi mentor; esa adolescente que encabezaba manifestaciones, que portaba pancartas y que se escapaba de casa pensando que su padre no se enteraba; la que salía demasiado, la que bebía sin control, la que no quería estudiar, la que llenaba de besos a su padre y con eso lo solucionaba todo... Siempre había sido bonita, pero para mí tan solo era la niña que cuidaba mi madre, hasta que un día entró en la oficina con los ojos rojos, decaída y convertida en una mujer.

Supe que había cortado con su novio, no porque yo preguntara, sino porque ella hablaba en voz alta; Bay abría su corazón sin importar quién estaba presente, y yo siempre estaba delante porque básicamente era la sombra de Johan. Mi jefe pensó que aquello era una oportunidad, que por fin Bay podría reconducir su vida y que convertirla en mi propia pupila era lo mejor que le podía suceder. Y aunque no veía de qué manera yo podía influir en su futuro cuando ni siquiera el chico con el que había salido la había convencido para ir con él a la universidad, no podía negarme a cumplir con la petición de Johan. Él era mi jefe, mi mentor, así que Bay se pegó a mí como un mejillón al casco de un barco. Ella quería despejar su cabeza del mal de amores y lo hizo volcándose en aprender de mí todo lo que le fuera posible. Y, sorprendentemente, aquella relación, comenzó a gustarme.

Bay preguntaba mucho, lo cuestionaba todo y le encantaba discutir, como si ponerme a prueba fuera algo divertido para ella. También era provocativa, impulsiva y descarada, y era difícil que su energía no te arrastrase; pero, para alguien como yo que siempre se había mantenido al margen de las situaciones problemáticas, de los comportamientos cuestionables y de las aventuras irracionales... Bay resultó una tentación insuperable.

—Oh, vamos, Jude. Eres un muermo. Mi padre no se va a enterar, ¡está en Queensland!

—¿Quieres que pierda el trabajo?

—No lo vas a perder porque ¡¡¡no se va a enterar!!! —me dijo colocando sus manos como un megáfono a ambos lados de su boca, desafiándome.

No había nadie alrededor, estábamos ella, la solitaria playa de Jurabi Point, con su casa a nuestras espaldas, y yo; pero, aun así, puse los ojos en blanco, como si su voz pudiera ser transportada por el aire hasta los oídos de su padre.

—Por favor, por favor... —Se puso de rodillas delante de mí, con lo que su cara se quedó inapropiadamente delante de mi bragueta. Ese era el tipo de gestos que parecían inocentes, pero que yo cuestionaba que lo fueran porque ella los usaba para conseguir lo que quería—. El color del agua puede cambiar de lila a rosa brillante, incluso a plateado, dependiendo de las nubes que haya y de la hora a la que lleguemos.

—Te repito que no vamos a ir hasta Yallabatharra —le repliqué cansado, recostado en mi silla plegable.

Estaba seguro de que en cualquier momento llegarían las tortugas hembras para el desove y Johan me había dicho que cuidara de ellas como si fueran las últimas del planeta. Las criaturas llegaban en un estado muy sensible y cualquier ruido o presencia podía asustarlas y hacerlas huir de nuevo al mar sin desovar, poniendo en grave peligro a la especie.

—El lago Hutt está a poco más de siete horas en coche, podemos turnarnos al volante —resopló al ver que no la miraba—. Necesito tomar una muestra de esa agua, necesito esas algas para mi...

—Sí, para tu «diccionario de algas» ...

—Jude, tengo diecinueve años, ya no lo llamo así.

—¿Y cómo lo llamas ahora? —La miré de reojo y ella contuvo una sonrisilla.

—*La guía Shein de algas marinas* —levantó la barbilla con orgullo.

—Suena bien —le reconocí.

—Necesito esa muestra, Jude. Imagina la cara de mi padre cuando le diga que puedo usar mi trabajo como carta de presentación en una universidad.

—¿Has cambiado de opinión? ¿Ahora quieres ir a la universidad?

—Puede. Muchas cosas han cambiado en una semana. Sé que parece poco tiempo, pero el tiempo es relativo, ¿sabes?

—Eso decía Einstein. —Abrí mi termo con agua fría y le di un largo trago.

—No puedo esperar, Jude. En verano se secará y perderá su color rosa intenso, se convertirá en un lecho de sal.

El sol comenzaba a ocultarse por el horizonte y sus rayos moribundos se colaban entre los rizos de su melena. Llevaba unos pantaloncitos de algodón tan cortos que se le veía la mitad del trasero cada vez que se agachaba y una camiseta ancha con el cuello roto que se le descolgaba de un hombro. Era endemoniadamente atractiva, terriblemente persuasiva e inagotablemente repetitiva.

—Tú ganas, Bay. Ir y volver en el día. Nos turnamos al volante, pero...

—Pero ¿qué? —Bay torció la boca.

—Se lo diré a tu padre, le pediré permiso.

—¡No te lo dará! —protestó contrariada—. No se puede dejar en manos de Terra los dos barcos.

—Encontraré un sustituto y nos dará permiso, confía en mí.

—¿Y si contabas con esa opción desde un principio por qué me lo has puesto tan difícil?

Le habría contestado que la idea de hacer un viaje a solas con ella no me parecía algo inteligente, porque ella no paraba de insinuárseme, porque parecía que tras romper con su novio necesitaba desesperadamente del contacto con otro, porque su padre me había encargado que despertara en ella el interés por los estudios y, en realidad, yo le estaba despertando algo muy diferente. Si le hubiera sido totalmente sincero en aquel momento, le habría dicho que la idea de estar a solas con ella me hacía dudar de mis propios impulsos. Sin embargo, no le contesté, porque en la orilla vi una sombra oscura.

—¡Ahí hay una! —le susurré emocionado a Bay.

De forma inconsciente la había agarrado de la mano. Solo quería advertirla para que no alzase la voz, para no asustar a aquella tortuga, para indicarle que cogiera su silla plegable y se retirase conmigo hasta el porche de su casa. Pero ella alzó las cejas, como si mi contacto la hubiese sobresaltado y se hubiera quedado sin respiración.

—¡Vamos!

Le solté la mano y yo mismo cogí su silla. Sentí que me seguía un par de pasos por detrás. Ella se sentó en las escaleras del porche y yo cogí mi libreta para hacer las anotaciones: hora, especie...

La tortuga avanzó unos metros desde la orilla, se colocó de espaldas al mar y comenzó a crear con sus patas traseras la cueva que acogería sus huevos. Nos quedamos en silencio observando el ejemplar, sus maniobras marcadas de fondo por el ritmo de las olas. Terminé por sentarme a su lado, porque no pude resistir las ganas de compartir con ella aquella escena. Bay sonreía en silencio, casi no pestañeaba para no perderse ni un solo movimiento. Así, tranquila, callada e inmersa en sus pensamientos, sentí deseos de besarla y abrumado por aquel impulso apreté los puños.

—¿No te parece todo un milagro?

—¿El desove?

—La vida. La naturaleza. Los animales. —Apoyó la barbilla sobre sus rodillas puntiagudas para seguir susurrando—. Todo seguiría funcionando sin nosotros, puede que incluso este fuera un lugar mejor si no existiéramos. Los animales no tienen el instinto de destrucción, tan solo el de supervivencia. La naturaleza se revuelve contra sí misma para regenerarse de nuevo. Si me hubieran dado a elegir, no habría escogido vivir como ser humano.

—Ser un alga debe ser superemocionante —dije con ironía.

Giró la cabeza y me miró desde abajo, apretó los labios en una sonrisa y puso aquel gesto interesante.

—Habría querido ser agua, una pequeña gota de agua movida por las corrientes de una playa a otra, que volaría evaporada para surcar los cielos convertida en nube. Para caer en picado en forma de lluvia hasta las hojas de los árboles, para resbalar por ellas hasta el tronco, hasta el suelo... Y así, penetraría la tierra hasta las entrañas buscando la forma de regresar al mar.

¿Quién era aquella chica en realidad? ¿Por qué no le había prestado atención antes habiéndola tenido frente a mis narices toda la vida? ¿Cómo impediría que mi corazón se disparase cada vez que la viera después de escuchar aquello?

Lo organicé todo para que no se notara mi ausencia aquel día en el Wildlife Dive y, para mi sorpresa, Johan accedió encantado a la idea de que llevara a su hija hasta el lago Hutt. Confiaba en mí, eso pensé en aquel momento. Ahora creo que, quizá, sabía que entre su hija y yo podría surgir algo si nos dábamos la oportunidad de conocernos bien. Y así fue.

Bay estaba radiante con su cámara de instantáneas colgada al cuello cuando fui a recogerla. No esperamos al amanecer, él nos salió al encuentro de camino al sur.

—Hace dos semanas no imaginaba nada mejor que el estar en Bali con un cóctel bien cargado en la mano, bailando con mis amigas en bikini con la música de algún DJ en la playa, haciendo *snorkel* por aquellas aguas, paseando con... —calló para evitar pronunciar el nombre de su novio, pero no hizo falta que rellenase el hueco. Inspiró y desplegó una sonrisa del todo sincera—. Y ahora, te juro por mi vida que este es el mejor plan del mundo.

La miré de reojo y sonreí, porque yo era su acompañante en ese plan y me gustó escucharlo.

—¿Sabes tú algo del viaje de mi padre? —me preguntó en cuanto ella se hizo con el control del volante.

—No, pero debe ser algo importante. Se marchó apresurado.

—Yo creo que ha sido ella. —Pronunció aquel *ella* con algo de suspicacia.

—¿Quién?

—Mi madre. Creo que lo ha llamado y que ha ido a su encuentro. —Sus ojos miraban afilados al frente.

—¿Por qué crees algo así?

—Porque no quiso decirme nada cuando le pregunté y me pidió que no volviera a preguntarle. Mi padre y yo nos lo contamos absolutamente todo. —Tragué saliva al escuchar eso y me alegré de haber hecho caso a mi instinto y haberle pedido permiso para hacer aquel viaje con su hija—. Cuando se despidió tenía en los ojos un brillo especial, de emoción, de urgencia, de... Quizá fuera esperanza. Odio que siga esperando el milagro.

—¿Qué milagro?

—Que regrese junto a nosotros.

—Lo cierto, Bay, es que yo no sé nada sobre ese tema. Johan jamás me ha hablado de tu madre.

Bay echó la cabeza hacia atrás hasta apoyarla en el asiento y agarró el volante con las dos manos. Torció la boca y se encogió de hombros de forma fugaz.

—No tiene sentido hablar de lo que no tiene importancia.

Ahora sé que debí haberle preguntado, debí haberle brindado la confianza necesaria para que se abriera y me dijera cómo se sentía frente a la posibilidad de que su padre hubiera ido en busca de su madre, una total desconocida para ella y para cualquiera que los conocía en Exmouth.

Durante el resto del viaje, Bay habló sin parar. Era capaz de sacar conversación hasta de las alfombrillas del coche y, aunque se me caían los párpados porque nos habíamos levantado muy temprano, porque había conducido cuatro horas seguidas, porque el vaivén del coche era sedante y porque la visión era demasiado monótona con aquellas largas extensiones áridas y desoladas, le presté atención durante todo el tiempo. Ella conseguía que todo sonase interesante porque para ella todo era como trucos de magia por descubrir.

—¿Y cuál es tu sabor favorito de helado?

Así era ella. Soltaba ese tipo de preguntas sin venir a cuento, sin pausa alguna, aunque antes hubiese estado hablando sobre la magia de la luz en la fotografía.

—No soy mucho de helados, prefiero los batidos —contesté extrañado.

—Me vale. ¿Cuál es tu sabor favorito, señor amante de la leche?

—Me gusta el de fresa. —Ella me miró de forma fugaz antes de volver a estar pendiente de la carretera. Sentí que mi respuesta no le convencía—. De fresa, con plátano, algo de sirope de arce y algunas semillas de chía —terminé de decir.

—Interesante —estiró el cuello y sonrió.

—¿El batido te parece interesante?

—No. *Tú* me pareces interesante.

—Son las mezclas que hace Adele en realidad...

—Chsss... No lo estropees —me regañó con una expresión de satisfacción apostada en su boca.

Me puse las gafas de sol porque el astro estaba en todo su esplendor y porque sentí que mi mirada delataba demasiado lo que comenzaba a sentir por aquella muchacha alocada.

—Eres rara de narices —le dije.

—Rara suena a especial.

—Quizá con rara quería decir interesante.

Sé que sonreí al decirlo, pero no me atreví a mirarla para ver lo que mis palabras producían en ella. De hecho, tras decirlas, sentí que estaba metiendo mis pies en terreno peligroso; pero reconocí que ir contra lo que debía hacer, como lo era el mantenerme alejado de la hija del jefe, de una chica que acababa de romper con su novio de tres años, de alguien a quien creía que dejaría atrás en unas semanas... Todo eso me despertaba sentimientos nuevos, arrolladores y demasiado potentes.

Paramos en una playa de Wooramel para comernos los bocadillos que mi madre nos había preparado y estirar un poco las piernas. Bay recogió algunas algas de aquella orilla y, tras hacerlo, se deshizo del vestido que llevaba y se lanzó corriendo al agua. Hacía mucho calor, por lo que yo también me quité la camiseta y las bermudas para hacer lo mismo.

—Así que eres un chico de bóxers ajustados. —Bay buceó hasta sacar la cabeza justo a mi lado.

Los rizos se le habían estirado y habían tomado unos tonos más oscuros, lo que hacían que sus ojos verdes resaltasen aún más.

—¿También te parecen interesantes los tipos de calzoncillos de los hombres?

—En realidad, no.

¿Por qué me sonreía así? ¿Qué era lo que pasaba por su mente en aquel momento? Moría por saberlo, pero a la vez pedí clemencia al cielo para que no continuase hablando del tema. El cielo se apiadó de mí y ella simplemente se hundió para bucear alrededor de mí durante un rato y terminó por salir del agua como si no le importase que yo la siguiera con la mirada mientras se alejaba de mí.

Volví a ponerme al volante y llegamos al lago Hutt pasado el mediodía, justo cuando los rayos del sol caían sobre las aguas con mayor potencia y el color rosado brillaba con intensidad. Bay, que no había parado de hablar durante todo el viaje, se quedó totalmente muda al ver por fin aquellas aguas. Casi no esperó a que echara el freno de mano para salir disparada del coche. Se aproximó corriendo a la orilla y se arrodilló sobre ella. Comenzó a acariciar la superficie del agua rosada con las palmas de las manos, creando ondas imposibles a su alrededor. Cogí su cámara de instantáneas y le saqué una foto. Ella no se dio cuenta y decidí guardármela. Ni siquiera se le veía la cara, pero pensé que aquella imagen era la de la auténtica Bay.

La laguna tenía unos setenta kilómetros cuadrados, era inmensa, y estaba separada del océano Índico por una estrecha cresta de arena y arbustos, lo que convertía aquella vista en una acuarela tan poco común como maravillosa. Bay tomó sus muestras de *Dunaliella salina* e hizo varias fotos desde varias posiciones.

—¿Nos hacemos una? —propuso divertida.

Me encogí de hombros. No había nada de malo en hacerse una foto. Así que me coloqué a su lado e intenté sonreír. Pero Bay, sin ser bajita, quedaba por debajo de mi hombro. Me agaché un poco, pero aquella postura no terminaba de convencerla mucho, sobre todo porque ella tenía que estirar su brazo para tomarnos la foto, pues allí no había nadie a quien pedirle un favor.

—Espera. Quédate así, agachado.

Vi cómo se colocaba detrás de mí y de pronto la sentí encaramada sobre mi espalda. Reaccioné con rapidez y le sujeté las piernas mientras ella hacía lo propio con una de sus manos alrededor de mi cuello.

—Tú nunca avisas, ¿verdad? —reí, con la boca abierta, como no solía hacer. Pero es que, con Bay, las cosas no eran como solían ser.

—Así está genial —dijo justo antes de poner la cámara frente a nosotros con su brazo alargado y capturar un momento único en un lugar increíble.

La bajé al suelo y esperé al igual que ella que la foto fuera apareciendo.

—¡Salimos muy guapos! —exclamó al revelarse el resultado—. Te la regalo, por traerme hasta aquí.

Yo la cogí y ella, en un gesto que no vi venir, se agarró de mi brazo, se puso de puntillas y alcanzó mi mejilla con sus labios. Fue fugaz, incluso inocente, pero yo sentí que me había vencido. Estaba en sus redes porque era imposible ser indiferente a su risa alegre y desenfadada, era inevitable admirar sus curvas perfectas que culminaban enroscadas en su pelo. Era absurdo negar que Bay me había vuelto loco.

—¿Damos un paseo? —me ofreció.

Habría hecho cualquier cosa que me hubiese pedido, por eso me aseguré de cerrar bien el *jeep* y la seguí por la orilla mientras ella hablaba de carotenoides, de agentes colorantes cancerígenos en la alimentación y del complot entre la industria alimentaria y los gobiernos para no frenar la producción contaminante.

—Bay, son las tres. Deberíamos ponernos en marcha si queremos estar esta noche en casa —le dije cuando habíamos recorrido ya varios kilómetros de costa.

Ella se paró y me miró con tristeza primero, luego se mordió el labio inferior y su mirada se iluminó un poco hasta que, reprimiendo una sonrisa, usó un tono meloso para hablar.

—¿En serio tenemos que irnos? ¿Por qué no pasamos aquí la noche y regresamos mañana bien temprano? ¿No te mueres por ver cómo cambia de color el agua?

—No podemos quedarnos, no tenemos donde dormir.

—Tenemos toallas, arena blandita, un *jeep* junto al que cobijarnos. Vamos, Jude. ¿No quieres ver la luna reflejada en estas aguas?

—Bay, esto no fue lo que hablé con tu padre. —Mi voz casi le suplicaba. Me lo estaba poniendo tan difícil que sentía presión en el pecho.

—Prometo no contarlo. Será mi primer secreto con él.

—Nuestro secreto querrás decir.

—¿Eso es un sí? —Los ojos se le abrieron y me agarró con las manos los antebrazos, electrocutándome.

—¿Alguien te dice a ti que no alguna vez? —Negué con la cabeza, pero le sonreí.

—¡Vayamos a Port Gregory a comprar algo para la cena! Y a por helado. Ah, para que lo sepas, mi favorito es el de plátano con tofe. Luego podemos volver, montar el campamento y esperar a las estrellas.

Me agarró de la mano y tiró de mí hacia el coche. Yo apreté la suya y se la sostuve firme; no se la solté, ni dejé que ella escurriera los dedos, y conseguí una mirada sin respiración, otra sonrisa y un paseo de color rosa.

Si Bay hubiese sido cualquier otra chica, habría apostado a que lo tenía todo preparado, que sabía que ocurriría aquello, pero ella era impulsiva... Quizá aquel día todo fue una mera sucesión de impulsos; sin embargo, terminó como me temía: de las manos agarradas pasamos sin darnos cuenta a las caricias con las yemas de los dedos, al principio inocentes y casuales, al poco, firmes y decididas. Sentir su cabeza apoyada en mi pecho pareció algo natural cuando lo hizo una vez tumbados sobre las toallas bajo el manto estelar, al igual que lo fue rodearla con mis brazos y que ella acoplara su cuerpo al mío como si lo hubiéramos hecho cien veces antes. Su conversación se convirtió en un susurro cada vez más cercano a mi oído, uno que abrasaba mi cuello con su aliento, hasta que sentí sus labios en mi piel y todo mi cuerpo se activó sin posibilidad de frenar aquello, simplemente porque yo tampoco quería parar.

En una playa desolada, ocultos tras el *jeep*, bajo el firmamento más increíble que jamás había visto y con el ritmo de las olas del mar de fondo, hundí mi cuerpo en ella hasta perderme por completo, hasta que no hubo vuelta atrás y nuestras vidas quedaron unidas.

Aquel fue nuestro secreto. Nadie supo de nuestra noche allí y los dos días siguientes a aquello, cuando su padre regresó, Bay y yo jugamos al despiste. Yo creí que solo tenía que esperar a mi siguiente día libre para poder pasar tiempo con ella, pero eso nunca llegó a pasar: su novio regresó de aquel viaje de estudiantes y la llamó. Yo no creí que ella fuera a aceptar salir aquella noche con él, tan pronto, justo cuando parecía que ella y yo iniciábamos algo, pero Bay lo hizo.

—Scott y yo tenemos una historia. Quiere hablar, se lo debo. Nos lo debemos —me susurró en el cuarto de los equipos en el Wildlife Dive.

—Bay, no tienes por qué darme explicaciones —le contesté dolido, confuso, pensando que así actuaba de forma correcta porque no coartaba su libertad.

Ella no regresó a mí y fue frustrante sentir la pérdida de algo que en realidad no había llegado a tener.

Durante las siguientes semanas, Bay me esquivó. Eligió ir a todos los *tours* con Terra y se limitó a sonreírme desde lejos, de forma fugaz. Quise creer que también con algo de culpabilidad.

No llegué a sospechar lo que le ocurría, la situación en la que se vio envuelta y jamás podré conocer la verdad del todo. ¿Sabía Bay que se había quedado embarazada de mí y por eso quiso abortar para seguir saliendo con Scott? ¿Sufrió un ataque de pánico al creer que el niño podía ser tanto de Scott como mío? ¿Recordaba ella la noche de la fiesta o la droga había nublado del todo su mente? Lo único que yo tenía claro es que había preferido seguir al lado de Scott, que yo sobraba y que jamás debí haberme asociado con su padre para salvarle el negocio pensando que así estaría junto a ella; porque eso había hecho cuando Johan regresó de su viaje y me confesó que estaba en problemas económicos porque había tenido que prestar todo su dinero a alguien en apuros y no sabía cómo iba a poder pagar las nóminas o la gasolina de los barcos...

La miré cada maldita noche respirar por aquel tubo en la cama del hospital, preguntándome si yo había tenido parte de culpa en aquello, pensando en la remota posibilidad de que aquel bebé fuera mío, en qué haría si ella moría. En qué haría si abría los ojos... Bay los abrió después de pedirle con desesperación que volviese a mí, pero en realidad solo despertó; ella jamás regresó.

Estos meses juntos han sido todo un desafío. Intentar olvidar que Bay decidió no tener nada conmigo y aceptar que la que me había rechazado no era la que tenía delante. Cuidar de ella porque era lo que debía hacer, porque estaba sola, porque era la hija de Johan, porque el bebé podía ser mío. Aguantar las ganas de mandar al demonio a ese novio idiota que no sabía ayudar a su chica en el peor momento de su vida. Callar todo lo que sabía para no condicionar su nueva vida, para darle libertad, para que eligiera tan solo con su corazón y no con los recuerdos que yo le contase. Convencerme a mí mismo de que no me estaba enamorando de aquella nueva Bay y repetirme que aquello no estaba bien, porque ella quería intentarlo con Scott, pues así se suponía que debía de ser. Aceptar que yo había vuelto a caer en sus redes y que era lo único que en realidad quería, que amaba a Bay, sus contradicciones, su fuerza y determinación, que sus ojos descubriendo el mundo me hacían querer enseñarle uno mejor, que sus lágrimas eran afilados cristales que se me clavaban en el alma, que ella, en todas sus formas, era el amor de mi vida; algo que jamás pensé que querría, algo que jamás creí que podría tener, algo por lo que quería luchar: mi familia.

Ahora sé que el bebé no es de Scott y solo puede ser mío. La niña es mía, soy su padre. Voy a ser padre.

Soy padre.

30

Cogí las llaves del *jeep* y salí corriendo de la oficina porque ahí dentro me faltaba el aire. Scott se había dejado caer al suelo de rodillas, vencido, mientras se sujetaba el puño con el que había golpeado a Jude. Yo le miré antes de salir con decepción, solo un segundo, porque Jude se incorporó e intentó agarrarme del brazo. Le oí gritar mi nombre una y otra vez, pidiéndome que esperase, que le escuchase, que no huyera.

Yo solo quería alejarme de todo, de todos, de ese pasado que había abierto la puerta de una forma tan brusca, tan devastadora, tan cruel. Tan decepcionante. Había buscado hasta la extenuación cualquier señal que me indicase quién había sido yo, qué había hecho en mi vida, qué me había llevado hasta allí y, cuando por fin había aceptado que no encontraría respuestas, que no debía buscarlas porque no las necesitaba para dibujar mi futuro junto a los que ahora me importaban, descubría que todo estaba cimentado en mentiras.

Conduje hasta el Jalalai, temblando, furiosa, con lágrimas que intentaba contener dentro de mi corazón apretando la mandíbula con fuerza. Aparqué sin respetar las líneas frente a la entrada y bajé sin preocuparme de quitar las llaves del contacto.

—¡Adele! —grité al entrar.

Beef me miró asustado, se quitó el sombrero de vaquero y con él me indicó el camino hacia las cocinas del hostal.

—¿Tú lo sabías? —le lancé llena de dolor cuando atravesé las puertas y la vi con un cuchillo en la mano cortando zanahorias.

Ella perdió el poco tono de color que solía tener en sus mejillas y soltó el utensilio con cuidado sobre la tabla de madera para mirarme con culpa.

—No... ¿Tú también? ¿Lo sabías? —Me derrumbé delante de ella, me agarré a la encimera y la miré acusadora.

—Sé que mi hijo te quiere con todo su corazón.

—¿Sabías que la niña podía ser suya?

—Sí. Jude me lo contó en el hospital, pero me dijo que tú no le querías a él, que debíamos respetar tu decisión y dejar que estuvieras con el chico al que querías, con Scott.

—¿Al que quería? ¡Yo no recordaba nada! Yo os pregunté, quería saber la verdad. ¡Os pregunté y me mentisteis! Adele, tú me mentiste. Tú... —la acusé con tanto dolor que ambas rompimos a llorar.

Tomé aire y me dirigí a ella llena de rabia.

—No tienes derecho a llorar, Adele. Solo me has cuidado porque cabía la posibilidad de que la niña fuera tu nieta. En realidad, has sido una egoísta, una mentirosa. Y... Jude, ¿cómo pude quedarme embarazada de él? Yo amaba a Scott, todo el mundo me lo ha dicho, ¡he visto pruebas de ello! Pero de Jude... De él ni siquiera he encontrado una sombra en mi pasado, ¿y me quedé embarazada de él? ¿Qué demonios hizo conmigo? ¿Acaso él también...?

La mirada de Adele frente a esa afirmación fue la de un terror profundo. Reaccionó agarrando el cuchillo de nuevo y levantando la barbilla hacia mí.

—Jude no es como él.

«No te atrevas ni a pensarlo», leí en sus ojos, pero yo me lo cuestionaba todo en aquel momento. Sentí que me mareaba un poco y retrocedí unos pasos hasta chocar con las puertas de la cocina. Oí que Adele me llamaba, pero salí de allí de nuevo corriendo. Volví a subirme en el *jeep* que permanecía arrancado y di la vuelta para ir un lugar seguro.

Cuando llegué a casa, busqué todas las cosas de Jude y las fui lanzando hacia la arena con furia, convertida en un mar de lágrimas. Al terminar, cerré la puerta desde dentro y me metí en la cama. Tenía tanto miedo que no podía dejar de temblar y la soledad cayó sobre mí como una enorme losa pesada. Fuera comenzó a llover y, por un segundo, deseé que se formase un ciclón, uno bien grande que arrasara con todo, con aquella casa, conmigo dentro.

—¡Bay! Bay, ábreme, por favor.

Apenas había claridad fuera, pero los focos de la furgoneta del Wildlife Dive iluminaron mi habitación segundos antes de que la voz de Jude se colara por las rendijas de aquella casa hasta mí.

—Bay, déjame que te lo explique todo. Te hablaré de tu pasado, de nuestro pasado, de lo que ocurrió.

«Demasiado tarde» pensé y apreté tanto los puños que me clavé las uñas en las palmas.

—Bay, no pienso irme de aquí sin hablar contigo.

Pero yo no contesté. Al rato, sentí su presencia al otro lado del cristal de mi dormitorio y me di cuenta de que no había cerrado aquel cerrojo. Entonces, me levanté despacio, alcé la mirada y vi su silueta al otro lado, tan oscura como la noche cerrada envuelta en tormenta. Caminé lenta hacia el ventanal sosteniéndole la mirada. Leí «por favor» en sus labios, él puso una mano sobre el cristal, las gotas de lluvia caían sobre su rostro y se escurrían hasta su barbilla. Miré su mano, esa que tantas veces había acariciado mi cuerpo hasta estremecerlo, que se había posado en mi barriga buscando el calor de otro latido... y cerré el pestillo.

Di media vuelta y volví a meterme en la cama. Jude no habló más, escuché sus pasos alejarse, pero no oí el ruido del motor de la furgoneta, por lo que supuse que se negaba a marcharse del todo. Cerré los ojos con fuerza y traté de respirar con un ritmo más sosegado. Pensé que, si quería quedarse ahí fuera, expuesto a la tempestad, era su decisión.

Creo que me desmayé porque mi cuerpo no soportó sentir tanto dolor dentro y, cuando abrí los ojos, ya había amanecido. Un día gris, envuelto en un viento que lanzaba minúsculas gotas de lluvia contra los cristales. Escuché el mar embravecido rugir, el roce de los matorrales resistiendo las embestidas del aire, los remolinos de arena que se levantaban convirtiendo el día en uno mucho más oscuro. Me levanté porque necesitaba beber agua, moverme, dejar de sentir que tenía la cabeza del revés, pero lo primero que vi al mirar por la ventana fue a Jude, sentado en la arena, siendo víctima de la inclemencia del tiempo, estático. Levantó un poco la cabeza al descubrirme levantada, mirándole, pero no se movió.

Yo di media vuelta y fui a la cocina, cogí un vaso de cristal, lo llené de agua y me lo bebí entero con calma. Me debatía entre la furia y el dolor que sentía por dentro y que me impedía abrirle la puerta, y la imperiosa necesidad de entender, de saber, de explicar las mentiras. ¿Cómo era posible seguir amándolo tanto y sentir odio al mismo tiempo?

Finalmente, abrí la puerta, salí al porche y me senté en las escaleras, exponiéndome yo también a la lluvia, al viento, al impacto de la arena sobre la piel. Jude se levantó y avanzó con cautela hacia mí. Cuando estuvo frente a mí, alcé la cara y le miré con una profunda sensación de vacío. Me fijé en su pómulo hinchado y enrojecido, y la escena del golpe volvió a mi mente.

—Si quieres saber, te lo contaré, pero no pienses ni por un segundo que lo que ocurrió entre nosotros fue algo que yo forcé, jamás haría algo así. Simplemente perdí la cabeza por ti. —Alargó la mano hacia mí y yo retiré el cuerpo unos milímetros pensando que iba a tocarme.

En realidad, solo me tendía algo para que lo cogiera. Eran dos instantáneas que acepté confundida: en una aparecía yo de espaldas, arrodillada frente a un agua rosa en la que los rayos del sol incidían como haces luminosos; en la otra, yo estaba subida a su espalda, le abrazaba por el cuello y ambos sonreíamos a la cámara.

Agua rosa. Mi agua rosa. Mi sueño. ¿Mi único recuerdo?

—Fue solo un día. Después tú regresaste junto a Scott y yo lo acepté.

—¿Por qué no me contaste nada? ¿Por qué me has mentido durante todo este tiempo? —Conseguí hablar aún con la mirada sobre aquellas fotos que inmortalizaban un momento que yo no recordaba, que me mostraban a una Bay desconocida, que revelaban un pasado entre ambos. Un solo día.

—No te lo conté porque no quería precipitar un comienzo entre nosotros, uno forzoso. Yo quería todo tu futuro, por eso te di tiempo para que, con suerte, tú llegaras a desear el tuyo junto a mí. —Jude se atrevió a dar un paso más hacia mí.

Yo me levanté con lentitud. Tenía los músculos agarrotados y la prominente tripa me dificultaba los movimientos rápidos. Le miré sintiendo que no quería escuchar nada más, que el pasado me importaba un comino y que debía cerrarlo de una maldita vez. Y eso le incluía a él.

—No puedo, Jude. Ahora no puedo con esto. —Le devolví las fotos—. Por favor, vete a casa.

Leí en sus ojos que al lugar al que le enviaba no era su casa, que su hogar ahora lo sentía junto a mí, que lo estaba mandando al exilio, que rompía nuestra familia, que todo terminaba.

—No me eches de tu vida, Bay. Por favor. —Jude alzó la mano hacia mi barriga—. Os quiero. Te quiero.

Me giré porque no tenía nada más que decirle. ¿Le amaba? Con todo mi corazón. ¿Confiaba en él? No. ¿Qué quería hacer con mi vida? Convertirme en agua.

Kata llegó a Exmouth también por vacaciones, pero su discurso era repetitivo, quería que perdonase a Jude, que comprendiera, que me pusiera en su lugar. Yo también me había equivocado, todo el mundo cometía errores. Me decía que debía pensar en la niña, que él era el padre. Insistía en que no debía estar sola en la casa de la playa, llegó a insinuar que debía mudarme con su familia.

—Puñetas, Bay. Estás boicoteando tu vida. ¿Qué importa el pasado?

—¡Un rábano! Importa un rábano —convine.

—Entonces, ¿por qué no le perdonas?

—Porque no me preocupa el pasado, porque lo que me importa es que me mintió después.

—Tú también has sido una mentirosa, tú también le hiciste daño y te perdonó. Te cuidó y se volvió a enamorar de ti. Quizá él se haya equivocado, pero te quiere, Bay. Puñetas, ¡te quiere!

—¡Y yo a él! —exclamé desesperada—. Pero me ha mentido. ¿No lo entiendes? En una realidad donde todo era oscuridad y yo solo buscaba la luz de la verdad, él me mintió. La persona en la que más confiaba, a la que le entregué mi corazón.

—Ni siquiera te mintió, solo te ocultó el pasado. Uno que, llegado el momento, tú también decidiste que no debía condicionar la persona que eres ahora ni cómo debía ser tu futuro.

Me tapé la cara con frustración porque sentía que nadie me entendía, que era imposible que lo hicieran porque no estaban en mi piel.

—Parece fácil, ¿verdad? Perdonar, olvidar, continuar... Pero es que yo he olvidado todo involuntariamente, de forma brutal. ¿Cómo me pides que olvide ahora lo poco que recuerdo? No sé cómo hacerlo, no sé si quiero hacerlo. Solo quiero, respirar. Déjame respirar, Kata. Dejadme respirar.

Terminé aferrada a sus brazos, conseguí su promesa de convertirse en oxígeno para mí y volvió a marcharse a la universidad.

Scott apareció en casa el día antes de marcharse. Yo estaba metiendo todas las cosas de Johan en cajas, pues había decidido convertir su habitación en un lugar adecuado para el bebé, cuando oí un coche y temí que fuera Jude. Me sorprendí al ver a mi ex y me di cuenta de que no había pensado en él, en lo que él había podido sufrir, en mi engaño, en nuestro engaño mutuo, en nuestra historia, en su historia: la de mi antiguo *yo* junto a él.

Salí al porche y él se sentó a mi lado en silencio durante un rato; nos mecimos en las sillas, acompasados.

—Lo siento, Bay —dijo al fin—. No me comporté bien. No debí presentarme borracho en la oficina, gritar todo aquello delante de todos. Yo tengo tanta culpa en esta historia como...

—...Como yo —admití—. Ambos engañamos, todos pusimos nuestra mentira en el tablero.

—Todos mentimos, es cierto. Pero, Bay, nos equivocamos en un juego donde todo giraba en torno a algo más importante. Nos queríamos, tú y yo nos queríamos, y metimos la pata, tú, yo y Jude. Tú puedes culparme porque te engañé, yo puedo culparte porque me ocultaste lo de Jude, él puede culparte porque le usaste como un pañuelo de usar y tirar... Pero la principal equivocación es dejar que todo eso, el pasado, estropee nuestro futuro.

—Pero, Scott, yo no...

—Tú no me amas. Lo sé. Creo que yo tampoco estoy ya enamorado de ti porque yo amaba a otra persona. Pero te quiero, a ti, a la de ahora, de otra forma. Y eso es verdad, una muy grande y poderosa. No quiero desaparecer de tu vida solo porque no sea el padre de la niña.

—Aunque te alivia saber que no lo eres. —Le sonreí y busqué su mano.

—Joder, ¡sí!

Nos reímos un poco y mantuvimos las manos cogidas.

—Scott, siempre serás el primero que me hizo reír.

El chico afirmó orgulloso y me echó finalmente el brazo por detrás de los hombros para atraerme a su pecho.

—¿Qué ha pasado entre tú y Gaby después de todo lo que te contó? —le pregunté con resquemor—. Porque me he planteado muchas veces ir a verla y gritarle a la cara que es una puñetera psicópata. Y otras, sin embargo, he pensado en ir a su casa para decirle simplemente que la perdono.

—Hay personas a las que no hay que darles segundas oportunidades, solo hay que dejarlas marchar. Tú por tú camino y yo por el mío. Con Gaby era más complicado que eso, no estaba bien de la cabeza.

—¿Estaba? ¿Qué ha ocurrido? —Por su expresión se me ocurrió que podía haber cometido algún disparate.

—No le ha pasado nada... Nada grave. Se lo conté todo a sus padres, no podía ignorar el hecho de que nos hubiese drogado, Bay. Podría habernos sucedido algo mucho peor, ¡podríamos haber tenido un accidente si hubiésemos decidido ir en coche a algún sitio! ¿Y sabes qué? —Aguardó unos segundos antes de contestar—. Sus padres no se sorprendieron en absoluto, la veían muy capaz de hacer algo así.

—¿Y qué le ha pasado?

—Se la han llevado de Exmouth, a un centro donde le van a dar ayuda psicológica. Y, en parte, me siento culpable de lo suyo, porque estaba obsesionada conmigo y yo no supe verlo. Puede que incluso me aprovechara de ella cuando quise y que ella lo interpretara de otra forma. Quizá yo le di esperanzas...

—Tú no hiciste que ella metiera drogas en nuestras bebidas, Scott. Estaba loca. —Al decirlo mis ojos se abrieron. Había llegado a darme miedo el recordarla.

—Aun así, me siento mal.

—Bueno, esperemos que en ese sitio puedan ayudarla. Igual allí se obsesiona con otro y te olvida.

—¿Estás bromeando sobre un tema serio, Bay? —Scott se levantó la visera con un golpe de dedos y elevó una ceja.

—He aprendido del mejor.

Scott me zarandeó un poco por los hombros mientras reía, afirmando orgulloso.

—Seré tu mejor amigo. Siempre me tendrás, te lo prometo. —El chico me besó en la cabeza fuerte y respiró profundo—. Sé que crees que Kata es tu mejor amiga, pero eso es porque aún no sabes lo increíblemente buen amigo que soy yo.

Nos miramos y volvimos a reír, porque con él siempre habría risas en el aire y buenas olas que surcar.

31

Los delfines son pequeñas ballenas; en realidad, se usan esos nombres para diferenciarlas por su tamaño y forma física, pero, en esencia, ambos son cetáceos. Los humanos podemos ser delfines o podemos ser ballenas.

La madurez sexual de las hembras se produce de los cinco a los siete años de edad y tienen varias parejas durante la época de celo para aumentar así las probabilidades de concebir. Las ballenas son promiscuas... como lo fui yo.

Las crías pesan al nacer unos mil ochocientos kilos y miden unos siete metros, pudiendo doblar su peso en su primera semana de vida porque maman unos seiscientos litros de leche al día... Yo estoy de treinta y cuatro semanas y la niña es como un melón.

En 2012, unos investigadores observaron a un grupo de orcas asesinas atacar a una ballena gris y a su cría en la bahía de Monterrey, California. Dos ballenas jorobadas estaban cerca cuando la cría murió y, para evitar que las orcas consumieran el cadáver, permanecieron junto a ella, apuntando con la cabeza de forma amenazante y aleteando cada vez que una orca intentaba acercarse para comérsela. La protegieron durante seis horas y media sin ser una cría de su especie... Nunca importó, en realidad, quién era el padre de Melón.

Las ballenas jorobadas suelen viajar en vainas de hasta quince ejemplares, son compañeras ocasionales que permanecen juntas durante un tiempo para luego separarse; pero también pueden hacer su viaje migratorio solas. Mi madre era una ballena solitaria, quizá yo también estaba predestinada a serlo...

Enlazaba pensamientos a veces tan dispares que, a menudo, me era imposible recordar la idea que lo había desencadenado todo. En todo caso, sabía que, ahí fuera, varios kilómetros mar adentro, las ballenas jorobadas se alimentaban, daban a luz sus crías, y entretenían a los turistas, y pensar en ellas me reconfortaba. Me sentía acompañada, como si Melón y yo no estuviéramos solas. Concentraba mis pensamientos en ella, en las ballenas, en nuestro futuro juntas. Esperaba paciente su llegada y me preguntaba cómo serían sus ojos, ¿verdes como los míos o marrones como él?; sus pies, su sonrisa... Intentaba imaginarme su olor llenando la pequeña habitación, cambiando por completo el de la casa entera. Ya no tenía miedo de fallar; me había llenado de una absoluta certeza de que sería capaz de protegerla de todo, de que sabría calmar su llanto y hacerle saber que mis brazos eran un lugar seguro. A veces la imaginaba con cuatro o cinco años intentando hacer surf, porque para mí había sido de Scott durante demasiado tiempo, otras veces, en cambio, la imaginaba caminando por la orilla del mar con unos auriculares puestos y escuchando a los Beach Boys, como Jude. Me gustaba vernos juntas buceando, descubriendo el mundo mágico que se escondía bajo el mar.

Y me centré, aquel mes, en ser yo, con ella.

También me dediqué en cuerpo y alma a acondicionar mi caseta de playa para crear un verdadero hogar y, cuando agosto consumía los últimos días invernales, ya había cambiado tablones de madera agrietados y podridos, había lijado la pintura resquebrajada y había dado varias capas de un perfecto color blanco por fuera y conservado su auténtico tono por dentro. Me había deshecho del escritorio de Johan y de sus estanterías inestables y había trasladado sus libros a mi habitación. También compré unas cortinas con estrellas de mar que colgué en la pequeña ventana, coloqué la canastilla de Jude en la esquina más protegida de la habitación y guardé la ropita que había comprado con Adele en el armario una vez despejado de la ropa de mi padre.

La primavera en el oeste de Australia florece en septiembre: los surfistas cambian sus trajes de neopreno por los de licra, comienzan los festivales por todas las regiones y miles de flores de colores exóticos pintan el paisaje por doquier. Yo ya me sentía como si fuera a estallar en cualquier momento, me despertaba varias veces con ganas de hacer pis, las piernas me pesaban como columnas y absolutamente toda la ropa me apretaba. Lo bueno de que hiciera calor era que podía pasarme el día entero en bikini y pareo.

Me encontraba arreglando la ducha exterior para que dejase de perder agua cuando llegó Terra.

—¡Qué alegría verte! ¿Me alcanzas esas tijeras? —Estaba sellando la junta de tuberías con tira aislante.

La chica acudió servicial y me ayudó a terminar. No era raro verla por allí, pues, como yo había decidido no ir a trabajar porque no estaba preparada para enfrentarme a Jude, los compañeros venían a visitarme. Se turnaban para cuidarme y, aunque no lo confesaron, sé que lo hacían para tenerme vigilada.

—Lo que has hecho aquí es alucinante. Tu padre tenía esto terriblemente descuidado.

—Bueno, él cuidaba del planeta, seguramente mantener bonita esta casa no era una prioridad para él.

—Sí, siempre estaba ocupado —convino.

Le sonreí y la invité a entrar en casa para tomar algún refresco.

—En realidad, no vengo hoy a quedarme. Lori quiere llevarme a cenar a un viñedo del Sur, en la avioneta —negó sonriente, como si fuera una maravillosa locura—, pero antes tenía que traerte esto. Llegó esta mañana a la oficina y Jude me ha dicho que seguro que era algo importante para ti.

Metió la mano en su bolsillo trasero y se sacó una carta doblada que me tendió. La cogí extrañada hasta que la desdoblé y leí el remitente: «ELLE MILLER». Las rodillas me temblaron y me quedé muda. Al nombre no le acompañaba ninguna dirección.

—¿Quieres que me quede contigo? —me preguntó Terra.

—No, no te preocupes. Estoy bien, es solo esta barriga gigante que pesa demasiado. Vete y disfruta del vino con Lori.

—Está bien, pero... si te encuentras mal, ya sabes que tenemos una avioneta con la que llegar hasta aquí en un santiamén. —Me miraba con preocupación, incluso con frustración. Seguramente ella no entendía nada y solo quería que todo regresara a la normalidad.

—Lo sé. Gracias.

La abracé un poquito más fuerte de lo habitual y la vi marcharse en su pequeño utilitario de color amarillo. Conseguí alcanzar las escaleras del porche para sentarme en ellas y, con las manos inseguras, rasgué la solapa del sobre. Dentro había un folio doblado, una tarjeta y un cheque bancario.

Bay,

Tu padre y yo nos vimos poco antes de su accidente. Ese encuentro ocurrió porque yo me puse en contacto con él. Necesitaba ayuda económica y sabía que él me la daría. Ahora te devuelvo a ti todo ese dinero.

También te entrego la última carta que recibí de Johan poco después de vernos, creo que debes tenerla tú.

Sé fiel siempre a tu corazón, aunque duela; eso es lo que yo te habría dicho.

E. Miller

Vi el cheque, era bastante dinero. Lo suficiente como para haber puesto en peligro el Wildlife Dive. Johan lo había arriesgado todo por ella, porque la amaba, porque había sabido perdonarla o entenderla, porque era mi madre.

Abrí el folio y, tras leer las primeras líneas, el corazón me dio un vuelco. Era la misma que yo había encontrado atascada en la impresora, pero entera. Busqué con rapidez la última línea que yo había leído y continué:

Si vieras la mujer en la que se ha convertido: valiente, tozuda, generosa… Ella es más que capaz de llevar esto hacia delante y no sé de qué forma hacérselo ver. Se ha metido en un lío, no quiere que nadie sufra, pero siempre hay alguien que sufre. Jamás pensé que ella pudiera querer hacer algo así, pero supongo que es imposible conocernos del todo hasta que no nos vemos en situaciones límite. Nadie sabe realmente lo que es capaz de llegar a hacer por alguien, por miedo, por amor…

Si lo hace, no lo soportará, Elle. No lo soportará. Ella no puede decir adiós y olvidarse. Ella no es como tú.

¿Cómo voy a volver a mirar al chico a los ojos después de esto? ¿Cómo, después de que él me haya ayudado a salvar el negocio? Bay cree que yo no me di cuenta, que no vi cómo se miraban al cruzarse en la oficina, cómo se acariciaban a escondidas. Yo reconocí esos gestos, me llevaron hasta ti. Él es un buen hombre, será un buen padre y solo espero que Bay tenga el valor de reconocer el amor verdadero.

Si estuvieras aquí… ¿Qué le dirías tú si estuvieras aquí?

Tuyo siempre,

Johan.

Volví a leer la tarjeta y solté todo el aire que había aguantado muy adentro.

—¿Qué te parece, Melón? La última pieza para terminar el puzle —le hablé a mi tripa mientras la acariciaba.

Tenía entre mis manos un papel con valor suficiente como para comenzar una nueva vida donde quisiera y pensé a qué lugar del mundo podría ir.

Ya sabía toda la verdad, ya tenía una idea clara de quién había sido y de lo que había ocurrido, pero lo más importante era que, a esas alturas, ya sabía bien quién era ahora Bay Shein; sabía qué era lo que quería.

Jude era un chico de costumbres fijas, así que allí estaba, el único ser caminando por aquella inmensa playa de arena blanca. Cuando me reconoció a lo lejos, paró sus pies en seco durante unos segundos. Yo sentí que el corazón se me disparaba y me repetí varias veces que podía hacerlo. Le ordené a mis piernas que avanzaran hacia él, sin dudar, sin titubeos. Pero, a cada paso que me acercaba a él, que lo veía con más claridad, que su silueta se convertía en algo perfecto, cuando su altura infinita me tapó el sol y reconocí su olor, creí que no sería capaz de hablar.

—Hola, Jude —conseguí articular.

Él aguantaba la respiración, había metido las manos dentro de los bolsillos de sus bermudas y no sonrió, aunque con su mirada suplicaba que siguiera hablando.

—Ten.

Alargué la mano y le ofrecí el cheque doblado. Él lo cogió sin comprender.

—¿Qué es esto?

—Me lo ha enviado Elle Miller. Es el dinero que mi padre le prestó, ahora me lo devuelve.

—¿Y por qué me lo das a mí? —Arrugó la frente sin comprender mis intenciones.

—Porque... —tuve que parar para tomar aire porque dolía demasiado sacar aquellas palabras de mi boca—, si lo quieres, es tuyo. Coge lo que le prestaste a mi padre por tu parte del negocio y márchate.

—¿Quieres que me vaya? —Su voz sonó oscura, profunda, dolida.

—Quiero que seas libre de hacer lo que deseas. Si estabas atado a este lugar por el negocio, por mí, por la niña... No tienes por qué seguir sintiéndote así. Te ofrezco la oportunidad de que elijas.

—Maldita sea, Bay... —Jude bajó la cabeza y descolgó los hombros—: ¿Crees que es eso lo que quiero? ¿Agarrar este cheque y marcharme?... ¿Dejarte? ¿Dejaros? —Avanzó hacia mí y me agarró por los brazos, demasiado fuerte, pero no me asusté porque su mirada se había vuelto cristalina y, en su oscuridad, pude ver reflejado el mar—. Yo te quiero, Bay. Te quiero, te quiero, te quiero.

—¿Me quieres? ¿A mí? ¿Seguro? —le pregunté como si necesitara escucharlo un millón de veces más para creerlo.

—Sé cómo es vivir contigo y sé cómo es vivir sin ti. Así que, sí, sé muy bien qué es lo que quiero.

—Pues repítelo otra vez —le rogué.

—Te quiero, Bay; a ti, a la que tengo frente a mí. Y te diré «te quiero» hasta que no necesites oírlo, ni recordarlo, ni guardarlo. Hasta que mi amor sea parte de tu piel y de tu respiración. —Me acercó a su pecho un poco más para reclamar con intensidad mi mirada—. Aunque quizá nunca deje de decirlo porque, cuando lo digo, siento que mi vida está llena con todos tus colores. Y, Bay, yo sí que quiero vivir a la sombra de este arcoíris.

Dejé que me agarrase la cara con sus manos y que me secara las lágrimas con sus besos. Me aferré tan fuerte a él que sentí que nuestros cuerpos se fundían. Siguió repitiendo que me quería y yo también se lo dije a él, porque eran las únicas palabras que podían salir de mis labios. Porque, si el mundo estuviera a punto de explotar, serían las palabras que querría decir y él sería la persona a la que se las diría. Porque, si tuviera que respirar por última vez, lo haría entre sus brazos para que mi última molécula de oxígeno llevara su aroma. Porque, si volvía a despertar sin recordar nada, sabía que volvería a enamorarme de él. Porque ya no sentía la necesidad de mirar atrás, donde no había nada, sino que estaba decidida a andar hacia un nuevo horizonte.

EPÍLOGO

Elma nació el 18 de agosto. Su nombre significa fruta dulce y le gusta el jugo de mango. Sus ojos son de color marrón oscuro y su pelo forma unos rizos rubios ingobernables. Jude suele dormirla cantándole en susurros *Wouldn't it be nice* de los Beach Boys y disfruta de largos paseos por el centro de Exmouth junto a su abuela Adele. Tiene una enorme colección de gorras de bebé que le envía Scott desde todas las partes del mundo y una enorme bola luminosa, regalo de Kata, que convierte el cielo de su habitación en un mapa estelar. Elma tiene la risa más bonita del universo y unos mofletes irresistibles.

Celebré mi primer cumpleaños, el de mi nueva vida, el 10 de febrero siguiente y, cuando soplé la vela, tan solo deseé poder dormir unas horas más por las noches, porque Elma era un tormento nocturno. Unos meses más tarde, ella también sopló su primera vela y comenzó a andar con torpeza, aunque era capaz de nadar en el mar como si fuera un pequeño cachalote e insistía en comer sola y usando los dedos, lo que me dejó claro que sería alguien fuerte e independiente. Cada día descubría algo nuevo de ella y algo nuevo sobre mí misma.

El dinero del cheque de Elle Miller fue un gran desahogo para la empresa y pudimos contratar a un nuevo biólogo; además, los *tours* aéreos estaban ya tan solicitados como las salidas en barco, así que el negocio estaba más que saneado y comenzó a dar buenos dividendos. Fue entonces cuando la idea de perseguir mis propios sueños cobró fuerza, porque comenzó a ser posible. Irme de Exmouth y dejar a Jude y a la niña para estudiar en la universidad era algo tan duro de asimilar como emocionante; pero conforme Elma crecía, cuanto más autosuficiente se volvía —todo lo que una niña pequeña puede ser— y yo volvía a ser dueña de un poco de mi tiempo, comencé a sentir que quería más. Algo más. Mucho más. Quería rodearme de gente de la que pudiera aprender cosas diferentes, llegar a lugares donde se pudiera escuchar mi voz, mi mensaje, mi lucha...

Comencé recuperando mi *Guía Shein de algas marinas* y trabajé en ella, centrándome en las especies de la costa occidental de Australia. La acepté como un regalo del pasado y la usé como llave para mi futuro al presentarla para una beca de estudios preuniversitarios a distancia. Quería estudiar Biología marina, deseaba ir a la universidad y luché durante un par de años contra unos sentimientos contradictorios: los que me decían que no debía alejarme de Elma para conseguir mi sueño, porque eso era exactamente lo que habían hecho conmigo, y los que me recordaban la fugacidad del tiempo.

Largas conversaciones con Jude me convencieron de la posibilidad de tenerlo todo. Yo siempre querría tenerlo todo, y él lo sabía bien.

—¡Marcharse es como desaparecer! —exclamaba angustiada.

—Irse durante un tiempo no es lo mismo que abandonar a alguien, Bay.

—Pero la distancia...

—Distanciarse no es olvidar.

Unos meses después de que Elma cumpliera cuatro años, me aceptaron en la Universidad de Perth y lo celebramos con sándwiches de crema de cacahuete y virutas de chocolate, sentados en el primer escalón del porche, con los pies descalzos hundidos en la arena, mientras veíamos llegar a las últimas tortugas a la playa para desovar.

De eso hace casi dos meses, y siento que empieza a nacer una nueva versión de mí misma. Otra más.

—Es la hora, Bay —me dice Jude por tercera vez.

—Aún puedo dar marcha atrás —le digo con un sentimiento de culpabilidad del que no soy capaz de deshacerme del todo.

—Entonces no serías tú. Tú nunca das marcha atrás.

—Podría ser la primera vez.

—Está bien. Si quieres anularlo... —me concede Jude.

Le miro sin pestañear durante un par de segundos y arrugo la frente.

—¡Se supone que debes decirme que todo irá bien! ¡Que siga adelante!

—Todo irá más que bien. Sigue adelante —repite como un robot y se ríe.

Vuelvo la mirada hacia Elma, está dando volteretas alrededor de Adele que sonríe como lo hace ahora, con las mejillas estiradas, sonrosadas, llenas de vida.

—Se va a olvidar de mí —me lamento.

—Es posible...

Le atizo un buen empujón a Jude que termina por agarrarme por las muñecas para atraerme hacia su pecho.

—Deja ya de decir tonterías. No necesito convencerte de nada. Estás haciendo lo que debes hacer. Solo los cobardes se conforman y tú eres Bay Shein.

—Voy a ser la mejor de la clase —afirmo rotunda.

—Eso es lo que quería escuchar.

Jude me besa, me siento atrapada entre sus brazos porque me ha aprisionado fuerte, pero no hay nada más adictivo que sentirme así para mí. Aunque, al final, me deshago de su abrazo para despedirme de mi niña.

La cojo en brazos y ella se agarra de mis rizos para estirarlos, como siempre hace.

—Escúchame bien, Elma. Mamá se va a la universidad para ser más lista, para ser más fuerte, para poder luchar mejor... Pero te quedas con papá y con la abuela, así que ni pienses por un momento que vas a poder librarte de cumplir con tus obligaciones. Quiero que me envíes mi ración diaria de besos por teléfono, quiero que poses para una foto al menos una decena de veces al día y quiero que no te olvides de mí.

—Acabo de dar todas estas volteretas seguidas —expone frente a mí todos sus dedos estirados, ignorando lo que le acabo de decir, como si no le diera importancia al hecho de que esté a punto de marcharme.

Elma me da un beso rápido en la cara y se deshace de mi abrazo para seguir con sus piruetas y yo siento que voy a romper a llorar en medio del aeropuerto porque dejarla me hace sentir como si estuvieran a punto de amputarme una parte del cuerpo.

—Te quiero, mi frutita dulce.

Adele se la lleva fuera para que no me desmorone ahí en medio y Jude vuelve a abrazarme.

—No te olvidarás tú de mí, ¿verdad? Porque no sería la primera vez que lo haces... —me dice burlón, aunque en sus ojos veo lo duro que es esto para él también—. Solo son unos días. Iremos a verte por tu quinto nuevo cumpleaños.

—Lo sé. Tengo que subirme ya al avión —digo con la voz ahogada.

—Estoy orgulloso de ti. Elma estará orgullosa de ti y todo estará bien por aquí.

Nos damos un último beso que me deja sin respiración y por mi mente pasan raudos todos los besos que he compartido ya con él, todas las veces que nos hemos acariciado, deseado y amado. Repaso todos esos momentos para asegurarme de que me los llevo conmigo, para cuando el frío se instale en mi cuerpo y lo extrañe sin remedio.

—Te quiero. Te quiero. Te quiero.

Le escucho decirlo sin parar hasta que me meto en el avión. Como si necesitara escucharlo, como si aún no me lo creyera; pero sí que le creo, ahora sí. Porque cada vez que le miro me veo reflejada en sus ojos y consigo distinguir todos y cada uno de mis colores.

NOTA DE LA AUTORA

En esta novela quería tratar como tema principal la búsqueda de la auténtica identidad. Siempre me he cuestionado si sentiría igual si yo no fuera yo. ¿Cómo sería ser diferente a como soy? Ese pensamiento me llevó a darme cuenta de que hay tantas versiones de quienes somos como diferentes percepciones que tienen de nosotros las personas que nos conocen a lo largo de la vida. Todos somos un bonito y complejo arcoíris.

Para desarrollar la idea busqué un escenario: el mar; un lugar: el arrecife de Ningaloo. Y, sin darme cuenta, esta historia se convirtió en mucho más.

Creía que sabía de nuestros océanos; sin embargo, conforme profundizaba en la documentación, me di cuenta de lo ignorante que era sobre la realidad que hay bajo la preciosa superficie del agua que siempre me ha fascinado, de todo lo que esconde, de todo lo que se está perdiendo, de cómo lo estamos destruyendo por nuestra incapacidad de encontrar un equilibrio entre la sostenibilidad de la naturaleza y el desarrollo humano.

Mi referente en esta andadura ha sido la bióloga marina Sylvia Earle. Si esta historia ha conseguido conmover de alguna forma tu conciencia, infórmate sobre sus «Puntos de Esperanza» en https://mission-blue.org/hope-spots.

Hay muchas acciones a nivel individual que puedes hacer, basadas en el respeto, para marcar la diferencia. Infórmate sobre cómo hacerlo, es fácil, lo tienes a un clic en tu buscador: «Cómo cuidar playas, mares y océanos».

Y, si te has enamorado como yo de Ningaloo, visita: https://www.protectningaloo.org.au.

AGRADECIMIENTOS

Soy una persona poco dada a los impulsos, por eso, jamás pensé que una decisión alocada me regalaría algo así. Muchísimas gracias a los miembros del jurado y a la editorial por considerar esta historia merecedora del VI Premio Titania de Novela Romántica.

Trabajar con un equipo como el de Ediciones Urano lo hace todo más fácil, más divertido, más cercano. Gracias en especial a Esther Sanz, por querer y cuidar mis historias, por darme siempre lo mejor, y a Berta, porque hace que el proceso de corrección sea el mejor punto y final a un trabajo bien hecho. A Luis, por elegir para las cubiertas siempre los mejores colores.

Sé que mi amor y respeto al mar proviene de mis padres, por lo que esta historia no la habría podido escribir desde el corazón sin su herencia. Gracias por enseñarme su belleza, por pasearme sobre las olas, por llevarme siempre lejos, dentro y fuera del agua. Te quiero, *sis*.

Gracias a toda mi familia y amigos, por ilusionarse siempre con todo lo bueno que me pasa, por acompañarme y apoyarme sin descanso. A Ruth y Mariola, os quiero en la distancia y en el tiempo.

Gracias, Quico, porque, cuando regreso al mundo real, haces que sea una vida de novela.

Gracias a Laura por aportar tu granito de arena a mi idea loca; gracias, Roberto, por regalarme tu trabajo y tu admiración. Os quiero porque sois más que amigos, sois familia.

Gracias, Sara, porque te has convertido en imprescindible, porque tus audios valen su peso en oro.

Gracias a las que sois mi apoyo incondicional, a las que, de una u otra forma, me habéis vuelto a acompañar: Victoria Rodríguez, Caro Musso, Patricia García y Ana Lara. Ahora y siempre.

Exprimo mi corazón al final para daros las gracias a los lectores, a los que habéis llegado hasta aquí, porque sin vosotros mi arcoíris estaría incompleto.

Elenacastillo.tintayacordes@gmail.com
Twitter: @tintayacordes
Instagram: @elenacastillo_tintayacordes